LA SUITE DES TEMPS

ÉDITH THOMAS

Les Pétroleuses

nrf

GALLIMARD

INTRODUCTION

Une étude sur les femmes de la Commune ne procède pas d'un choix arbitraire : elle découle de la nature des choses.

Sans doute n'y a-t-il qu'une seule histoire, où se trouve entraîné tout le genre humain. Mais cette histoire est presque exclusivement l'œuvre des hommes. D'après les résultats, ce n'est pas là leur faire un compliment. Les femmes, en tout cas, n'y figurent guère que comme comparses ou comme victimes.

Le « féminisme » ou plutôt « l'humanisme féminin », dont le féminisme n'est que l'avatar pour le XIXᵉ siècle, est aujourd'hui considéré comme dépassé. C'est là un moyen d'escamoter les problèmes qu'il posait, et qui sont encore bien loin d'être résolus. Il suffit pour s'en assurer de voir la composition des comités directeurs des partis politiques, des conseils ministériels, des réunions de l'O.N.U. Malgré les proclamations concernant l'égalité politique et sociale des hommes et des femmes, cette égalité demeure, le plus souvent, illusoire. Mais c'est déjà un résultat appréciable que d'en avoir admis le principe. Il y a un siècle, cela eût passé pour une sottise et un scandale.

Cette histoire de la moitié de l'espèce humaine s'est donc déroulée, le plus souvent, en marge de l'Histoire et soulève des questions qui lui sont propres. En France, de Christine de Pisan à Louise Labé, de Marguerite de Valois à Marie de Gournay, de Mᵐᵉ du Châtelet à Mᵐᵉ de Coicy, d'Olympe de Gouges à Mᵐᵉ de Staël, on en suit sans cesse le fil secret : toutes ces femmes réclament que les femmes soient considérées comme des êtres humains. A partir de 1830, les Saint-Simoniens, Fourier et ses disciples, Cabet, Marx, posent le

*problème en même temps que celui du prolétariat : il s'agit
de la libération de l'humanité tout entière, quelle que soit
la forme de servitude où elle a été jusqu'alors encerclée. Claire
Demar, Flora Tristan, Pauline Roland, Jeanne Deroin,
Daniel Stern, George Sand, tant d'autres, discutent passionnément des conditions de cette libération : enseignement,
métier, mariage, capacité juridique, droits politiques, etc.*

*Si l'on avait déjà vu les femmes participer aux grandes
journées de la Révolution de 1789, on les voit davantage
se mêler à la Révolution de 1848, dont elles attendent la
reconnaissance de leurs droits. Mais les hommes de 48,
pas plus que leurs « grands ancêtres » de 1789, ne se montrent
disposés à les leur accorder. Le feu reprend en 1871, à l'occasion de la Commune.*

*Or, cette histoire des femmes, considérée comme une branche
de l'histoire sociale, est, en général, tenue pour négligeable.
Pour les historiens « sérieux », elle ne mérite pas d'être
prise plus au sérieux que n'importe quel « ouvrage de dame ».
Des historiens de la Commune écrivaient récemment : « Il
y aura, et c'est inévitable, des manifestations féministes,
qui seront le fait de la petite bourgeoisie. Elles seront peut-
être les plus tapageuses, mais l'essentiel n'est point là. Il est
dans le fait que les ouvrières de la Commune ont secoué
l'illusion selon laquelle l'émancipation de leur sexe se pro-
duirait en marge de la lutte des classes. » Or, cette émancipation n'est point une illusion. Les femmes qui accèdent
aujourd'hui à des professions intellectuelles (professeurs
d'université, médecins, ingénieurs), aussi bien dans les pays
capitalistes que dans les pays socialistes, qui gagnent leur
vie sans médiateur, amant ou mari, qui se trouvent en prise
directe sur la société, sont infiniment plus « libres » que
n'auraient osé l'espérer leurs aïeules. La libération de la
femme ne se confond donc pas nécessairement avec celle
du prolétariat. Elles ne marchent pas du même pas. Que des
historiens marxistes rejoignent ainsi la plupart des historiens bourgeois, prouve seulement qu'ils sont aussi empêtrés
que leurs confrères dans les préjugés masculins, encore
qu'il s'agisse plutôt chez eux de tactique politique.*

*Les autres estiment traditionnellement que la question
ne se pose pas davantage. Les femmes ne présentent d'intérêt
que dans leurs relations amoureuses, c'est-à-dire qu'elles*

ne comptent que comme objet. Les histoires d'alcôve restent toujours des best-sellers. Mme *de Pompadour,* Mme *du Barry n'ont pas fini de faire parler d'elles et de ressortir périodiquement, accommodées au goût du jour.* Mme *de Staël intéresse plus par ses amants que par la lutte qu'elle mena contre Napoléon. Flora Tristan ou Pauline Roland n'intéressent personne.*

Il faut donc convenir que l'histoire des mouvements de femmes va à contre-courant et qu'elle réunit tout le monde contre elle. Aussi, plus encore que dans d'autres domaines, les grandes et vagues synthèses ont-elles précédé les études précises, nécessairement limitées, qui auraient permis de les échafauder avec quelque certitude. Je n'ai d'autre ambition que de déblayer un peu un terrain encore couvert de broussailles, de poursuivre un travail d'analyse, afin que l'on puisse, par la suite, tenter de véritables synthèses, qu'il est impossible de faire dans l'état actuel de nos connaissances. Bref, de chercher à établir quelques modestes vérités. Des études sur les femmes de 1848, sur Pauline Roland, sur George Sand, m'ont menée logiquement à la Commune.

La participation des femmes à la Révolution de 1871 a frappé par son importance tous les contemporains. J'en citerai quelques-uns à la barre pour me justifier d'avoir entrepris ce travail.

Maxime du Camp : « *Le sexe faible fit parler de lui lors de ces temps exécrables, et pour faire suite au Mérite des Femmes, on pourrait écrire un livre curieux :* Du rôle des femmes pendant la Commune. *Le récit de leurs sottises devrait tenter le talent d'un moraliste ou d'un aliéniste. Elles avaient lancé bien autre chose que leur bonnet par-dessus les moulins ; elles ne s'arrêtèrent pas à si mince détail et tout le reste du costume y passa. Elles mirent leur âme à nu et l'on fut stupéfait de la quantité de perversité naturelle que l'on y découvrit. Celles qui se donnèrent à la Commune — et elles furent nombreuses — n'eurent qu'une seule ambition : s'élever au-dessus de l'homme en exagérant ses vices. C'était là un idéal qu'elles surent atteindre. Elles furent mauvaises et lâches... Elles étaient toutes là, s'agitant et piaillant, les pensionnaires de Saint-Lazare en vacances, les natives de la petite Pologne et de la grande Bohême, les marchandes de modes à la tripe de Caen, les couturières*

*pour messieurs, les chemisières pour hommes, les institu-
trices pour étudiants majeurs, les bonnes pour tout faire,
les vestales du temple de Mercure et les vierges de Lourcine.
Ce qu'il y avait de profondément comique, c'est que ces
évadées du dispensaire parlaient volontiers de Jeanne d'Arc
et ne dédaignèrent pas de se comparer à elle... Aux derniers
jours toutes ces viragos belliqueuses tinrent derrière les
barricades plus longtemps que les hommes... On en arrêta
beaucoup, les mains noires de poudre, l'épaule meurtrie
par le recul du fusil, tout émues encore de la surexcitation des
batailles...* [1] »

De Dauban, profondément réactionnaire lui aussi : « *Les
femmes étaient comme les hommes : ardentes, impla-
cables, enragées. Jamais elles ne se sont montrées en si
grand nombre comme en ce temps-là, bravant le péril, défiant
la mort. Elles pansaient les horribles blessures faites par la
mitraille, par l'obus et les balles cylindriques ; elles accou-
raient auprès de ceux qui, sous l'impression de tortures
inouïes, hurlaient, sanglotaient, mugissaient de rage ; puis,
la vue pleine de sang, l'oreille remplie de ces cris sortis des
dernières fibres vivantes de la chair, elles prenaient résolument
le chassepot et couraient aux mêmes blessures, et à la même
agonie... Et quelle intrépidité sur les barricades, et quelle
férocité dans le combat, et quel sang-froid, le long du mur,
en face du peloton d'exécution* [2]. »

D'Alexandre Dumas fils, ce mot de la fin : « *Nous ne
dirons rien de leurs femelles par respect pour les femmes à
qui elles ressemblent quand elles sont mortes* [3]. »

De l'autre côté, Benoît Malon : « *Un fait important entre
tous qu'a mis en lumière la révolution de Paris, c'est l'entrée
des femmes dans la politique. Sous la pression des circonstances, par la diffusion des idées socialistes, par la propagande des clubs... elles ont senti que le concours de la femme
est indispensable au triomphe de la Révolution sociale
arrivée à sa période de combat ; que la femme et le prolétaire,
ces derniers opprimés de l'ordre ancien, ne peuvent espérer
leur affranchissement qu'en s'unissant fortement contre*

---

1. *Les Convulsions de Paris*, t. II, pp. 86-90.
2. *Le Fond de la Société*, p. 21.
3. *Lettres sur les choses de ce jour.*

*toutes les forces du passé. Elles se rappelaient d'autre part
que les femmes de Paris remplirent une des plus belles pages
de la Révolution de 1789, les 5 et 6 octobre, et beaucoup
d'autres. Elles se mirent avec passion au service de la Révolution communale... On les trouvait toujours en nombre
imposant dans les actions collectives et beaucoup se dévouèrent
particulièrement à la cause révolutionnaire. Un certain
nombre d'héroïnes faisaient crânement et modestement
le coup de feu aux avant-postes, quelques-unes sous l'uniforme
de garde national. On ne comptait plus les cantinières qui
se signalaient. Une dizaine avaient été tuées et les survivantes
n'étaient pas moins braves* [1]. »

*De Lissagaray : « Cette femme qui salue et accompagne,
c'est la vaillante et vraie Parisienne. L'immonde androgyne
née des fanges impériales a suivi sa clientèle à Versailles,
ou exploite l'armée prussienne de Saint-Denis. Celle qui
tient le pavé maintenant, c'est la femme forte, dévouée,
tragique, sachant mourir comme elle aime, de ce pur et
généreux filon qui, depuis 89, court vivace dans les profon-
deurs populaires. La compagne de travail veut aussi s'associer
à la mort. « Si la nation française ne se composait que de
femmes, quelle terrible nation ce serait », écrivait le correspondant du Times... Elle ne retient pas son homme, au
contraire, le pousse à la bataille, lui porte aux tranchées le
linge et la soupe, comme elle faisait aux chantiers. Beaucoup
ne veulent pas revenir, prennent le fusil* [2]... »

*De Marx enfin : « Les cocottes avaient retrouvé la piste
de leurs protecteurs, qui s'étaient terrés, les hommes de la
famille, de la religion et surtout de la propriété. A leur
place, les vraies femmes de Paris avaient reparu à la surface,
héroïques, nobles et dévouées, comme les femmes de l'Anti-
quité. » Et encore : « Les femmes de Paris, joyeusement
donnent leur vie sur les barricades et sur le lieu de l'exécution.
Qu'est-ce que cela prouve? Eh bien, que le démon de la
Commune les a changées en Mégères et en Hécates* [3]. »

*On pourrait multiplier les témoignages. Ce serait, je crois,
inutile. Que les détracteurs de la Commune traitent les*

---

1. *La Troisième Défaite du Prolétariat français*, p. 272.
2. *Histoire de la Commune de 1871*, p. 209.
3. *La Guerre Civile en France, 1871*, pp. 88 et 98.

*femmes, qui y participèrent, de « femelles » et de « viragos »,
que les partisans de la Commune exaltent ces « pures héroïnes »,
peu importe. De ces opinions contradictoires se dégage un
fait certain : la participation importante, massive, extraordinaire, des femmes à la Commune. L'enquête parlementaire
sur l'insurrection du 18 mars le confirme d'ailleurs officiellement : mille cinquante et une femmes furent déférées
aux Conseils de guerre. D'autres, dont on ignorera toujours
le nombre, furent tuées sur les barricades et dans les grands
massacres de la semaine de mai.*

*Quelles furent ces femmes? Que firent-elles? Que voulaient-
elles? Que pensaient-elles? Les « pétroleuses » furent-elles
un mythe ou une réalité? Autant de questions qui se posent
à l'historien.*

*Les documents qui permettent de retracer l'histoire — ici,
outre les journaux et les mémoires, les dossiers des Conseils
de guerre aux Archives du Ministère de la Guerre, les dossiers
de grâce aux Archives Nationales — restent des papiers
morts, sans signification, tant qu'ils ne sont pas choisis,
critiqués, interprétés, organisés par l'historien qui les met
en œuvre. Dans cette confrontation apparaît forcément sa
personnalité. Certes, la méthode historique est une science,
et une science rigoureuse. Mais l'objectivité est un leurre,
surtout quand il s'agit de périodes proches et qui touchent
à des problèmes toujours brûlants. Le regard que l'on pose
sur la Commune est différent selon qu'on la considère comme
la révolte d'un peuple exaspéré justement par la défaite
et l'injustice sociale, ou comme une entreprise de subversion
criminelle contre l'ordre établi. Dans le premier cas, on aura
tendance à considérer les femmes et les hommes de la Commune
comme de purs et sympathiques héros ; dans le second cas,
comme des criminels de droit commun.*

*Nous tenterons d'éviter ce naïf manichéisme. La Commune,
malgré ses erreurs et ses fautes, incarne un moment important
de l'histoire révolutionnaire, du devenir de la justice. Mais
la cause de la justice n'est pas défendue par des enfants de
chœur et des rosières.*

*Je ne crois pas, non plus, qu'un historien puisse parler de
choses dont il n'a pas fait lui-même l'expérience, comprendre
des faits qui lui sont totalement étrangers. Sans doute faut-il*

*se méfier, en histoire, des analogies. Rien ne s'y répète
jamais exactement. Mais Mathiez constatait que ce qui lui
avait permis de comprendre la légalité des tribunaux révolutionnaires, c'était d'avoir assisté à des tribunaux militaires,
pendant la guerre de 1914-1918. Élevé dans une période
de tranquillité sociale relative, cet historien « bourgeois »
n'aurait pu, sans cette expérience, comprendre les impératifs
d'une justice d'exception.*

*Ce qui me permet peut-être de comprendre les femmes de la
Commune, c'est d'avoir participé dans la Résistance au
comité directeur de l'Union des Femmes Françaises, d'avoir
rédigé leurs tracts, d'avoir préparé avec elles les manifestations des femmes contre le gouvernement de Vichy et l'occupant
nazi; les barricades de 1944 répondent aux barricades
de 1871.*

*Mais si l'historien a le droit d'être passionné et d'être, en
tant qu'homme, en tant que femme, engagé dans son temps,
cette passion ne doit, en aucun cas, l'autoriser à passer sous
silence les documents gênants, ni lui masquer la vérité qui,
comme Janus, a toujours deux visages.*

Un mot encore sur le titre. Le terme de « pétroleuses [1] *» fut
inventé en 1871 pour dénommer les femmes qu'on accusait
d'avoir incendié Paris. Je l'emploie dans un sens beaucoup
plus large. Il s'agit de toutes les femmes qui ont été mêlées
au mouvement révolutionnaire de 1871; ce n'est nullement
péjoratif.*

---

1. Robert (P.), *Dictionnaire alphabétique et analogique de la langue
française*, t. V. « Pétroleur, euse, n. (1871, dér. de pétroler). Personne
qui incendie au pétrole. V. brûleur, incendiaire. Rem. Ne se dit guère qu'au
féminin. Les pétroleuses de la Commune. « C'était une étrange créature.
Ses mèches grises, échevelées, lui donnaient dans les meetings une allure
de pétroleuse. » Martin du Gard, *Thib.*, t. VI, p. 238. — « Il savait ce
qu'était une pétroleuse : il avait vu cent fois cette image du *Monde illustré*
de 1871 où deux femmes accroupies, la nuit, près d'un soupirail, allumaient
une espèce de feu. Des mèches dépassaient leur bonnet de femme du
peuple. » Mauriac, *Le Sagouin*, p. 49. »

I

Les femmes
sous le Second Empire

Au bal de l'Opéra, les courtisanes de haute volée, les Marguerite Bellanger, Blanche d'Antigny, Cora Pearl, la Païva, tant d'autres moins célèbres, valsent aux bras des hommes du jour. Vêtues de soie, de broderies, de dentelles, de fourrures, les dames aux camélias tiennent le haut du pavé. La crinoline est à la mode et devient un symbole. Une robe dite « à la Béguine », en dentelle de Chantilly et en cachemire de l'Inde, comporte 250 mètres d'étoffe et coûte 10.000 francs [1]. Au jeu de la Bourse, des fortunes s'échafaudent et sont croquées le lendemain. Un luxe de parvenu, une dépravation sans grandeur, un mauvais goût certain, marquent l'apogée d'une classe dont le mot de Guizot, plus que jamais, reste la devise : « Enrichissez-vous. » Il paraît que le conseil complet, c'est : « Enrichissez-vous par le travail et par l'épargne. » Soit. Dans ce cas, il s'agit encore du travail des autres. Jamais l'argent n'a été aussi à la mode et n'a autant tenu lieu de tout.

Deux classes donc, et très marquées : les riches et les pauvres. Cela s'inscrit aux yeux de tous dans les pierres même et dans l'asphalte de la cité. Jetant bas le vieux Paris, le baron Haussmann a tracé de grandes voies nouvelles, que des charges de cavalerie peuvent balayer aisément du nord au sud, de l'ouest à l'est. Ainsi plus de barricades. On ne verra plus s'élever ces citadelles du pauvre qui, en 1830, en 1848, en 1851, ont causé tant d'ennuis au pouvoir. Les maisons ne se partagent plus, comme au

1. Vanier (Henriette), *La mode et ses métiers*, p. 194.

xviiie siècle, perpendiculairement entre les bourgeois et les artisans. Les ouvriers sont refoulés vers le nord et l'est de Paris, à Belleville, à Ménilmontant et, au-delà des fortifications, vers les banlieues qui naissent dans la laideur de l'anarchie industrielle (ce qu'on appelle la liberté).

Le long des nouvelles voies s'élèvent les immeubles cossus des grandes familles de la banque et des affaires.

Deux mondes différents qui se haïssent et se craignent; s'ignorent au mieux.

C'est que la condition ouvrière ne s'est guère améliorée depuis 1830. Les salaires demeurent au-dessous du niveau qui permet à l'homme de mener une vie humaine. Encore faut-il faire une distinction dans le prolétariat lui-même : les femmes y sont surexploitées. A Lyon et dans le Nord, les femmes travaillent dans les manufactures, où leurs salaires sont relativement élevés : 3 fr. 50 pour une tisseuse, 3 ou 4 francs pour une ourdisseuse. Mais la plupart des femmes ne peuvent gagner leur vie qu'à des travaux d'aiguille qui font la réputation mondiale de Paris. Ces chefs-d'œuvre ne leur donnent guère de quoi vivre. Si certaines ouvrières (les couturières pour tailleur par exemple) arrivent à gagner 4 fr. 50, d'autres ne touchent pas plus de 50 centimes. Le gain moyen des couturières est de 1 fr. 70, des brodeuses 1 fr. 71, des modistes 1 fr. 98. Une lingère de luxe peut atteindre 5 ou 6 francs mais la plupart ne reçoivent guère que 2 francs ou 2 fr. 50, pour des journées de onze heures. Sur 112.000 ouvrières, 60.000 sont employées dans la couture, 6.000 fabriquent des fleurs artificielles dont la vogue fut si grande sous l'Empire : « Les plus habiles sont de véritables artistes qui étudient avec amour les fleurs naturelles et les reproduisent avec plus de fidélité que les meilleurs peintres [1]. » J'ai encore, dans des cartons, des fuchsias, des roses et des feuilles de lierre, que mon arrière-grand-mère fabriquait sous le Second Empire, et qui sont, dans leur genre, des chefs-d'œuvre. Les « véritables artistes » gagnent 3 francs pour onze heures de ce travail.

Le Journal des Demoiselles attire l'attention des jeunes filles de la bourgeoisie sur le sort de leurs sœurs

---

1. Simon (Jules), *L'Ouvrière*, p. 212.

malheureuses : « Parmi les pauvres filles qui manient l'aiguille, il y a une échelle de gain qui de 5 francs décroît jusqu'à 15 centimes par jour. Il faut prendre une moyenne qui est de 2 francs gagnés dans une journée de treize heures... et encore faut-il défalquer sur cette somme le fil ou la soie que l'ouvrière emploie [1]. »

Le très paternaliste Jules Simon établit comme suit le budget d'une ouvrière, qui vit seule sur le pavé de Paris : Si elle est très habile, elle gagne 2 francs par jour, dont il faut défalquer les dimanches, les jours fériés et la morte-saison, qui est très importante dans les métiers de mode. Le gain d'une ouvrière s'élève donc à 500 francs par an environ, si elle n'a pas un jour de maladie. D'abord, il faut se loger. Depuis le percement des grandes voies d'Haussmann, de nombreux logements ouvriers ont été détruits. Pour un cabinet mansardé au sixième étage, il faut compter 100 à 120 francs sur la rive gauche, 150 francs sur la rive droite; pour une chambre 20, 30 ou 40 francs de plus. En 1851, des enquêteurs signalent une femme « ensevelie plutôt que logée dans un trou de cinq pieds de profondeur sur trois de largeur »; une autre qui, pour respirer, avait dû casser le carreau de sa lucarne. Jules Simon compte 115 fr. 50 pour l'habillement. Pour le chauffage, le charbonnier garnit une chaufferette avec du charbon et de la cendre, pour 5 centimes. L'éclairage, c'est une mèche trempée dans l'huile : il faut compter 10 centimes d'huile pour trois heures. Trente-six francs, donc, pour le chauffage et l'éclairage. Trente-six francs pour le blanchissage. Soit 287 fr. 50. Il reste 215 fr. 50 pour la nourriture, c'est-à-dire 59 centimes par jour. C'est suffisant pour ne pas mourir de faim. Beaucoup d'ouvrières ne se nourrissent que de pain et de lait. Si une maladie survient, il n'y a aucun moyen de payer le médecin et les médicaments. Un grand nombre d'ouvrières ne gagnent même pas 2 francs par jour [2].

Aux lingères, aux couturières, les couvents font une grande concurrence. Car la main-d'œuvre des ouvroirs ne

---

1. Vanier (Henriette), *op. cit.*, p. 219 : *Journal des Demoiselles*, février 1865.
2. Simon (Jules), *op. cit.*

coûte pas cher. Une religieuse « que rien ne presse, travaille lentement et travaille bien ». Les communautés peuvent donc fournir un excellent travail à des prix inférieurs de 25 % à celui des ouvrières [1]. Cette concurrence ne sera peut-être pas étrangère à l'anticléricalisme des femmes de la Commune.

Il est donc à peu près exclu qu'une ouvrière puisse vivre seule de son salaire. Elle se met en ménage, légal ou non. Une piqueuse de bottines, Victorine Brochon, dont nous retrouverons le témoignage à plusieurs reprises, décrit en ces termes la vie de la famille ouvrière. « J'ai vu de pauvres femmes travaillant douze et quatorze heures par jour pour un salaire dérisoire, ayant vieux parents et enfants qu'elles étaient obligées de délaisser, s'enfermer de longues heures dans des ateliers malsains, où ni l'air, ni la lumière, ni le soleil ne pénètrent jamais, car ils sont éclairés au gaz, dans des fabriques où elles sont entassées par troupeaux, pour gagner la modique somme de 2 francs par jour, et moins encore, les dimanches et fêtes ne gagnant rien. Le samedi soir, après leur journée accomplie, souvent elles passent la moitié des nuits pour réparer les vêtements de la famille; elles vont aussi porter au lavoir leur linge à couler pour aller le laver le dimanche matin [2]. »

Son mari, pour échapper au taudis où ils habitent, passe le temps qu'il a de libre au cabaret; il y dépense les trois quarts de sa paye. Parfois, il bat sa femme et elle s'efforce de protéger les enfants de ses coups. Il faut demander crédit au boulanger, au charbonnier, à l'épicier, engager ses hardes au Mont-de-Piété, cette banque du pauvre. Pour la femme, jamais de repos, puisqu'elle travaille au dehors et entretient la maison, pour l'homme, le cabaret. Cette description rejoint l'enquête de Villermé ou *le Peuple* de Michelet.

A quoi bon invoquer la morale traditionnelle dans cette misère : « Les mots honneur, vertu, foi, sonnent mal aux oreilles de ces déshéritées. Pour elles ce sont des phrases creuses et vides de sens [3]. »

---

1. *Ibidem*, p. 269.
2. Victorine B..., *Souvenirs d'une morte vivante*, pp. 62-63.
3. *Ibidem*.

La prostitution apparaît donc comme un moyen normal, et souvent indispensable, de compléter le salaire, ou d'y suppléer quand il manque totalement. En 1867, sur la proposition d'un ancien saint-simonien, Arlès-Dufour, l'Académie de Lyon propose le sujet suivant : *Les moyens d'élever le salaire des femmes à l'égal de celui des hommes, lorsqu'il y a égalité de travail, et d'ouvrir aux femmes de nouvelles carrières.* Une jeune fille, Julie Daubié, remporte le prix avec son étude sur *La femme pauvre au XIXe siècle.* Comme Jules Simon, elle met l'accent sur le caractère économique de la prostitution : « L'insuffisance du salaire de l'ouvrière urbaine, écrit-elle, la pousse parfois, même en temps de prospérité industrielle, à compléter son budget par la vente de son corps : cela s'appelle le cinquième quart de la journée. Pendant le chômage, cette espèce de droit au travail remplit la journée entière. Dans différentes villes, selon le témoignage des inspecteurs du bureau des mœurs, des femmes qui n'ont point perdu tout sentiment d'honnêteté sont poussées à l'ignominie par manque de moyens de subsistance... Généralement la misère des femmes est telle que parmi six mille inscrites à Paris, deux seulement avaient quelques ressources. On peut en citer une qui lutta trois jours contre les tortures de la faim avant de succomber [1]. »

De toute façon, le mariage légal et religieux n'est pas la règle de la famille ouvrière. Mais ces unions irrégulières ont souvent une longue durée, et témoignent d'une fidélité beaucoup plus grande que bien des mariages légitimes [2]. Ce « concubinage », qui indignera les chastes conseils de guerre et leur paraîtra une charge de plus à l'égard des Communardes, est un scandale aux yeux des bien-pensants. L'association catholique Saint-François-Régis s'emploie, vainement d'ailleurs, à faciliter le mariage des femmes. D'une façon générale, on se montre toujours beaucoup plus indulgent envers les courtisanes, qui ont réussi à se hausser jusqu'au demi-monde, qu'envers les pauvres filles de la rue Quincampoix et des faubourgs.

La morale de la classe ouvrière n'est donc pas celle qui

1. Daubié (Julie), *La femme pauvre au XIXe siècle,* t. II, p. 2.
2. Simon (Jules), *op. cit.,* p. 298.

régit, en principe, la bourgeoisie. Elle a d'autres lois :
la première des vertus, c'est la solidarité; l'idéal que l'on
poursuit obscurément, c'est celui de la justice.

En 1864, se crée à Londres l'*Association Internationale
des Travailleurs*, dont Marx rédige l'adresse inaugurale.
Tolain, Fribourg, Charles Limousin en organisent la section française. Ce sont des proudhoniens, et l'on sait que
Proudhon, qui s'accommoda si bien de l'Empire, est résolument hostile au travail des femmes. La section française
de l'*Internationale* rédige donc un mémoire contre la participation des femmes à la production. Cette prise de position n'empêche pas les femmes d'adhérer à l'*Internationale*.
Victorine Brochon participe aux réunions, y entraîne son
mari : « Pour nous, écrit-elle, Frankel était aussi bien notre
compatriote qu'un Montmartrois, bien qu'il fût hongrois [1]. »
Elle collabore à la création d'une boulangerie coopérative
du quartier de la Chapelle [2]. Un tiers des bénéfices va aux
membres de la coopérative, un tiers constitue le fonds
de réserve, le dernier tiers est prêté, sans intérêt, pour la
fondation d'une autre coopérative. Mais, en 1867, le
problème du pain devient si aigu qu'on ne peut refuser
de faire crédit aux ouvriers, et c'est la ruine de l'entreprise.
    Une relieuse, Nathalie Lemel, fonde avec l'ouvrier
Varlin une autre société d'alimentation : *La Marmite*.
Née à Brest en 1826, d'une famille aisée — ses parents
possédaient un café — Nathalie Lemel, élevée avec soin,
était fort estimée dans la ville. Elle tient d'abord une
librairie à Quimper avec son mari. Mais leur affaire péri-
clite et les Lemel viennent s'installer à Paris. Nathalie
Lemel travaille dans divers ateliers de reliure. Elle adhère
à l'une de ces sociétés de secours mutuel, que la police
surveille toujours avec attention, car elles peuvent se
transformer aisément en sociétés de résistance. En 1866,
Nathalie Lemel devient membre de la *Première Internationale*. C'est une militante qui lit à haute voix « de mauvais
journaux ». Par son intelligence, et « la lumineuse netteté
de son esprit », elle exerce une incontestable influence sur

1. Victorine B..., *op. cit.*, p. 71.
2. *Ibidem*, p. 71.

ses camarades d'atelier. Mais son indépendance et ses opinions politiques la séparent de son mari qui, d'ailleurs, s'est mis à boire.

La société *La Marmite*, qui a pour but « de fournir aux ouvriers des aliments à bon marché », est une association autorisée par le gouvernement. Grâce à l'activité de Nathalie Lemel, qui en est la caissière, la société se développe rapidement. Reprenant le vieux projet de Jeanne Deroin sur la fédération des associations ouvrières, on crée une commission d'initiative, qui doit fédérer les diverses sociétés d'alimentation, de consommation et de production. Là aussi, Nathalie Lemel, qui en assume les fonctions de secrétaire, y joue un rôle important. Cette entreprise de solidarité poursuit en même temps un but d'éducation politique et de propagande en faveur de l'*Internationale* [1]. C'est ce qui sépare les sociétés d'origine ouvrière des entreprises similaires créées par la bourgeoisie charitable. Les premières ne sont que des palliatifs, qui débouchent sur la révolution sociale; la charité est une fin en soi.

C'est encore une société de consommation qu'une autre femme, Marguerite Tinayre, fonde sous le nom curieux de la *Société des équitables de Paris*. Marguerite Tinayre appartient à une famille bourgeoise d'Issoire, où elle est née en 1831. Elle a fait de bonnes études et a passé son brevet de capacité, à Lyon, en 1856, pour être institutrice. Elle épouse un clerc de notaire et dirige d'abord, à Issoire, une école libre. Puis, « cédant à son imagination aventureuse et ayant toujours professé des idées avancées », dit un rapport de police dans le style inimitable des documents de ce genre, elle « monte » à Paris et dirige des écoles libres et « protestantes », à Neuilly, Bondy, Noisy-le-Sec, Gentilly. C'est une femme « d'une énergie et d'une activité peu communes », à qui, et c'est bien dommage, on ne trouve rien à reprocher du point de vue de la « moralité »; sinon qu'elle partage les idées subversives de sa famille, de son frère Antoine Guerrier, de son beau-frère, Jules Babick, adepte un peu fou de la religion fusionniste. Avec d'anciens

---

1. Dommanget (Maurice), *Hommes et choses de la Commune*, pp. 194-200; A.N. BB 24, 792, 4380, S. 73; A.G. IV, 688, *Gazette des Tribunaux*, 11 septembre 1872.

saint-simoniens, qui, par exception, sont restés fidèles
à l'idéal de leur jeunesse, Marguerite Tinayre organise
donc en 1867, *les Équitables de Paris*. Les réunions se
tiennent, rue des Vieilles-Haudriettes, chez le cordonnier
Henry, qui en est président. Membre de la Commission
de contrôle, Marguerite Tinayre fait adhérer l'association
à l'*Internationale* et à la *Fédération des Sociétés ouvrières*.
Elle prend la parole dans les réunions politiques organisées,
à partir de 1868, pour défendre « les idées socialistes et
anti-religieuses ». Bref une femme dangereuse, qu'il convient
de surveiller [1].

Mais Marguerite Tinayre est aussi une romancière, qui
se place sous le patronage de George Sand. Elle lui dédie,
en 1864, sa première œuvre : *La Marguerite*. Naturellement, comme George Sand, comme Daniel Stern, elle a
pris un pseudonyme masculin, et c'est sous le nom de
Jules Paty qu'il faut chercher ses romans à la Bibliothèque Nationale. Infortunés romans qui, en un siècle, n'ont
trouvé aucun lecteur et dont j'ai dû couper les pages [2].
Leur tort, c'est d'être longs, pathétiques et filandreux.
Mais, bon ou mauvais, un romancier ne se dissimule jamais
dans ses œuvres. Même s'il se croit objectif, l'on y découvre
toujours des traces de sa personnalité. C'est pourquoi,
je me serais sentie coupable de ne pas essayer de connaître
un peu mieux Marguerite Tinayre à travers les romans de
Jules Paty. Le conseil de guerre, qui m'a indiqué cette
identification, a raison. Jules Paty prend comme cadre
l'Auvergne et Issoire, où Marguerite Tinayre est née. Ses
romans sont datés de Noisy-le-Sec, où Marguerite Tinayre
a dirigé, un moment, une école. Jules Paty cite en épi-
graphe une phrase d'un certain Jean Guerrier (*Œuvres
inédites*) qui doit être de quelque membre éminent de sa
famille, puisque Marguerite Tinayre était née Guerrier.
Ces petits jeux de critique interne sont amusants pour le
chercheur. Que le lecteur m'excuse s'ils l'ennuient.

Dans sa première œuvre, *La Marguerite* [3], histoire édi-
fiante du dévouement d'une sœur pour ses neveux, Mar-

1. A.G. Conseil de guerre III, 1416, A.N. BB 24, 852, 732, S. 79.
2. Paty (Jules), *Un Rêve de femme*.
3. Paty (Jules), *La Marguerite*.

guerite Tinayre nous décrit des paysans de l'Allier venus
à Paris pour essayer d'y faire fortune. Le charbonnier de
la rue des Amandiers réussit à gagner une honnête aisance,
mais la blanchisseuse de la rue des Blancs-Manteaux s'épuise
à élever ses quatre petits neveux. La maladie est un drame
qui bouleverse des budgets si précaires. On ne peut même
plus mettre le pot-au-feu, le dimanche, et l'on porte ses
hardes au Mont-de-Piété. A Paris, « la misère est cent fois
plus misérable qu'ailleurs [1] ». Tout ce petit peuple est
décrit avec précision, avec amour. C'est lui que nous
retrouverons parmi les acteurs de la Commune. Dans ce
roman, les sœurs de Saint-Vincent-de-Paul apparaissent
comme de bons anges, ce qui montre que Marguerite
Tinayre n'est nullement anticléricale à cette époque, ou
plutôt que son anticléricalisme comporte de justes nuances.
Tout se termine bien à la fin, comme dans les romans de
George Sand : les paysans déracinés et qui n'ont pu s'adap-
ter à Paris retournent à leur village, conclusion qui, de
toute évidence, n'a rien de subversif.

Mais dans son second roman, *Un Rêve de femme* [2], Marguerite Tinayre se libère de l'influence de George Sand.
Elle montre un scepticisme désabusé que l'on ne trouve
guère chez son maître et qui paraît assez surprenant chez
un tempérament révolutionnaire. Marguerite Tinayre devait
être une femme sans illusion, ce qui n'empêche pas d'ailleurs de participer à une révolution. En littérature, elle
ne veut être ni classique (elle n'admet comme règle que
celle du sens commun), ni romantique (elle ne rêve pas
du Moyen Age, « ce monstrueux abus de la force contre
le droit, qui livrait comme une vile matière, la masse de
la nation aux engrenages de fer de la féodalité »), ni éclec-
tique (« la règle du choix, c'est encore la règle »). Réaliste
alors? Oui, « si le réalisme consiste à chercher l'idéal de
l'art dans l'imitation sincère de la nature, si surtout cette
recherche dans l'ordre physique doit conduire à la décou-
verte d'harmonies, équilibres du monde, dont la religion
et la morale ne sont que des formules mises à la portée
de l'entendement humain, obscurci par l'ignorance, altéré

1. *Ibidem*, p. 265.
2. *Un Rêve de femme*. Préface, p. II.

par les passions ou atrophié par la misère [1] ». Marguerite
Tinayre est donc, avant tout, une moraliste, mais qui se
méfie de la morale et de la religion courantes : c'est en
cela qu'elle est révolutionnaire. Son livre, ajoute-t-elle,
n'est pas à l'usage des jeunes gens. Partisan de la liberté
absolue dans l'art, elle ne le veut pas plus pudique que
nature. Rassurons-nous. Malgré ces formules, *Un Rêve de
femme*, paraît aujourd'hui bien convenable. Ce que veut
Marguerite Tinayre, c'est mettre les femmes en garde
contre « leurs aspirations sans but, leurs chagrins sans
cause », et attirer leur attention sur la nécessité de « l'harmonie physique » dans le mariage, sujet scabreux dont
on ne parlait guère en 1860. Une pure jeune fille, Valentine
de Rochebrune, dont le père est un noble ruiné, épouse
un jeune marquis fortuné, Gustave de Bergonne. Sous
l'influence de sa femme et de son secrétaire, un pauvre
enfant de la campagne, Artona, Gustave fonde une usine
qui donne du travail aux paysans, crée une cité idéale,
avec des maisons pour les ouvriers, une crèche, une école,
un hôpital. Mais, hélas, dans le couple Valentine-Gustave,
« les lois de la nature étaient inversées », « le protecteur
naturel était protégé », la femme supérieure à l'homme.
Un jour, Valentine se donne à Altona qui, au contraire
de Gustave, plutôt fin de race, est beau, fort, solide, etc.
Cette faute entraîne d'affreux malheurs pour tous ces
êtres également nobles et généreux. Gustave devient fou,
abandonne l'usine et le village, refuse de reconnaître son
fils, séquestre sa femme, qui finit par se suicider. Marguerite Tinayre met en scène un abominable homme d'affaires,
type du bourgeois enrichi, qu'elle exècre. Mais elle ne se
montre pas dupe non plus de la phraséologie révolutionnaire. Les clubs de 1848, à Issoire, lui apparaissent comme
des « pasquinades politiques » et elle n'a pas assez de sarcasmes pour les troupeaux d'imbéciles qui envahissent la
tribune [1]. « Dans cette seconde aurore de la liberté éclairant les droits des classes populaires, leur montrant les
devoirs attachés à l'émancipation universelle, les paysans,
abrutis par un demi-siècle d'ignorance, ne souhaitaient que
ce progrès : l'abolition de l'impôt sur les boissons, ne con-

---

1. *Ibidem*, t. II, p. 109.

naissaient qu'un devoir politique, celui d'abolir ce droit par la force ou autrement [1]. » Les femmes, massées au dehors, écoutaient les orateurs et échangeaient des propos stupides sur « les cocottes du dur Rollin (Ledru-Rollin), la Mennais et la Martine ». Mais cette description, qui rejoint, en apparence, celle des contempteurs de la Révolution de 1848, n'est pourtant pas une critique de droite. Le porte-parole de l'auteur, Artona, explique en effet : « La folie de l'intérêt particulier possède cette masse... mais laissez luire la lumière dans tous les cerveaux obscurcis et vous verrez à quel faîte peut monter l'homme [2]. »

Ainsi, pour Marguerite Tinayre, il y a à faire, avant tout, un travail d'éducation parmi les masses. Les sociétés de secours mutuels, les coopératives de consommation, auxquelles elle participe activement, sont les moyens de cette éducation.

L'action « politique » des femmes apparaît donc d'abord dans ces diverses associations de consommation. C'est là suivre la tradition. Les femmes sont beaucoup plus proches des réalités quotidiennes que les hommes. La nourriture de la famille fait partie de leur rôle millénaire. Le prix du pain, c'est leur affaire depuis des siècles. Avant donc de chercher à mener une activité réellement politique, elles tentent de s'occuper « de l'administration des choses », sur laquelle elles peuvent agir directement. C'est par ce biais que les plus conscientes d'entre elles pensent avoir prise sur la réalité sociale.

Mais il est évident que ce n'est là qu'un aspect de la question.

Ce ne sont pas que les ouvrières qui ont à se plaindre d'un ordre qui exclut les femmes de la société. Il y a un siècle, la femme ne pouvait guère exister socialement sans médiateur, mari ou amant. L'instruction qu'elle recevait était médiocre ou nulle. La loi de 1850 avait bien ordonné la création d'une école de filles pour toute commune de 800 habitants groupés. Mais la loi était restée lettre morte. Sur 48.496 écoles publiques on comptait

1. *Ibidem*, p. 110.
2. *Ibidem*, p. 118.

18.732 écoles pour les garçons, 11.836 écoles pour les filles. Les autres étaient mixtes. Il est vrai que les écoles libres rétablissaient un peu l'équilibre. Mais, d'une façon générale, un enfant sur cinq ne fréquentait aucune école, parce qu'il était en haillons et mourait de faim. Les instituteurs et les institutrices constituaient un prolétariat en costume décent. Plus de 4.000 institutrices gagnaient moins de 400 francs. Près de 2.000, de 100 à 200 francs [1]. Nous avons vu que le budget minimum d'une ouvrière de Paris s'établissait autour de 500 francs.

Les professions libérales étaient pratiquement interdites aux filles de la bourgeoisie. Lorsque Julie Daubié se présenta au baccalauréat, malgré l'opposition du recteur de Lyon, et fut reçue à cet examen, le ministre de l'Instruction Publique refusa à son tour de lui délivrer son diplôme, par crainte « de ridiculiser à tout jamais son ministère ». Cette anecdote marque le point de départ d'une révolution, dont on oublie aujourd'hui qu'elle est l'aboutissement d'une lutte patiente, quotidienne et sans éclat.

Cette revendication de l'enseignement égal, que réclamait déjà au xve siècle la vieille Christine de Pisan, cette passion de la culture, ce sentiment de frustration, nous les retrouvons sous l'Empire chez toutes ces institutrices pauvres, qui « montaient » à Paris pour échapper à l'engourdissement provincial, pour s'initier à la culture que la province leur refusait, pour dépasser le destin que la tradition leur imposait. Marguerite Tinayre était venue d'Issoire. Louise Michel arrive d'Audeloncourt. Arrêtons-nous un peu à cette fille qui deviendra un symbole.

Le 28 mai 1830, au château de Vroncourt (Haute-Marne), une jeune servante, Marianne Michel, accoucha d'une petite fille qu'on appela Louise. Qui était son père? Peut-être le châtelain Charles-Étienne Demahis. Plus vraisemblablement son fils Laurent qui, quelques jours plus tard, quitta le château paternel et s'installa dans une ferme voisine. La servante resta au château de Vroncourt avec sa petite Louise. Celle-ci fut élevée par Charles-Étienne Demahis et sa femme, qu'elle appelait grand-père et grand-mère, avec un soin et une tendresse qui ne se démen-

---

1. Simon (Jules), *op. cit.*, pp. 400 et suiv.

tirent jamais. Du côté de sa famille paternelle, on trouve des gens de robe, nourris de Voltaire et de Rousseau, qui accueillirent la Révolution de 1789 avec sympathie. Du côté de sa mère, des paysans honnêtes et droits, qui s'étaient eux-mêmes appris à lire. Louise Michel est élevée aux confins du rationalisme voltairien de ses grands-parents Demahis et du mysticisme catholique et populaire de sa famille maternelle. Elle va à l'école du village, où elle se fait remarquer par sa gaîté et son espièglerie sans malice. Elle lit tous les livres que son cousin rapporte du collège, et aussi, sous la direction de son grand-père, Corneille, Lamartine, Lamennais, qui a sur elle une influence décisive. Pendant les longues veillées d'hiver, sa grand-mère chante, son grand-père lit, ou raconte des légendes et les luttes épiques de la Première République. Mais elle aime aussi les jeux violents des garçons, les grandes promenades, quand le vent souffle. Elle connaît la misère des paysans et essaie de la soulager. Elle distribue les fruits du jardin et l'argent qu'elle vole à son grand-père. Il lui propose de lui donner chaque semaine une petite somme pour ses aumônes. « Je refusai, dit-elle, trouvant que j'y perdais trop. » Aucun sens de la propriété, donner tout ce qu'elle a, sont des traits de caractère qu'elle gardera toute sa vie. Mais elle apprend aussi que la charité ne suffit pas : « Je comprenais, dit-elle, les révoltes agraires de l'ancienne Rome. » Sa pitié s'étend jusqu'aux animaux que les paysans maltraitent.

Sa sensibilité, son intelligence apparaissent dans ses premiers vers, qu'elle envoie à Victor Hugo. Le poète lui répond et l'encourage. Plus tard, en 1870, ils se rencontreront et Louise Michel figurera parmi les passades des *Carnets intimes* [1].

Bien qu'elle ne fût pas jolie, malgré un front et des yeux étonnants, celle qu'on appelait dans le pays « M\ :superscript:`lle` Demahis » est demandée deux fois en mariage par de gros bourgeois de campagne. Elle les évince en se moquant d'eux. Pas plus qu'elle ne peut supporter la misère des animaux, la pauvreté des paysans, elle n'accepte la condition des femmes. Les théories des Chrysale l'exaspèrent. Elle veut

1. Hugo (Victor), *Carnets intimes*, pp. 44-45.

rencontrer un amour basé sur l'admiration, un Saint-Just
et non un Arnolphe, un homme qu'elle pourrait admirer,
dont elle partagerait l'idéal, avec qui elle pourrait se
dévouer à la même cause. Mais les Saint-Just ne se rencontrent pas tous les jours, à Vroncourt, ni ailleurs.

Louise Michel refuse donc deux fois le destin classique
des femmes. Son grand-père meurt en 1845, sa grand-mère
en 1850. La femme de Laurent Demahis chasse Louise
Michel du château de Vroncourt, comme « bâtarde »
(c'est la première fois qu'on lui jette ce mot à la tête) et
lui interdit de porter le nom de Demahis. Son grand-père
lui a constitué une petite dot; mais Louise a refusé l'option
du mariage. Il lui faut donc gagner sa vie. Aujourd'hui,
une fille comme Louise Michel s'inscrirait dans une université. En 1850, elle n'a d'autre solution que de devenir
institutrice. Elle obtient son diplôme à Chaumont et prend
un poste à Audeloncourt pour ne pas se séparer de sa mère.

Le coup d'État du 2 décembre la jette dans l'opposition.
Ses élèves chantent *la Marseillaise* et quittent l'église,
quand on prie pour Napoléon III. On dénonce l'institutrice. Elle doit aller à Chaumont s'expliquer avec l'inspecteur qui, en vieux libéral, l'admoneste paternellement
et l'engage à plus de prudence. Mais Louise Michel récidive. Elle publie un violent article dans un journal du
département : « Domitien régnait. Il avait banni de Rome
les philosophes et les savants, augmenté la solde des
prétoriens, rétabli les jeux capitolins et l'on admirait le
clément empereur, en attendant qu'on le poignardât.
Pour les uns l'apothéose est avant, pour les autres, elle
est après, voilà tout. Nous sommes à Rome, l'an 95 de
Jésus-Christ. » Cette fois, c'en est trop. Le préfet la menace
de l'envoyer à Cayenne. Elle répond avec insolence qu'elle
irait volontiers, aux frais du gouvernement, y établir
une école.

L'affaire en resta là pour cette fois. Mais Louise Michel
étouffe dans le conformisme de la province. Elle voudrait
trouver une communauté de pensée et d'action. Paris
l'attire, comme il attire tant de provinciaux, de Julien
Sorel à Rastignac. Mais Louise Michel ne part pas comme
eux, poussée par la volonté de puissance. Elle ne cherche
pas à « arriver », mais à accomplir son destin.

On la trouve d'abord sous-maîtresse dans l'institution de Mᵐᵉ Vollier, 14, rue du Château-d'Eau; puis, elle dirige, 24, rue Oudot, une école libre, car les instituteurs d'État doivent prêter serment à l'Empire. Elle applique des méthodes remarquablement hardies qui annoncent la pédagogie de l'Éducation nouvelle, un siècle plus tard. Elle met les enfants au contact d'objets concrets, fleurs et pierres, leur fait connaître et aimer les animaux. « La morale que j'enseignais, déclarera-t-elle plus tard devant le Conseil de guerre, était-celle-ci : le développement de la conscience assez grand pour qu'il ne puisse exister d'autres récompenses ou d'autres punitions que le sentiment du devoir accompli ou de la mauvaise action. Quant à la religion, elle était abandonnée à la volonté des parents [1]. »

En même temps qu'elle instruit les enfants, elle s'instruit elle-même. Elle suit avec passion les cours du soir de la rue Hautefeuille que président Jules Favre, Eugène Pelletan, etc. « Celles qui, sous l'Empire, jeunes institutrices ou se préparant à le devenir, étaient avides de ce savoir, dont les femmes n'ont que ce qu'elles ravissent de côté et d'autre, venaient rue Hautefeuille s'assoiffer encore de science et de liberté. Une rage de savoir nous tenait. Je crois que nous avons plus souvent ressemblé à des étudiants qu'à des institutrices [2]. » Elle s'initie à la physique, à la chimie, à l'histoire naturelle. Elle découvre dans *l'Origine des espèces* de Darwin, dans *l'Introduction à la Médecine expérimentale* de Claude Bernard, les bases de la méthode scientifique et du déterminisme. Louise Michel se proclame athée et matérialiste. Mais « l'individu, s'il ne survit pas sous une forme personnelle, demeure cependant, dans la mesure où il a su se dévouer à la collectivité humaine ». En politique, elle adhère à l'*Internationale* [3].

Cette instruction des femmes, si médiocre qu'elle soit, se poursuit dans les écoles professionnelles fondées par

1. Sur Louise Michel, voir l'étude d'Irma Boyer. *Les Mémoires* et *La Commune* de Louise Michel. Son dossier aux Archives de la Guerre : Conseil de guerre VI, 135; son dossier de grâce aux Archives Nationales BB 24, 822, 4922, S. 76; son dossier aux Archives de la Préfecture de police BA 1183. *Gazette des Tribunaux*, 17 décembre 1871.
2. Michel (Louise), *Mémoires*, pp. 134-139.
3. A.G. VI, 135.

Élisa Lemonnier. A l'école de la rue Thévenot, Louise Michel enseigne la littérature et la géographie ancienne [1]. Elle se préoccupe aussi de soulager immédiatement la misère des ouvrières en créant la Société démocratique de moralisation, qui a pour but d'aider les femmes à vivre par le travail « dans le devoir ou à y rentrer ». L'appel précise qu'il ne s'agit pas de questions théoriques, mais de fournir aux ouvrières du pain et du travail [2].

Tout cela ne va pas très loin. C'est la condition même des femmes qui doit être transformée, en même temps que la société tout entière.

---

1. Michel (Louise), *Mémoires*, p. 146.
2. A.P. BA 1183, Appel de Louise Michel dans *La Marseillaise*, 21 janvier 1869.

II

La querelle des femmes

Cette condition si médiocre, qui transforme la femme en objet, est justifiée par les « penseurs » de l'époque : Auguste Comte, Michelet, Émile de Girardin. Surtout Proudhon.

Alors que la plupart des théoriciens socialistes, Saint-Simon et les saint-simoniens, Fourier et ses disciples, Cabet, Marx, proclament que les femmes, comme le prolétariat, ont le droit d'être considérées comme des êtres humains égaux et libres, Proudhon, dans ce domaine aussi, emboîte le pas des plus réactionnaires. Son influence sur la classe ouvrière française est trop profonde, à cette époque, pour que l'on ne s'arrête pas un peu à ses élucubrations.

Dans *Amour et Mariage*, Proudhon s'efforce de prouver la triple infériorité de la femme, au point de vue physique, intellectuel et moral. Physiquement, la femme est un instrument de reproduction et rien de plus. En conséquence, elle ne peut subsister dans la société sans un « protecteur », père, frère, mari ou amant. Avec une pédanterie faussement scientifique, il déclare que la force physique de l'homme ayant pour coefficient 3, celle de la femme a pour coefficient 2. On ne sait sur quelles recherches Proudhon établit ces résultats mathématiques. Mais passons.

Au point de vue intellectuel, la femme, dit-il, ne peut soutenir « la tension cérébrale » de l'homme. Son infirmité intellectuelle porte non seulement sur la qualité, mais aussi sur la durée et l'intensité de son action. La femme a l'esprit essentiellement faux et d'une fausseté irrémédiable. Elle n'a ni esprit critique, ni esprit de synthèse. Sans l'homme, elle serait incapable de sortir de l'état bestial. Car l'intelligence est fonction de la force, au point de vue intellectuel comme au point de vue physique. Dans ce domaine aussi, l'homme a donc droit au coefficient 3, la femme 2.

On pourrait du moins espérer que la femme se rattrape sur le plan moral. De nombreux misogynes l'ont admis. Mais Proudhon est un esprit lucide, qui voit ce que les autres n'ont pas aperçu. La vertu est proportionnée aussi à la force. Donc la conscience de la femme, en ce qui concerne la justice, est inférieure à celle de l'homme. Elle n'est sensible qu'à la charité. En politique, la femme est réactionnaire. L'aristocratie représente pour elle le véritable ordre social. Son caractère est faible et inconsistant. Elle se plaint, pleure et gémit. Ces faits sont d'observation générale, précise ce nouveau Chrysale. La femme est, de plus, impudique, car la chasteté est corollaire de la justice.

De ces observations irréfutables, découlent des mesures précises. La femme $= 2 \times 2 \times 2$, l'homme $= 3 \times 3 \times 3$. C. Q. F. D.

D'après ces découvertes éminemment scientifiques, la subordination de la femme est donc inévitable et tout à fait justifiée. La femme n'a pas le choix : « Ménagère ou courtisane. » Seul, le mariage peut lui éviter de tomber dans le libertinage. Dans le mariage, d'ailleurs, il est évident que l'autorité et le commandement reviennent à l'homme. Naturellement, le divorce est interdit. Dans *la Pornocratie*, Proudhon confirme ses observations précédentes. La femme ne sait pas marcher. Elle est faite pour la danse ou le pas solennel des processions. La femme qui fait de la philosophie devient laide. S'il lui arrivait par malheur, à lui Proudhon d'épouser une femme auteur, il lui tiendrait ce discours bien senti : « Madame, vous avez paru à la séance de l'Académie contre ma volonté. La vanité vous étouffe et fera notre malheur à tous deux. Mais je ne boirai pas le calice jusqu'à la lie. A la première désobéissance, quelque part que vous vous réfugiiez, je vous réduirai à l'impuissance de vous remontrer et de faire parler de vous. » Il est dommage que Proudhon n'ait

pas écrit pour le Boulevard, il aurait eu du succès. Il donne
ces conseils à un jeune homme : « Si tu as envie de te
marier, sache d'abord que la première condition pour un
homme est de dominer sa femme et d'être maître. » Et
cet autre, d'une bassesse sans pareille : « Si elle t'apporte
de la fortune et que tu n'en aies pas, il faut être quatre
fois plus fort qu'elle. » Voilà ce qui s'appelle parler en
socialiste.

S'il convient de s'arrêter un peu à ces sottises, c'est que
Proudhon était, sous l'Empire, le maître à penser du prolétariat français. On ne saurait donc s'étonner que la section
française de l'*Internationale* ait, en 1866, présenté un
mémoire contre le travail des femmes. On ne saurait
s'étonner non plus que, dans ces conditions, les femmes
n'aient pas toujours confondu leur cause avec celle du
prolétariat, comme l'avait fait jadis Flora Tristan; et
qu'elles aient engagé la bataille sur leur propre terrain,
même celles qui, du point de vue politique, se réclamaient
de la République, du socialisme et de la démocratie. Sur
la question des femmes, réactionnaires et progressistes
tombent très souvent d'accord pour les garder en tutelle.

Jenny d'Héricourt, dans *La femme affranchie* (1860),
mène l'attaque, avec violence, mais avec esprit. Elle ne
veut pas répondre à ceux qui prétendent que Dieu a
voulu la soumission de la femme, parce qu'elle a péché
la première, mais aux autres, MM. Michelet, Proudhon,
Émile de Girardin, Auguste Comte, qui placent la discussion sur le terrain de la raison et de la justice. Certes,
l'on ne ménage pas les railleries, les calomnies, les injures
aux femmes qui défendent leur droit. « Vain espoir, les
temps ne sont plus où l'on pouvait nous intimider. » La
femme, dit-on, ne peut avoir les mêmes droits que les
hommes, parce qu'elle lui est inférieure par ses facultés
intellectuelles. C'est donc que « vous vous considérez
tous égaux en qualités, tous aussi intelligents les uns que
les autres ». Cela est absurde. Cependant les hommes
se considèrent tous comme égaux devant le droit. C'est
donc qu'ils ne fondent pas le droit sur les qualités. La
démonstration est la même en ce qui concerne les fonctions. La femme ne remplit que des fonctions inférieures.
« Vous avez donc à prouver que les fonctions individuelle-

ment remplies par chacun de vous sont égales, que Cuvier,
Geoffroy Saint-Hilaire, Arago, Fulton, Jacquard n'ont
pas fait plus pour la civilisation qu'un nombre égal de
fabricants de têtes d'épingles. » Il reste à prouver aussi
que les travaux de la maternité et du ménage ne sont
pas aussi utiles à l'humanité que ceux « des fabricants de
bijoux ou de jouets d'enfants ». Il reste à prouver que les
institutrices, les couturières, les modistes n'occupent pas
des fonctions égales à celles des instituteurs, des tailleurs
ou des chapeliers. Si les fonctions ne sont pas la base du
droit, pourquoi parler de la valeur des fonctions, quand
il s'agit des femmes?

La femme ne peut être, dit-on, l'égale de l'homme en
droit, parce que son tempérament lui interdit certains
métiers. Un homme inapte à porter les armes serait donc
hors du droit. « Si une femme avait écrit une pareille
sottise, elle serait tympanisée d'un bout du monde à
l'autre. » La femme ne peut être l'égale de l'homme en
droit, parce qu'il la protège et la nourrit. « Admettez
donc le droit aux filles majeures et aux veuves que vous
ne nourrissez ni ne protégez. » On dit encore que les femmes
ne revendiquent pas leurs droits. Mais « a-t-on attendu que
toute la population mâle revendique le suffrage universel
pour le lui accorder? »

Toute cette discussion semble aujourd'hui basée sur
des truismes. Mais il a fallu près d'un siècle pour que ces
affirmations de bon sens cessassent de faire scandale et
de passer pour des paradoxes ridicules. Jenny d'Héricourt
met en garde les démocrates contre les conséquences
de leur ostracisme à l'égard des femmes. Si les femmes
ont abandonné la Révolution de 1789, c'est parce qu'elles
s'aperçurent que la Déclaration des droits de l'homme
ne les concernait pas. L'histoire se reproduisit en 1848.
« Je vous le dis en vérité : toutes vos luttes sont vaines,
si les femmes ne marchent pas avec vous. » Ce sont elles,
en effet, qui inculquent aux enfants leurs premières idées :
« Vous êtes des aveugles de ne pas comprendre que si la
femme est d'un côté, l'homme de l'autre, l'humanité est
condamnée à faire l'œuvre de Pénélope. » Et, faisant
une dernière fois appel aux démocrates, qui les condamnent à la subordination éternelle, elle s'écrie : « La femme

est mûre pour la liberté civile et nous vous déclarons
que nous considérerons désormais comme ennemi du
progrès et de la Révolution quiconque s'élèvera contre
notre légitime revendication, tandis que nous rangerons
parmi les amis du progrès et de la Révolution ceux qui
se prononceront pour notre émancipation civile, fût-ce
vos adversaires. »

Le défi est jeté. Une jeune amie de George Sand, Juliette
Lamber (Mme Edmond Adam), s'en prend plus particulièrement à Proudhon, dans les *Idées anti-proudhoniennes
sur l'amour, les femmes et le mariage* (1861). Le ton est
plus calme, mais la critique va aussi loin.

Les théories de Proudhon sur l'amour sont trop arrié-
rées pour qu'elles suscitent le moindre écho. Mais ses
opinions sur les femmes sont beaucoup plus dangereuses
« parce qu'elles expriment le sentiment général des hommes
qui, à chaque parti qu'ils appartiennent, progressistes ou
réactionnaires, monarchistes ou républicains, chrétiens
ou païens, athées ou déistes, seraient enchantés qu'on
trouvât le moyen de concilier à la fois leur égoïsme et leur
conscience ». Or, le crime de Proudhon, c'est d'avoir
essayé de prouver que la supériorité de l'homme sur la
femme était à la fois nécessaire et légitime. Juliette Lamber
reprend donc les pseudo-arguments de Proudhon pour
les réfuter. Elle insiste sur la nécessité de donner aux
femmes une éducation qui les mette en mesure de gagner
leur vie. Il faut qu'elles deviennent « productrices », car
le travail seul peut fonder leur liberté. Elle reconnaît
l'importance de la maternité. Mais les occupations mater-
nelles ne prennent pas toute la vie des mères et d'ailleurs,
beaucoup de femmes n'ont pas d'enfants. Le salaire des
femmes est souvent indispensable à la vie de la famille,
indispensable aussi, si l'on veut limiter la prostitution.
« Ouvrir aux femmes les carrières d'un travail libre et
convenablement rétribué, c'est fermer la porte au lupanar.
Hommes le voudrez-vous? » C'est là, en effet, le principal
aspect de la question. L'attitude des hommes à l'égard
de la prostitution est en général ambiguë. Ils feignent de
s'en indigner, témoignent leur mépris à l'égard des prostituées, qui n'existeraient pas sans l'usage qu'ils en font.
En ce qui concerne le mariage, Juliette Lamber réclame

le droit au divorce et la possibilité de contrats laissant aux femmes la gestion de leurs biens. Vœux choquants il y a un siècle, mais qui sont inscrits aujourd'hui dans la légalité.

Louise Michel s'en prend à Michelet : « Le grand homme fait de la femme une idole, et une pauvre idole, car il faut que son mari, un assez piètre sire, la crée à son image[1]. »

Mais les femmes ne se contentent pas d'écrire. Pour répondre à Barbey d'Aurevilly qui, dans un article sur *Les bas-bleus*, a injurié « les femmes savantes », une jeune fille bien élevée, Maria Deraismes, se décide à surmonter la timidité qu'elle doit à une trop parfaite éducation. A la demande de deux rédacteurs de l'*Opinion nationale*, elle accepte de participer aux conférences du Grand Orient (1865). Le reporter du journal d'Émile de Girardin, très hostile cependant à la promotion des femmes, écrit : « Mon étonnement fut grand en voyant arriver une jeune fille de vingt-quatre à vingt-cinq ans, au visage un peu pâle, d'une grande distinction de formes et d'allure, d'une élégance simple, sans timidité ridicule et sans aplomb insolent. » Le lendemain, Maria Deraismes est célèbre.

De 1866 à 1870, devant un auditoire toujours plus nombreux, elle traite de l'émancipation des femmes et de la libre pensée. Elle examine sagement, savamment, la condition historique, juridique, familiale de la femme. « L'infériorité des femmes n'est pas un fait de la nature, c'est une invention humaine, c'est une fiction sociale. » En diminuant la femme, on diminue le potentiel de la société tout entière. Et, après la proclamation de la République, le 4 septembre 1870, elle met les républicains en garde : « Si les démocrates n'ont pas les femmes avec eux, leurs triomphes ne seront que superficiels et passagers. » L'éducation des enfants leur échappera et la femme préparera toujours la réaction[2].

En 1868, l'Empire a accordé la liberté de réunion. Le peuple, qui s'est tu si longtemps, se réveille. Les conférences de Vaux-Hall s'adressent à un public beaucoup

---

1. A.P. BA 1183, Réponse de Louise Michel à un article du *Figaro*, 7 décembre 1861, publiée dans *Justice*, 13 août 1880.
2. Deraismes (Maria), *Œuvres complètes : Nos principes et nos mœurs. L'ancien devant le nouveau.*

plus ouvrier que celles du Grand Orient. On commence
le cycle des conférences par *le travail des Femmes*. Toujours inférieur au salaire des hommes, celui des femmes a
diminué avec « une effrayante rapidité » et arrivera « à ne
plus laisser d'autre alternative que la prostitution ou le
suicide aux femmes qui n'ont que le travail pour vivre »,
constate un grand nombre d'orateurs [1]. Mais un fort
courant proudhonien existe dans l'*Internationale*. Pour
ces disciples de Proudhon, la femme n'est que « récep-
tivité », incapable par conséquent de rien créer par elle-
même, « ménagère ou courtisane », etc. C'est sur ces bases
que s'engagent les discussions.

Maria Deraismes, Paule Minck, André Léo, viennent
défendre les droits politiques des femmes. On remarque
beaucoup Paule Minck, fondatrice de la Société frater-
nelle de l'ouvrière et rédactrice d'un petit journal : *Les
mouches et les araignées*. Son père, Jean Népomucène
Mckarski, ancien aide de camp dans l'armée polonaise,
avait émigré en France, en 1831. Sa mère, Jeanne Blanche
Cornelly de la Perrière, appartenait à la petite noblesse.
Leurs enfants, Paulina Mekarska (Paule Minck) et son
frère Jules, métreur-vérificateur, se signalent à la police
par « leurs opinions dangereuses et insensées ». (Jules
Mekarski sera commissaire de police de la Commune [2].)
Paule Minck est « une petite femme très brune, un peu
sarcastique, d'une grande énergie de parole ». Professeur
de langue, lingère, un peu journaliste, car aucun de ces
métiers ne lui permet de vivre, on la dit « aussi habile à
manier l'aiguille qu'à donner des leçons [3] ».

André Léo est aussi l'une des oratrices les plus en vue.
Elle est déjà connue par ses romans : *Un mariage scandaleux* avait attiré l'attention des critiques. « Ce roman
est l'une des œuvres les plus remarquables que ces dernières années aient vues éclore », lit-on dans *le Siècle* du
4 septembre 1863. Et dans *le Constitutionnel :* « Il y a des
pages aussi belles que les plus belles de George Sand :

1. Lefrançais (Gustave), *Souvenirs d'un révolutionnaire*, pp. 296-297.
2. Villiers (Marc de), *Histoire des clubs de femmes et des légions d'amazones*, p. 381, et A.N. BB 24, 807, 5065 et 843, 8604 et Wyczanska (Krystyna), *Polacy w Komuna paryskiej 1871...*
3. Lefrançais, *op. cit.*, pp. 322-323.

même force, même ampleur et même simplicité; moins d'idéalité, de lyrisme peut-être, mais un plan mieux conçu et une observation plus exacte » (28 juillet 1863). *Un mariage scandaleux* vaut bien, en effet, les meilleurs romans de George Sand (c'est, à mes yeux, un compliment). L'histoire est bien construite, bien menée. Les descriptions de la campagne sont agréables et l'on sent, derrière, une sensibilité très vive aux arbres, à la terre, au ciel, aux saisons. Des paysans, des bourgeois y apparaissent, dessinés d'un trait aigu, parfois presque cruel. Sans illusions en tout cas. Quant au sujet lui-même, le mariage entre une fille pauvre de la bourgeoisie et un jeune paysan intelligent — il vient en droite ligne de George Sand : l'amour renverse les barrières sociales; le bonheur est possible quand on le détache des considérations de rang et d'argent. Avec *La Vieille Fille*, André Léo reprend le thème de la fille qui préfère le célibat à un mariage au rabais. Mais c'est la barrière de l'âge qu'il lui faudra finalement surmonter. Le mariage sera heureux bien que la fille de trente-cinq ans épouse un garçon de vingt-cinq. Dans *Un divorce*, André Léo en étudie très objectivement les conséquences. On pourrait croire que cette femme hardie défend un droit qui n'existe pas encore en France à cette époque, et que réclament les socialistes et les républicains. Il n'en est rien. Avec beaucoup de lucidité, elle montre la détresse des enfants déchirés entre leur père et leur mère. Si le divorce est légitime quand un couple est stérile, il ne résout aucun problème quand il a des enfants. Il faut donc plutôt remonter à la racine du mal, le mariage sans amour, qui n'est, trop souvent, qu'une alliance « entre l'orgueil et la cupidité ». Cette « moralisation » du mariage, cette défense de la famille viennent de Pierre Leroux, qui fut aussi le maître de George Sand. En effet, André Léo (Léonide Béra), née en 1832, à Champagné-Saint-Hilaire (Vienne), fille d'un officier de marine, avait épousé un disciple de Pierre Leroux, Grégoire Champseix. Après le coup d'État du 2 décembre, ils vivent en Suisse (la plupart des romans d'André Léo se passent dans ce pays). Leur mariage est heureux. Ils ont deux enfants, André et Léo, dont les prénoms formeront le pseudonyme littéraire de leur

mère. Revenu en France après l'amnistie, Grégoire Champseix meurt en 1863. Sa femme doit gagner sa vie et celle
de ses enfants, avec sa plume. Mais elle s'engage aussi
dans l'action politique, et, plus précisément, dans la lutte
pour le droit des femmes. C'est chez elle que se discute le
programme de la Société des Droits des Femmes [1].

Dans son étude sur *les Femmes et les Mœurs*, elle réfute
à son tour les divers arguments des antiféministes. L'infériorité musculaire? En fait, la femme fut « la première bête
de somme » et l'on peut voir, aujourd'hui encore, les tâches
que les femmes assument dans les campagnes. Faut-il
aussi compter pour rien les fatigues de la gestation, de
l'accouchement, et les soins donnés aux enfants? Que la
résistance physique de la femme soit différente de celle de
l'homme, n'implique pas qu'elle lui soit inférieure. Quant
au faux idéal de la femme pâle et vaporeuse, André Léo
le réduit à ce qu'il est : une mode passagère. « Dès que
les nerfs ne seront plus en faveur, ils serviront beaucoup
moins », note-t-elle avec bon sens. L'histoire lui a donné
raison. Les vapeurs, les pâmoisons et les flacons de sel,
réservés d'ailleurs aux femmes « de qualité » pendant les
xviiie et xixe siècles, ont disparu complètement. L'infériorité intellectuelle? On n'a jamais donné aux femmes la
possibilité d'exercer leur intelligence. Que l'éducation soit
aussi complète pour la femme, que pour l'homme et l'on
verra ce que devient ce prétexte d'infériorité. La maternité
est le seul rôle que l'on veuille bien lui reconnaître. Mais
la femme serait d'autant plus capable d'élever ses enfants,
si elle était moins ignorante, moins diminuée comme personne morale et intellectuelle. D'ailleurs, elle n'est occupée
par les devoirs de la maternité que pendant une quinzaine
d'années environ. Et celles qui n'ont pas d'enfants? En
fait, on leur refuse les droits à la connaissance et au travail,
parce qu'on veut leur refuser l'indépendance, parce qu'on
veut les maintenir dans un état de subordination. Sur cette
question, les révolutionnaires deviennent conservateurs.
Les socialistes sont divisés. Les proudhoniens, hostiles.
Pour eux, la famille doit être « une monarchie absolue »,

1. Perrier (A.), *Grégoire Champseix et André Léo*, dans *L'actualité de
l'Histoire*, janvier-mars 1960. A.P. BA 1008.

où le père doit régner sans conteste. Or, « la femme esclave
ne peut élever que des esclaves ». La démocratie proclame
la liberté nécessaire à « la dignité et à la moralité de l'être
humain ». Mais s'il s'agit des femmes, la liberté est « un objet
de soupçon et de terreur ». La démocratie proclame la
rédemption de l'humanité par la science mais la science,
pour les femmes, serait un poison. La démocratie croit
aux vertus de l'association, mais le mariage doit être basé
sur l'obéissance. Et, reprenant les arguments de Jenny
d'Héricourt, elle rappelle que même si l'on admet l'infériorité des femmes (ce qui reste à prouver), le contrat social
ne doit pas être fondé sur la loi du plus fort. Même si l'on
admet l'infériorité des femmes, le bulletin de vote est-il
« un diplôme de capacité doctorale »? Ou bien les principes
de la démocratie sont faux, ou bien il faut accorder aux
femmes les mêmes droits qu'aux hommes, sous peine de
renier ces principes mêmes.

Ce sont ces arguments assez forts, il faut en convenir,
que viennent donc exposer les oratrices. Mais le public
ouvrier de Vaux-Hall reste froid, constate Gustave Lefrançais. Ami de Pauline Roland, Gustave Lefrançais sera
membre de la Commune. Il n'est pas proudhonien et reconnaît la justesse de ces critiques. Mais elles ne touchent,
prétend-il, qu'à des situations bourgeoises : « Qu'importe
aux ouvrières qui manient l'aiguille ou le brunissoir, ou
qui se mettent les doigts en sang pour fabriquer des queues
de fleurs artificielles, qui se ruinent la santé pour douze ou
treize heures de travail pour ne pas gagner le pain nécessaire, qu'elles ne soient pas électrices, qu'elles ne puissent
gérer les biens qu'elles n'ont pas et qu'elles ne puissent
tromper leur mari sur un pied d'égalité [1]. » Une pirouette, et
voilà le problème une fois de plus escamoté. Ce texte éclaire
bien une certaine mentalité « socialiste » qui dénie toute
importance à la question des femmes dans la société.
Obnubilée par la situation ouvrière, elle se désintéresse des
autres formes d'injustice sociale. C'est là une attitude
assez courante chez certains dirigeants de partis ouvriers,
pour qui la Révolution n'est qu'une *pratique* vidée de tout
contenu de vérité et de justice. On sait à quoi elle mènera.

1. Lefrançais, *op. cit.*, p. 298.

Un orateur commence son discours par « Citoyennes et Citoyens ». Cet appel aux « citoyennes » produit dans l'assistance « un effet extraordinaire ». Rassurons-nous. Il ajoute immédiatement que les droits politiques, que réclament les femmes, sont tout à fait « secondaires ». Est-ce que les femmes ayant le droit de vote, le droit d'être élues, « en seront moins considérées comme matière exploitable sous toutes formes par les exploiteurs capitalistes [1] »? Il y a là un sophisme courant à l'époque. Le suffrage universel apparaît, même en régime capitaliste, comme un instrument de lutte que revendique la classe ouvrière. Pourquoi alors ne pas le réclamer aussi pour les femmes? De plus, la subordination des femmes est bien antérieure au système capitaliste. La disparition de celui-ci n'implique pas nécessairement la disparition d'une situation millénaire. En réalité, le vieil antiféminisme latent, quasi biologique, rôde dans tout cela. Le clivage ne passe pas seulement par les classes, mais aussi par les sexes. Et c'est avec mépris que le révolutionnaire Gustave Lefrançais parle de la « rhétorique » de ces dames. Cependant les discussions de Vaux-Hall se terminent par un vote de principe qui reconnaît le droit des femmes au travail et, en conséquence, à l'égalité sociale [2].

A la salle du Pré-aux-Clercs, des débats s'engagent entre catholiques et socialistes sur le mariage, le divorce, l'union libre, en présence des agents de l'autorité. Olympe Audouard se fait rappeler à l'ordre par un commissaire de police pour avoir déclaré que le divorce garantissait « la moralité des familles ». C'est une opinion tirée des *Idées napoléoniennes* de Louis-Napoléon Bonaparte, quand il était au fort de Ham, répond-elle. Olympe Audouard avait dirigé *Le Papillon*, puis *La Revue Cosmopolite*, mais l'administration lui avait refusé de transformer cette publication en journal politique, car cette autorisation ne pouvait être accordée qu'à un Français [3]. C'est une ennemie vigoureuse qui n'hésite pas à passer à l'attaque. Dans *Le luxe effréné des hommes* (1865), elle retourne habilement la criti-

1. *Ibidem*, p. 301.
2. *Ibidem*, p. 302.
3. Villiers, *op. cit.*, p. 381.

que que l'on adresse généralement aux femmes. Dans
Guerre aux hommes (1866), elle montre l'acharnement
que l'on met à annuler une femme dès qu'elle témoigne de
quelque valeur, dans les arts, les sciences ou la littérature.
« Pour qu'une femme réussisse dans quelque carrière que ce
soit, il faut qu'elle ait dix fois plus de talent qu'un homme,
car, lui, trouve une camaraderie prête à l'aider, à le soutenir ; et la femme a à lutter contre un parti pris de mal-
veillance. » Ce qu'elle demande simplement c'est d'être
traitée par les lois, par le monde, comme un être intelligent, et non comme un enfant.

Tout ce mouvement aboutit à la Société de la Revendi-
cation du droit des femmes, où se retrouvent André Léo,
Maria Deraismes, Louise Michel, Noémie Reclus, Mme Jules
Simon, etc., et au journal *Le Droit des Femmes*.

Mais la politique ne consiste pas seulement en manifestations verbales ou écrites. C'est un entraînement, une
gymnastique. Le mouvement qui pousse les femmes à
réclamer leurs droits d'êtres humains, majeurs, égaux et
libres, ne doit pas être séparé de l'ensemble de la situation
politique. On les voit donc participer à la lutte des républicains et des socialistes. Le 1er novembre 1868, une
manifestation a lieu sur la tombe du député Baudin. Victorine Brochon que nous avons vue adhérer à l'*Internationale* et participer à l'organisation de coopératives y
assiste et réussit à échapper à la police [1]. Lorsque Pierre
Bonaparte assassine le journaliste Victor Noir, le peuple
de Paris s'ébranle. Une grande réunion a lieu à Belleville.
« Il faut en finir », dit-on. Et l'on prend rendez-vous
pour le lendemain. « Des femmes partout, note Jules Vallès.
Grand signe. Quand les femmes s'en mêlent, quand la
ménagère pousse son homme, quand elle arrache le drapeau noir qui flotte sur la marmite pour le planter entre
deux pavés, c'est que le soleil se lèvera sur une ville en
révolte [2]. » Le lendemain (12 janvier 1870) 200.000 Parisiens et Parisiennes envahissent les Champs-Elysées.
André Léo, l'institutrice Louise Michel habillée en homme

---

1. Brochon (Victorine), *Souvenirs d'une morte vivante*, p. 84.
2. Vallès (Jules), *L'Insurgé*, p. 120.

« pour ne pas gêner et être gênée », et rêvant à Harmodius, se mêlent à la foule. Louise Michel a caché un poignard sous ses habits. « Presque tous ceux qui se rendirent aux funérailles pensaient rentrer chez eux en république ou n'y pas rentrer du tout [1]. » La police occupait tous les carrefours, prête à intervenir. Mais le vieux Delescluze et Rochefort l'emportent sur Flourens et les blanquistes : on conduit directement le corps de Victor Noir au cimetière pour éviter une manifestation mal préparée, qui aurait donné prétexte à une sanglante répression policière.

Mais l'Empire déclinant a besoin de l'aventure militaire. La guerre s'engage contre la Prusse, dans les plus mauvaises conditions que l'on puisse imaginer. Une partie du peuple, trompée par la propagande officielle, pousse le cri : « A Berlin ! » Mais les ouvriers de la Corderie manifestent en faveur de la paix : cette guerre dynastique ne concerne pas les peuples [2]. Louise Michel, sûrement poète à ses heures, mais mauvais poète quand elle écrit en vers, exprime cet état d'esprit :

Puisqu'il faut des combats, puisque l'on veut la guerre,
Peuples, le front courbé, plus tristes que la mort,
C'est contre les tyrans qu'ensemble il faut la faire,
Bonaparte et Guillaume auront le même sort [3].

Tout de suite, on apprend les désastres. L'armée française recule. Le 14 août, les blanquistes Eudes, Granger, Brideau et Flotte, tentent de s'emparer des armes de la caserne de la Villette : il s'agissait de renverser l'Empire. Ils sont arrêtés et condamnés à mort, le 29 août. Louise Michel, André Léo et Adèle Esquiros, femme d'Alphonse Esquiros, elle-même auteur de plusieurs romans assez mauvais, font circuler une lettre de Michelet en leur faveur. Cette lettre se couvre bientôt de milliers de signatures. Comme il arrive souvent dans ce genre de manifestations, quelques timorés voulurent retirer leur nom. « J'avoue n'avoir pas voulu effacer ces deux ou trois signatures de personnes timides », note Louise Michel. Mais il fallait

1. Michel (Louise), *La Commune*, p. 29.
2. Marx (Karl), *La Guerre Civile en France*, 1871.
3. Michel (Louise), *La Commune*, p. 14.

faire parvenir cette pétition au général Trochu. Ce n'était
pas facile d'atteindre le gouverneur de Paris. Les trois
femmes ne se laissent pas intimider. Elles entrent dans
l'antichambre du général. Des plantons les invitent à se
retirer. Elles déclarent que « venant de la part du peuple »,
elles ne partiront pas sans réponse, et s'installent sur des
banquettes. Devant leur entêtement, un secrétaire va chercher un personnage qui prétend représenter Trochu. L'épais
dossier de la pétition paraît l'impressionner et, pour se
débarrasser des intruses, il leur déclare qu'on prendra
en considération leur démarche. Louise Michel ne se fait
pas d'illusion : « Cette promesse aurait peu pesé dans la
balance, si l'Empire ne se fût pas écroulé [1]. » N'importe.
Des femmes peu connues, qui se chargent d'aller porter au
gouverneur de Paris la pétition de milliers de Parisiens,
c'est un acte inusité et qui confine au scandale.

Ces interventions en faveur d'Eudes et de ses camarades
obtiennent du moins un résultat. Un sursis leur est accordé,
le 2 septembre. Le 4 septembre, c'est la chute de l'Empire
et la proclamation de la République. « La proclamation de
la République, ce rêve si cher de mon enfance allait se
réaliser. J'étais si heureuse... » écrit Victorine Brochon dans
ses mémoires [2]. Mais Louise Michel, beaucoup plus extré-
miste ne s'en laisse pas conter : cette *Marseillaise*, que
chante la foule, l'Empire l'a profanée. La chanson des
ouvriers, c'est celle de Jacques Bonhomme :

> *Bonhomme, bonhomme,*
> *Aiguise bien ta faux.*
> *Nous sommes la révolte et nous la voulons* [3].

Entre la république bourgeoise et la république sociale
il y a, dès ce jour-là, un abîme.

---

1. *Ibidem*, pp. 61-62, et *Mémoires*, pp. 163-165.
2. *Souvenirs d'une morte vivante*, p. 115.
3. *La Commune*, p. 68.

III

Le siège de Paris

Par un retournement, dont nous avons vu d'autres exemples, ceux qui avaient refusé la guerre se trouvent, la patrie envahie, aux premiers rangs des combattants. Le peuple de Paris qui, en 1870, n'avait guère montré d'enthousiasme pour une guerre de caractère dynastique, est décidé à se battre, quand les Prussiens se trouvent aux portes de Paris. Par contre, pris entre deux inquiétudes, les Prussiens d'une part, le peuple de l'autre, les hommes du 4 septembre préfèrent pour la plupart traiter avec les premiers le plus tôt possible. Ils auraient ainsi les mains libres pour rétablir l'ordre, leur ordre. La république, que l'on vient de proclamer, est une république bourgeoise et l'on entend qu'elle le reste. Comme en 1830, comme en 1848, c'est une victoire de la bourgeoisie sur la classe ouvrière.

Lorsque Paris est investi, le 19 septembre, on voit se dessiner un étrange antagonisme entre un peuple qui croit à la possibilité de la défense et de la victoire, et un gouvernement qui n'y croit pas et qui organise, pour donner le change, quelques sorties sanglantes et dérisoires. Ce siège de Paris est resté dans le folklore des familles parisiennes. Ma grand-mère me montrait, quand j'étais enfant, un morceau « du pain du siège », que l'on avait gardé comme un symbole. Depuis, nous avons connu bien d'autres souffrances, mais jamais la grande ville ne fut coupée, comme à ce moment-là, de tout son territoire, sans lequel elle n'est qu'un désert de pierre et d'asphalte, réduit à l'asphyxie et à la mort lente. Le froid, la faim, les queues aux portes des magasins, ma génération a connu tout cela. Nos grand-mères de 1871, bien davantage. Un œuf coûte alors 1 franc. La livre de beurre monte à 6 francs, 20 francs, 28 francs. Un lapin vaut 45 francs, un chat 20 francs, un gigot de chien, 6 francs la livre, dans le faubourg Saint-Germain. Pas de lait pour les enfants. Les animaux du Jardin des Plantes apparaissent dans les boucheries, sous le nom de « viande de fantaisie ». On abat les arbres de Paris, mais le bois vert fume et ne chauffe pas [1].

A partir du 19 janvier, les boulangers ne distribuent plus de pain qu'aux porteurs de cartes : 300 grammes pour les adultes, 150 pour les enfants [2]. Encore n'est-ce qu'un mélange innommable, où l'on trouve de la paille et du papier.

Les femmes souffrent plus que les hommes, car ce sont elles qui doivent faire la queue, pendant des heures, dans la boue, la neige et le froid, pour essayer de ravitailler la famille. « Toute la nourriture devenait si répugnante, c'était presque un désespoir de penser à manger [3]. » Et c'était un désespoir de voir, malgré ses efforts, les enfants mourir de faim et de froid. Sur l'air de la complainte de Fualdès, on chantait :

> *... D'ailleurs toutes les boutiques*
> *N'ont plus rien d'étalagé.*
> *A part chez le boulanger,*
> *C'est en vain que les pratiques*
> *Chercheraient quoi que ce soit.*
> *On n'a plus même de bois...*
>
> *Un jour une pauvre mère*
> *Privée de bois, de charbon,*
> *Attend la distribution,*
> *Une journée tout entière.*
> *Dans ses bras, cruel effroi,*
> *Son enfant est mort de froid... etc.* [4].

Nathalie Lemel, avec sa société *La Marmite*, réussit ce tour de force de nourrir des centaines d'affamés. Louise

---

1. Victorine Brochon, *Souvenirs d'une morte vivante*, pp. 126 et suiv. *Journal officiel*, 18 janvier 1871.

2. *Journal Officiel*, 19 janvier 1871.

3. Victorine Brochon, *op. cit.*, p. 135.

4. *Complainte et récit véridique des maux soufferts par la population parisienne pendant le siège*. Paris, chez Matt, éd. rue des Deux-Gares, n° 7 (B.N., Estampes).

Michel organise une cantine pour ses élèves [1]. Chez Brébant, on dîne bien.

Le travail manque. Aux remparts, les gardes nationaux touchent 1 fr. 50 par jour, 75 centimes pour leur femme. Lorsqu'un œuf coûte 1 franc, cela ne va pas très loin. Il faut donc fournir du travail aux femmes. Mais quoi? sinon l'équipement militaire. « Je me suis fait inscrire à la mairie du 7e arrondissement, étant de ce quartier, écrit Victorine Brochon. On me donna une vareuse. On la trouva bien; elle m'était payée 4 francs de façon, mais on n'en distribuait que trois par semaine et par personne, ce qui était juste pour qu'il y eût un plus grand nombre de personnes occupées. Cela me faisait 12 francs par semaine pour quatre. Enfin nous pouvions nous suffire. Des milliers de personnes n'en avaient pas autant [2]. » La présidente du comité de Vigilance du 18e arrondissement, Mme Poirier (Sophie Doctrinal) dirige un atelier de confection de soixante-dix ou quatre-vingts ouvrières. Elle obtient du maire de Montmartre, Clemenceau, la réquisition d'un local, 64 boulevard Ornano. Tentative d'inspiration socialiste, car les ouvrières ne touchent pas de salaire, mais une participation aux bénéfices. A partir du 10 mars, Sophie Poirier, n'ayant plus de travail à distribuer, transforme son atelier en ambulance [3]. On voit par là combien il est difficile de frayer un chemin logique (travail des femmes, ambulances, etc.), dans une réalité sans cesse mouvante, où toutes les activités se confondent et où l'on rencontre les mêmes personnages sous d'autres formes. C'est là une caractéristique des époques révolutionnaires; l'élan de la vie l'emporte alors sur les fonctions et les catégories sociales.

Des ateliers de ce genre s'organisent dans toutes les mairies. Le travail des femmes, c'est l'un des buts du *Comité des Femmes* de la rue d'Arras, fondé par Jules Allix; curieux bonhomme, un peu fou d'ailleurs, mais il n'y paraît pas dans l'organisation et les buts de ce comité : travail, éducation, protection sociale, droit des femmes.

1. Michel (Louise), *La Commune*, p. 132. A.N. BB 24, 792, 4380, S. 73. A.G. Conseil de guerre IV, 688.
2. Brochon (Victorine), *op. cit.*, p. 122.
3. Michel (Louise), *op. cit.*, p. 131. A.N. BB 24, 781, 11.688, S. 72. A.G. Conseil de guerre XXVI, 101.

Jules Allix préconise l'établissement d'ateliers communaux, où les femmes trouveraient de l'ouvrage et seraient nourries pendant la durée du siège. Le Comité d'éducation organise des réunions de propagande en faveur de la Commune sociale. On peut se faire inscrire pour le travail, les ambulances, les secours et même pour la légion de femmes « en formation pour les remparts ». Transféré du 3 de la rue d'Arras au 14 de la rue Notre-Dame, chez la trésorière, Geneviève Vivien, le comité semble avoir pris, pendant le siège, une grande extension, puisqu'il comporte un sous-secrétariat par arrondissement, 160 comités de quartier, et plus de 1800 membres. Sauf André Léo et Élizabeth Dmitrieff, membre du Comité d'initiative, l'on n'y trouve guère de femmes qui participeront à la Commune. Je relève, en passant, le nom de Juliette Drouet, pour le 9e arrondissement, sans pouvoir assurer qu'il s'agisse là de la bien-aimée de Victor Hugo [1].

Mais les femmes de la bourgeoisie se retrouvent davantage dans la *Société de secours pour les victimes de la guerre*. A classe sociale égale, elles s'engagent beaucoup plus franchement que les hommes de leur milieu; peut-être parce qu'elles sont plus naïves, en tout cas moins rompues aux roueries de la politique. « Les femmes de ces membres de la défense nationale qui défendaient si peu, furent héroïques », reconnaît Louise Michel [2]. Une formation rapide d'ambulancières est organisée par la Convention internationale de Genève, qui en est encore à ses débuts. Mais le général Trochu préfère les religieuses à ces laïques suspectes. Victorine Brochon est admise à la 7e compagnie du 17e bataillon de la Garde nationale : « J'étais heureuse, écrit-elle, non pas des malheurs qui pesaient sur la France. Mais je croyais à l'harmonie d'un sentiment national humanitaire; je pensais que les questions et les divergences d'opinions s'effaceraient devant le danger imminent [3]. » Cette illusion tombe rapidement devant l'absurdité des marches et des contre-marches, devant l'incohérence de la défense, devant ces sorties mal préparées, où malgré le zèle des ambulancières et des ambulanciers, beaucoup de

1. A.G. Ly 23.
2. Michel (Louise), *op. cit.*, p. 129.
3. Brochon (Victorine), *op. cit.*, p. 138.

morts restent sur les champs de bataille. « On passe vingt-cinq ans à faire un homme, et puis on le tue. Quel rôle ridicule, ils font jouer à Dieu [1]. »

La neige tombe. Les obus tombent. Dans cette guerre où les civils et les combattants sont mêlés, où il n'y a ni front ni arrière, où tout le monde se trouve également concerné, puisque l'ennemi est aux portes et bombarde directement nos maisons, il est normal que les femmes suivent les hommes jusque sur les remparts. Elles les accompagnent avec leurs enfants le plus loin possible, portant le fusil, elles les encouragent, mais aussi elles les accablent de leurs sarcasmes, quand ils lâchent pied, comme ces ménagères du boulevard Ornano qui invectivent les fuyards du 32e bataillon [2].

Elles se transforment en cantinières, en ambulancières. La boutonnière Constance Boidard, qui n'a pas d'enfant à garder, devient cantinière au 160e bataillon, où son mari est sergent-major [3]. La journalière Palmyre Thierry, veuve Delcambre, est cantinière aux Volontaires de Montrouge, dont son amant fait partie [4]. Toutes ces femmes font ainsi l'apprentissage de la lutte en commun, coude à coude avec leurs hommes. Mais certaines vont plus loin et demandent la formation d'un bataillon de femmes. André Léo les en dissuade. Les défenseurs ne manquent pas dans Paris. Nul besoin ne se fait sentir d'un bataillon de femmes [5].

Cependant l'idée est dans l'air. Le 3 octobre, dans *la Liberté*, un certain Félix Belly avait proposé d'armer dix bataillons d'« Amazones ». Des affiches vertes avaient été placardées pour en répandre l'idée : « Pour répondre aux vœux qui nous ont été exprimés dans de nombreuses lettres et aux dispositions généreuses d'une grande partie de la population féminine de Paris, il sera formé successivement au fur et à mesure des ressources qui nous seront fournies pour leur organisation et leur armement, dix bataillons de femmes, sans distinction de classes sociales,

1. *Ibidem*, pp. 145 et 152.
2. Molinari (G. de), *Les clubs rouges pendant le siège de Paris*, pp. 173-174.
3. A.N. BB 24, 845, 11.147, S. 77.
4. A.N. BB 24, 751, 5051, S. 72.
5. Léo (André); Article où elle fait l'historique de la question dans *La Sociale*, 12 avril 1871 et dans *La Commune*, 14 avril 1871.

qui prendront le titre d'Amazones de la Seine. » Elles
seront chargées, avec la garde nationale sédentaire, de la
surveillance des remparts et des barricades, « d'apporter
aux combattants tous les services domestiques et frater-
nels compatibles avec l'ordre moral et la discipline militaire », et de donner aux blessés les premiers soins. Elles
seront armées de fusils légers et recevront, comme les
hommes, une solde de 1 fr. 5o par jour. Et, comme on aime
beaucoup, à cette époque, les uniformes fantaisistes,
on prévoit que leur costume se composera d'un pantalon noir à bandes orange, d'une blouse en laine noire à capu-
chon, d'un képi noir à liséré orange, et d'une cartouchière
en bandoulière. Un bureau d'enrôlement est ouvert,
36, rue Turbigo, où les postulantes devront se présenter
accompagnées d'un garde national qui répondra de leur
« moralité ». Le bataillon doit comprendre huit compagnies
de cent cinquante Amazones qui seront immédiatement
exercées au maniement du fusil.

Pour subvenir aux frais de cette organisation, « le
promoteur et chef provisoire du 1er bataillon » fait appel
à la générosité des « dames des classes riches ». Elles ne
manqueront pas d'offrir leurs bracelets, colliers et autres
bijoux qui, de toute façon, leur seraient arrachés, si
les Prussiens entraient dans la ville. Elles témoigneront
ainsi de leur sentiment civique (et de leur intérêt bien
compris), et contribueront à renverser les barrières qui
les ont séparées trop longtemps des classes laborieuses
(M. Belly pense à tout). Un comité de dames fera d'ailleurs
fonction de « conseil de famille ». Un médecin, de préférence
de sexe féminin, sera attaché à chaque bataillon. Les
armuriers et arquebusiers sont invités à présenter des
types d'armes qui seront examinés par des officiers d'artillerie. Bref, tout est prévu. Et, conclut l'affiche : « Les
moments sont précieux. Les femmes, elles aussi, sentent
que la patrie et la civilisation ont besoin de toutes leurs
forces pour résister aux violences sauvages de la Prusse.
Elles veulent partager nos périls, soutenir nos courages,
nous donner l'exemple du mépris de la mort et mériter
ainsi leur émancipation et leur égalité civile... Et que
l'Europe apprenne avec admiration que ce ne sont pas
seulement des milliers de citoyens, mais encore des milliers

de femmes qui défendent, à Paris, la liberté du monde
contre un nouveau débordement des Barbares [1]... »

Des femmes vinrent s'inscrire rue Turbigo (1.500, prétend Belly), mais le général Trochu mit fin à cette initiative : les Jeanne Hachette et les Jeanne d'Arc ne sont
acceptables que dans le passé [2].

Pendant le siège, les femmes ne font donc qu'individuellement, comme ambulancières ou cantinières, l'apprentissage de la lutte, mais elles font aussi celui de la vie
politique. Des comités de vigilance s'organisent dans les
divers quartiers. A Montmartre, il y en a deux, l'un pour
les hommes, l'autre pour les femmes. Louise Michel participe aux deux à la fois : « On ne s'inquiétait guère à quel
sexe on appartenait pour faire son devoir. Cette bête de
question était finie [3]. » Le Comité de Vigilance des Femmes
du 18e arrondissement avait été fondé par Louise Michel,
Mme Collet, Mme Poirier, que nous avons vue diriger un
atelier de couture. « Ce comité était chargé de répartir
le travail, de recevoir et de distribuer les secours, de
visiter les malades et les indigents et de les faire soigner à
domicile, expliquera Mme Poirier, devant le Conseil de
guerre. On me confia les fonctions de présidente. Du reste,
ajoute-t-elle, j'étais plus connue que ces deux dames
des ouvrières et de tous ceux à qui nous avions à faire
pour la répartition et l'emploi des secours aux malades [4]. »
Mme Collet partit pour l'Angleterre, le 16 mars, mais
Louise Michel multiplie, au contraire, ses activités. Elle
écrit des articles : « Quand la patrie est en danger, on doit
signaler le péril partout où il est, les lâchetés partout où
elles se cachent. Veillons... Ici, à Paris, on respire une
odeur de tombe. La trahison est là. Si Trochu suit Bazaine,
ne laissons point le peuple dormir. Veillons, veillons [5]. »
Elle préside souvent des réunions et en assure la discipline
en braquant un vieux pistolet sans chiens sur « les hommes
d'ordre », qui viennent, armés de baïonnettes, envahir la

1. Fac-similé de l'affiche dans Villiers (M. de), *Histoire des clubs de
femmes et des légions d'Amazones*, pp. 383-385.
2. Léo (André), *Ibidem*.
3. Michel (Louise), *Mémoires*, p. 169.
4. A.G. Conseil de guerre XXVI, 101.
5. A.P. BA 1183, 27 novembre 1870.

salle. D'autres fois, accompagnée d'un garde national, elle va quêter dans les églises. « Au Comité de Vigilance de Montmartre, et au Club de la Patrie en danger, j'ai passé mes plus belles heures du siège. On y vivait un peu en avant, avec une joie de se sentir dans son climat, au milieu de la lutte intense pour la liberté. » Les membres des comités de vigilance vont animer les clubs : « On s'envolait chaque soir sur Paris, tantôt démolissant un club de lâcheurs, tantôt soufflant la Révolution[1]. »

Depuis le 4 septembre, les clubs attirent un public d'autant plus nombreux que les salles de spectacle sont fermées : clubs de tendances différentes, où toutes les opinions se confrontent et se heurtent. Des femmes y mènent leurs enfants (là du moins ils sont au chaud), mais y assistent aussi par conviction politique et ne sont pas les dernières à intervenir. Nathalie Lemel prend la parole au club de l'École de Médecine[2]. Louise Michel à la Patrie en danger et ailleurs. On discute de la défense de Paris, de l'envoi de délégations à l'Hôtel de Ville. Devant l'inertie du Gouvernement, on réclame des sorties en masse ; devant les inégalités du ravitaillement, des mesures contre les commerçants. Dans une salle du faubourg Poissonnière, on soulève la question de l'union libre si fréquente dans la classe ouvrière. On devrait accorder à la « compagne » du garde national les mêmes droits qu'à sa femme légitime[3]. On discute du socialisme : si les hommes hésitent à faire la Commune, ce sont les femmes qui leur montreront le chemin de l'Hôtel de Ville[4]. Un orateur émet des doutes sur la combattivité des ouvriers de Belleville. « On ne trouvrait pas cinq cents hommes décidés à se battre pour la Commune », dit-il. Des femmes se lèvent : « Nous irons les premières, nous irons leur demander du pain[5]. » Réclamer du pain, c'est la revendication primordiale des femmes. Les 5 et 6 octobre 1789, les femmes allaient à Versailles chercher « le boulanger, la boulangère et le petit mitron ». Et c'est encore sur le thème de la faim

---

1. Michel (Louise), *Mémoires.*
2. A.N. BB 24, 792, 4380, S. 73.
3. Molinari, *op. cit.*, pp. 74-75.
4. *Ibidem*, p. 197.
5. *Ibidem*, p. 255.

que l'on organisait les femmes contre les Allemands et le Gouvernement de Vichy, pendant les rudes hivers des années 1940. La politique des femmes passe d'abord par la distribution des biens essentiels, par la juste administration des choses.

Les femmes participent aussi à des manifestations de rue. Le 18 septembre, elles prennent l'initiative d'une manifestation en faveur de Strasbourg, qui est investie depuis plus d'un mois. « L'idée nous vint à quelques-uns, plutôt quelques-unes, car nous étions, en majorité, des femmes, d'obtenir des armes et de partir à travers tout, pour aider Strasbourg à se défendre et mourir avec elle [1]. » Louise Michel et André Léo prennent la tête d'un petit groupe qui se dirige vers l'Hôtel de Ville en criant : « A Strasbourg! » Des femmes — beaucoup d'institutrices —, des jeunes — surtout des étudiants — se joignent à elles en cours de route. On s'arrête devant la statue de Strasbourg pour signer son engagement, puis l'on repart vers l'Hôtel de Ville, pour demander des armes. A leur grande surprise, on laisse entrer Louise Michel et André Léo, mais c'est pour les enfermer aussitôt avec deux autres « prisonniers », un étudiant et une vieille femme qui venait de chez l'épicier, ne comprenait rien à ce qui lui arrivait et « tremblait si fort que l'huile, qu'elle venait d'acheter, tombait sur sa robe ». On relâche la vieille, mais un officier interroge longuement André Léo et Louise Michel : « Qu'est-ce que cela peut vous faire que Strasbourg périsse puisque vous n'y êtes pas? » conclut-il [2]. Tel était le ton des défenseurs de la République. Les deux femmes furent relâchées, grâce à l'intervention d'un membre du Gouvernement, qui arrivait à l'Hôtel de Ville.

A la fin de novembre quelques femmes voulurent aller à l'Hôtel de Ville proposer divers moyens de défense et demander leur enrôlement. Elles s'adressèrent à Louise Michel et au Comité de Vigilance de Montmartre pour appuyer leur démarche. Louise Michel les accompagna, bien qu'elle ne fût pas d'accord sur cette initiative, qu'elle jugeait « plus courageuse que clairvoyante ». « Nous les

---

1. Michel (Louise), *La Commune*, pp. 73-75, et *Mémoires*, pp. 185-186.
2. *Ibidem.*

accompagnions comme femmes, afin de partager leurs
dangers, mais non comme citoyennes », explique-t-elle.
Naturellement, c'est Louise Michel, que l'on commençait
à connaître et à redouter, que l'on arrêta comme insti-
gatrice. Elle refusa cette responsabilité avec des arguments
insolents. Elle ne pouvait organiser une manifestation
pour parler à un gouvernement qu'elle ne reconnaissait
plus; quand elle viendrait pour son propre compte à
l'Hôtel de Ville, ce serait « avec le peuple en armes ».
Mme Meurice, au nom de la Société des Femmes pour les
victimes de la guerre, Ferré au nom des clubs, Victor
Hugo, enfin, s'entremirent pour sa libération [1].

Louise Michel, ce jour-là, s'est donné rendez-vous avec
le peuple de Paris. Le 22 janvier, on la trouve en effet,
place de l'Hôtel de Ville. La capitulation qu'on sentait
venir peu à peu, dans les actes ambigus du gouvernement
provisoire, dans les atermoiements du général Trochu,
dans ces sorties mal préparées qui, malgré le courage
des hommes, aboutissaient toutes à des échecs, la capitulation — le mot est prononcé le 20 janvier, après la
sortie de Buzenval — le peuple de Paris n'en veut pas. Il
a souffert pendant quatre mois de la faim, et du froid,
et des bombardements, et de la misère; il a enterré ses
morts sans les pleurer. Ce peuple qu'on dit si léger, si
versatile, a tout supporté avec une patience, une abné-
gation, un courage qui ont fait l'admiration de l'Europe.
Du moins exige-t-il que tous ses sacrifices n'aient pas été
vains. Et puis, ce peuple intelligent ne comprend pas
que l'on n'ait pas jeté dans la bataille toutes ses forces
à la fois; qu'on les ait laissé grignoter par petits paquets,
qu'on les ait usées dans des sorties dérisoires. Ce peuple
intelligent comprend qu'on l'a trompé; que le fameux
plan Trochu, dont on l'a bercé si longtemps, n'a jamais
existé, que la défense nationale n'a jamais été qu'un leurre
et que les puissants, qui gouvernent le monde, se sont
peut-être entendus une fois de plus sur son dos. Ce n'est
pas le remplacement du général Trochu par le général
Vinoy qui peut lui rendre la confiance perdue. Dans la

---

1. Michel (Louise), *La Commune*, p. 130, *Mémoires*, pp. 186-187.
Hugo (Victor), *Carnets intimes*, pp. 75-76.

nuit du 21 janvier, les délégués de la Garde Nationale, des Comités de Vigilance et des Clubs se mettent d'accord pour se retrouver, le 22, sur la place de l'Hôtel de Ville et s'opposer à la reddition. Les gardes nationaux sont invités à s'y rendre en armes. Les femmes à les accompagner pour protester contre le dernier rationnement du pain; on voulait bien le supporter encore, mais que ce fût pour la victoire.

Une foule énorme envahit la place. Il y a là un grand nombre de femmes. Parmi elles, André Léo, Sophie Poirier, Béatrix Excoffon, Louise Michel, qui a revêtu le costume de garde national. Des députations sont reçues par l'adjoint au maire, Chaudey, qui s'emporte. Dehors, on crie : « Mort aux traîtres »! Des fenêtres de l'Hôtel de Ville, des mobiles bretons tirent sur la foule. « Les balles faisaient le bruit de grêle des orages d'été [1]. » Les gardes nationaux répondent. Mais certains déclareront plus tard n'avoir visé que les murs. « Je ne fus pas de ceux-là, écrit Louise Michel. Si l'on agissait ainsi, ce serait l'éternelle défaite, avec ses entassements de morts et ses longues misères et même la trahison. » Mais elle n'éprouve aucune haine contre ces hommes qui ne sont que les instruments irresponsables du pouvoir : « Debout devant les fenêtres maudites, je ne pouvais détacher mes yeux de ces pâles faces de sauvages, qui, sans émotion, d'une action machinale, tiraient sur nous, comme ils l'eussent fait sur des bandes de loups. Et je songeais : Nous vous aurons un jour, brigands, car vous tuez, mais vous croyez; on vous trompe, on ne vous achète pas. Il nous faut ceux qui ne se vendent jamais. Et les récits du vieux grand-père passaient devant mes yeux, de ce temps où, héros contre héros, implacablement, combattaient les paysans de Charette, de Cathelineau, de La Rochejacquelein contre l'armée de la République [2]. » Ce sentiment d'estime, de fraternité envers l'adversaire est assez rare, assez noble, pour qu'on le signale en passant. Et pourtant Louise Michel, en même temps, se donne entièrement au combat :

1. Michel (Louise), *La Commune*, pp. 97 et 161. Molinari, *op. cit.*, p. 263.
2. Michel (Louise), *Ibidem*, pp. 102-103 et A.P. BA 1008.

« La première fois qu'on défend sa cause par les armes, on vit la lutte si complètement qu'on n'est plus soi-même qu'un projectile. » Ce dédoublement acteur-spectateur se place très haut dans l'échelle des valeurs humaines.

Certains rendirent les femmes responsables de l'échec de la manifestation. Au club de Belleville, on entend des propos qui soulèvent l'hilarité de la salle : « Comment voulez-vous qu'on prenne des résolutions viriles au milieu d'un tas de femmes, d'enfants, de propres à rien, qui viennent ici pour digérer leur dîner? Ce sont les clubs qui nous perdent. L'ennemi est informé tout de suite de nos intentions [1]. »

Mais ce n'est pas l'avis du Gouvernement. Il redoute, au contraire, l'action des clubs et ordonne leur fermeture. Il interdit les journaux, lance des mandats d'arrêt contre les manifestants, que l'on représente comme des « partisans de l'étranger ». Dès lors, il a les mains libres pour signer l'armistice. Le 28 janvier, 400.000 hommes en armes capitulent devant 200.000. Il est plus facile de s'entendre avec les Prussiens, hommes d'ordre, qu'avec les ouvriers de Belleville. Le 29 janvier, le drapeau allemand flotte sur les forts.

Il s'agit maintenant d'élire une assemblée. La province envoie à Bordeaux tous les fantômes de l'ancien régime, les héritiers de la Restauration, les affairistes du Second Empire, les hobereaux exhumés de leurs gentilhommières, tout ce que l'on avait pu trouver de plus étroit, de plus désuet, de plus clérical, de plus rance, prêt à se liguer contre ce Paris toujours disposé à dresser ses pavés au nom d'on ne sait quelle justice, quelle liberté, quel droit. Cette assemblée « introuvable » trouva son guide, son symbole et son style, en Monsieur Thiers.

Le 26 février, les préliminaires de paix sont signés. La France doit payer cinq milliards et abandonner l'Alsace, moins Belfort, et une partie de la Lorraine aux Allemands. Paris ne s'estime pas vaincu, mais trahi. Sur la place de la Bastille, dont le peuple, jadis, n'a laissé aucune pierre, défilent les bataillons des gardes mobiles. De temps en temps, un homme harangue la foule et des femmes vêtues

1. Molinari, *Ibidem*, p. 266.

de noir vont suspendre à la colonne un drapeau tricolore :
« Aux martyrs, les femmes républicaines [1]. »

L'Assemblée « des Notables », de son côté, prend les
mesures les plus réactionnaires : les effets de commerce
échus du 13 août au 13 novembre 1870 sont immédia-
tements exigibles, le moratoire sur les loyers et la solde
des gardes nationaux sont supprimés. Dans ce Paris où
le commerce et l'industrie ont été paralysés par le siège,
où règne le chômage, c'est acculer nombre de gens à la
misère.

Mais le bruit court que l'armée allemande va entrer
dans Paris. Il y a du moins une chose que les Prussiens
n'auront pas, ce sont les canons. Les Parisiens les considèrent comme leur propriété, car ils ont été payés par les
souscriptions — à partir de dix centimes — des petites
gens. Des femmes, des enfants, montent dans le faubourg
Saint-Honoré vers le parc Monceau. Les gardiens ouvrent
les portes et « ces gens qu'une chiquenaude aurait ren-
versés [2] » descendent les canons. C'est une foule chantante,
une population tout entière — gardes nationaux, femmes,
enfants mêlés — qui ramènent triomphalement vers Montmartre, Belleville, la Villette, les Buttes-Chaumont, les
canons des beaux quartiers (26 février [3]).

Le 1er mars, les Allemands entrent dans un Paris désert,
éteint, lugubre, et en sortent le 2 pour camper aux alen-
tours.

1. Lissagaray, *Histoire de la Commune*, p. 85.
2. *Enquête parlementaire sur l'insurrection du 18 mars*, t. II, p. 364,
déposition de M. Denormandie.
3. Michel (Louise), *La Commune*, p. 121. Blanchecotte (Augustine),
Tablettes d'une femme pendant la Commune, p. 2.

IV

Le 18 mars

Il serait sans doute exagéré de dire que cette journée révolutionnaire fut l'œuvre des femmes. Mais elles y contribuèrent puissamment, au moins pour la première partie : la neutralisation des troupes.

Il fallait en finir. Sur l'ordre de M. Thiers, l'armée était entrée dans Paris pendant la nuit. Elle avait occupé les points stratégiques et s'était emparée, sans difficulté, des canons des Batignolles. A Montmartre, un poste du 61e bataillon de la Garde nationale veillait, rue des Rosiers. Louise Michel était venue y porter un message, lorsque le garde national Turpin fut blessé d'une balle, dans des circonstances assez obscures. Avec une cantinière qui se trouvait là, Louise Michel lui donna les premiers soins [1].

L'armée n'avait pas rencontré de résistance et l'affaire semblait devoir se régler rapidement. Cependant le général Vinoy avait oublié que, pour tirer des canons, il faut des chevaux. Il avait oublié les chevaux. Petit détail. Il fallut faire descendre à bras les canons de la Butte.

Pendant ce temps, Montmartre s'était réveillé. Les ménagères, qui allaient chercher leur lait et leur pain, commençaient à s'attrouper et à répandre les nouvelles. Des groupes curieux se formaient autour des soldats. Vers 7 heures, le maire de Montmartre, Clemenceau, monta au haut de la Butte et voulut faire transporter à l'hôpital le blessé Turpin. Le général Lecomte le lui refusa. Il s'opposait formellement à « cette promenade de cadavre ». Un médecin militaire s'en occupait [2].

1. Michel (Louise), *La Commune*, p. 139.
2. Da Costa (Gaston), *La Commune vécue*, I, p. 11.

Mais on avait donné l'alarme. Aux églises de Paris, le tocsin sonnait. « Je descendis, ma carabine sous mon manteau, en criant « trahison », écrit Louise Michel. Une colonne se formait. Tout le Comité de Vigilance était là : Ferré, le vieux Moreau... Montmartre s'éveillait. Le rappel battait. Je revenais, en effet, mais avec les autres, à l'assaut des Buttes : nous montions au pas de charge, sachant qu'au sommet, il y avait une armée rangée en bataille : Nous pensions mourir pour la liberté. On était comme soulevé de terre [1]... » Et comme Louise Michel est douée de la sensibilité des poètes pour qui le ciel, le soleil et les nuits ne cessent jamais d'accompagner les actions des hommes, elle ajoute : « La Butte était enveloppée d'une lumière blanche, une aube splendide de délivrance. » Tout à coup, elle voit sa mère à côté d'elle, sa mère, la vieille servante Marianne Michel qu'elle n'a jamais cessé, et ne cessera jamais d'aimer, d'une tendresse parfaite : « Je sentis une épouvantable angoisse. Inquiète, elle était venue. Toutes les femmes étaient là, montées en même temps que nous, je ne sais comment [2]. »

De curieux et gouailleurs qu'ils étaient au début, les groupes de ménagères et d'enfants avaient grossi et étaient devenus menaçants. Ils formaient maintenant, entre les soldats du 88e bataillon et la Garde nationale, « une véritable barricade humaine [3] ». Le général Lecomte donna l'ordre de tirer. Alors les femmes s'adressant aux soldats : « Est-ce que vous tirerez sur nous? Sur vos frères? Sur nos maris? Sur nos enfants [4]? » La déposition du général d'Aurelles de Paladine est, à ce sujet, fort significative : « Les femmes, les enfants vinrent se mêler à la troupe. On eut grand tort de permettre que cette population s'approchât de nos soldats, car elle se mêla à eux et les femmes et les enfants leur disaient : « Vous ne tirerez pas sur le peuple. » Voilà comment les soldats du 88e, autant que je puis le croire, et d'un autre régiment de ligne, se trouvèrent enveloppés et n'eurent pas la

---

1. Michel (Louise), *Ibidem*, pp. 139-140.
2. *Ibidem.*
3. Da Costa, *Ibidem*, p. 11.
4. Da Costa, *Ibidem*, p. 12.

force de résister à ces sortes d'ovation qui leur étaient faites. On criait : Vive la ligne [1]. »

Devant cette intervention inattendue, les soldats hésitent. Un sous-officier se place devant sa compagnie et lui crie : « Crosse en l'air [2]. » Alors, c'est la fraternisation du 88ᵉ bataillon avec la foule. Les soldats arrêtent leur général.

Rue Houdon, les femmes se sont massées. Le général Susbielle donne l'ordre de charger. Mais intimidés par les cris des femmes, les chasseurs « poussent leurs chevaux à reculons » et font rire [3]. Partout, place Blanche, place Pigalle, à Belleville, à la Bastille, au Château-d'Eau, au Luxembourg, la foule composée en majorité de femmes, entoure les soldats, arrête les chevaux, coupe les traits, force les soldats « ahuris » à fraterniser avec leurs « frères » de la Garde nationale.

Déconcerté par cette étrange victoire populaire, cette scandaleuse victoire populaire, le général Vinoy donne à ses troupes l'ordre de se replier sur le Champ-de-Mars. Le terrain reste aux femmes. Elles n'ont plus qu'à rentrer chez elles et à préparer leur dîner, ce qu'elles font, pour la plupart.

A l'heure où l'on fusille, rue des Rosiers, le général Lecomte qui, le matin, a donné l'ordre de tirer sur la foule, et le général Clément Thomas, qui reste aux yeux des Parisiens comme le massacreur des insurgés de juin 48, les ménagères de la matinée ont disparu de la scène. Mais d'autres femmes ont surgi, se mêlant à la foule, qui escorte les prisonniers et les injurie. « Filles soumises et insoumises venues du quartier des Martyrs, ou sorties des hôtels, cafés et lupanars, alors si nombreux sur les anciens boulevards extérieurs. Aux bras des lignards, accompagnées de la légion des souteneurs, elles ont surgi, triste écume de la prostitution sur le flot révolutionnaire et les voilà s'enivrant à tous les comptoirs, hurlant leur gueuse joie

---

1. *Enquête parlementaire sur l'Insurrection du 18 mars 1871* t. II, p. 434, déposition du général d'Aurelles de Paladine, et *Ibidem,*,p. 472, déposition de M. Ossude.

2. *Ibidem.*

3. Lissagaray, *Histoire de la Commune*, p. 99. Lanjalley (Paul) et Corriez (Paul), *Histoire de la Révolution du 18 mars*, pp. 27-31.

de cette défaite de l'autorité caractérisée pour elles par la préfecture de police et les mouchards. Ce sont elles, et joignez-y quelques pauvresses démoralisées par les atteintes délétères de la misère, qui, à l'angle de la rue Houdon, dépècent la chair, chaude encore, du cheval d'un officier tué quelques instants auparavant... Ce sont elles qui entraînant les lignards, se ruèrent sur les prisonniers en proférant des menaces de mort[1]. »

Ce texte n'est ni de Maxime du Camp, ni de Jules Claretie, ni de Dumas fils, mais d'un partisan de la Commune, Gaston da Costa, qui fut substitut du Procureur de la Commune et condamné à mort par le Conseil de guerre. Ce témoignage ne nie pas les fureurs ni les excès inhérents à toute révolution, mais il en donne une explication. Pour da Costa, ce ne sont pas les mêmes femmes qui, le matin, se sont interposées avec leurs enfants entre la troupe et la Garde nationale et qui, le soir, accompagnent de leurs injures les deux généraux arrêtés. Mais, « ce n'est pas à dire que celles-ci ne puissent aussi devenir tout à coup des furies désespérées », ajoute-t-il[2].

Les mégères, par leurs cris, leurs vociférations, leurs violences, ont attiré l'attention des adversaires de la Commune. Ils n'ont vu que celles-là, tandis que ses partisans n'ont aperçu que « d'honnêtes femmes du peuple et d'héroïques citoyennes ». Ce sont souvent les mêmes. Les unes et les autres, en tout cas, se sont trouvées côte à côte et sauront mourir aussi courageusement sur les barricades.

Il est donc nécessaire d'introduire des nuances dans un sujet qui en comporte si peu (le manichéisme est le propre des époques révolutionnaires) et d'essayer de ramener le comportement des masses à la seule réalité véritable : la vérité quasi biologique des individus qui les composent, dans la mesure du moins où l'on peut les saisir et les expliquer.

Ce sont encore des femmes et des enfants qui, le 19 mars, tentent d'arracher le général Chanzy à l'escorte qui l'a

1. Da Costa, *Ibidem*, pp. 21-25.
2. *Ibidem*.

fait prisonnier : à leurs yeux tout général est un traître et mérite l'exécution immédiate [1].

Dix jours plus tard, quand la Commune, élue le 26 mars, s'installe à l'Hôtel de Ville, une foule, où les femmes sont en grand nombre, acclame joyeusement le nouveau pouvoir, le pouvoir du peuple et de l'espoir [2].

Tout de suite, cet espoir se concrétise dans des formules très simples, mais qui vont au cœur des pauvres gens, que la guerre et le siège ont encore appauvris : la remise des termes d'octobre 1870, de janvier et d'avril 1871, la suspension de la vente des objets déposés au Mont-de-Piété.

Mais le gouvernement, réfugié à Versailles, ne pouvait pas tolérer cette autre puissance qui, à Paris, lui tenait tête. Le 2 avril, les Versaillais attaquent Courbevoie. En entendant de nouveau le canon, Paris se réveille de son rêve. Depuis l'installation de la Commune, on vivait dans une atmosphère de ferveur, de confiance et d'espoir. Était-ce un nouveau siège qui commençait? On relève les barricades. On traîne les canons sur les remparts [3]. Sur les boulevards, comme dans les tragédies antiques, les femmes forment le chœur; elles excitent de leurs acclamations les gardes nationaux qui se rendent aux avant-postes, invectivent les badauds qui les regardent passer [4].

Elles décident aussi de mener une action particulière. Un appel aux femmes est lancé dans plusieurs journaux : « Allons à Versailles. Allons dire à Versailles ce que c'est que la Révolution de Paris. Allons dire à Versailles que Paris a fait la Commune, parce que nous voulons rester libres. Allons dire à Versailles que Paris s'est mis en état de défense, parce qu'on l'a calomnié, parce qu'on l'a trompé et qu'on a voulu le désarmer par surprise. Allons dire à Versailles que l'Assemblée est sortie du droit et que Paris y est rentré. Allons dire à Versailles que le gouvernement est responsable du sang de nos frères et que nous le chargerons de notre deuil devant la France entière. Citoyennes, allons à Versailles, afin que Paris

1. *Ibidem*, pp. 152-158.
2. *Le Vengeur*, 30 mars 1871.
3. Lissagaray, *Ibidem*, p. 171.
4. Lanjalley et Corriez, *Ibidem*, p. 190.

ait tenté la dernière chance de réconciliation. Pas le
moindre retard. Réunissons-nous aujourd'hui même à
midi, place de la Concorde, et prenons cette importante
détermination devant la statue de Strasbourg. » La signature « une véritable citoyenne » était anonyme [1].

Mais laissons parler Béatrix Excoffon, que nous avons
déjà rencontrée, place de l'Hôtel-de-Ville, et que nous
retrouverons à plusieurs reprises. Béatrix Excoffon était
née à Cherbourg, le 10 juillet 1849. C'était la fille d'un
horloger, Ange Euvrie, qui avait été arrêté pour s'être
opposé au coup d'État du 2 décembre. Bien qu'il eût été
relâché, on interdit aux jeunes recrues, pendant neuf ans,
de se rendre dans son magasin [2]. Le pouvoir a de ces
rancunes. Béatrix était une gentille fille, qui vivait depuis
plus de quatre ans avec un compositeur d'imprimerie,
François Excoffon, dont elle avait eu deux enfants. Elle
portait son nom, bien qu'ils ne fussent pas mariés. Nous
avons vu que par négligence, ou par mépris des lois bourgeoises, ou par anticléricalisme, l'union libre était une
coutume très répandue dans la classe ouvrière.

« Le 1er avril (ici, Béatrix Excoffon se trompe de date :
c'est du 3 avril qu'il s'agit), une voisine, surprise de me
voir, me demanda si j'avais lu le journal qui annonçait,
place de la Concorde, une réunion de femmes. Elles voulaient aller à Versailles pour empêcher l'effusion de sang.
J'informai ma mère de mon départ. J'embrassai nos
enfants, et en route. A la place de la Concorde, à une heure
et demie, je me joignis au défilé. Il y avait 7 à 800 femmes.
Les unes parlaient d'expliquer à Versailles ce que voulait
Paris, les autres parlaient de choses d'il y a cent ans,
quand les femmes de Paris étaient allées déjà à Versailles,
pour en ramener le boulanger, la boulangère et le petit
mitron, comme on disait dans ce temps-là. » Ces rémi-
niscences de la Révolution de 1789 se retrouvent partout
pendant le règne éphémère de la Commune de 1871,
jusque dans l'emploi du calendrier républicain, de même
que les révolutionnaires de 1789 se drapaient souvent
dans les oripeaux de la République romaine.

1. *L'Action*, *Le Cri du Peuple*, 4 avril.
2. Récit de Béatrix Excoffon, dans *Mémoires* de Louise Michel, pp. 406
et suivantes. Et A.G., IV, 57.

A la porte de Versailles, les femmes rencontrent des parlementaires francs-maçons, qui avaient tenté, de leur côté, une médiation. La « citoyenne » qui dirigeait le groupe où se trouvait Béatrix Excoffon, recrue de fatigue, propose de se réunir, salle Ragache. On nomme Béatrix Excoffon pour la remplacer. « On me fit monter sur un billard et je dis ma pensée : que, n'étant pas assez nombreuses pour aller à Versailles, nous l'étions assez pour aller soigner les blessés aux compagnies de marche de la Commune [1]. » Mais comme Fabrice, sur le champ de bataille de Waterloo, Béatrix Excoffon n'aperçoit qu'un aspect de ces manifestations. Encore qu'il soit assez difficile d'en rétablir, à travers les journaux et les mémoires, la chronologie. D'autres groupes de femmes furent arrêtées aux fortifications par les gardes nationaux, qui les dissuadèrent d'aller plus loin, par crainte qu'elles ne fussent mitraillées [2].

Le 4 avril, les manifestations continuent. Une députation de femmes en vêtements de deuil annonce à l'Hôtel de Ville que 10.000 *(sic)* Parisiennes se préparent à marcher sur Versailles. Vers 3 heures, sur le boulevard Richard-Lenoir une vingtaine de femmes déblatèrent contre les hommes « qui aiment mieux se cacher que d'aller combattre les Versaillais ». Elles disent encore que 700 citoyennes viennent de partir de la place de la Concorde, drapeau rouge déployé, « pour se mettre à la tête des hommes [3] ». En effet, vers 3 heures et demie, une colonne de femmes portant le drapeau rouge part de la place de la Concorde et se dirige vers le Point-du-Jour. Ce sont des femmes du peuple, « très proprement vêtues »; certaines même portent une robe de soie noire et un chapeau. Leur corsage est orné d'une rosette rouge (le rouge dans le vêtement sera considéré, par les Conseils de guerre, comme une preuve d'allégeance à la Commune). Une cinquantaine de gamins les précèdent en chantant *le Chant du Départ*. Elles déclarent « qu'elles vont à Versailles sommer le Gouvernement de cesser d'envoyer des bombes

1. Récit de Béatrix Excoffon.
2. *La Commune*, 6 avril.
3. *La Sociale*, 5 avril, *Le Cri du Peuple*, 5 avril.

sur Paris », et elles engagent — sans succès — les femmes, qu'elles rencontrent, à se joindre à elles. Mais ce jour-là encore, les gardes les empêchèrent de passer[1]. Le soir, vers 7 heures, une femme haranguait la foule, place de la Bastille : « Il fallait arrêter l'effusion de sang », et elle donnait rendez-vous aux femmes pour le 6[2].

Le 5, les mots d'ordre — si mot d'ordre il y a —, les initiatives en tout cas deviennent tout à fait contradictoires. A la Bastille, au Château-d'Eau, place de la Concorde, les femmes déclarent qu'elles renoncent au projet d'aller faire entendre raison au gouvernement de Versailles. Il est décidé que toutes les femmes, à quelque condition qu'elles appartiennent, se mêleront aux gardes nationaux et éviteront ainsi l'effusion de sang[3]. Projet utopique, pensent certains, car la présence des femmes n'a nullement empêché les fusillades du 2 décembre.

Devant l'Hôtel de Ville, une jeune fille propose aux Fédérés de faire marcher devant eux les femmes de sergents de ville demeurées à Paris, afin que les Versaillais ne tirent pas sur eux. « Tête nue, avec de beaux cheveux blonds, figure intelligente et convaincue, elle produit un grand effet autour d'elle », constate une bourgeoise qui passait, Mme Blanchecotte, dont les sympathies ne vont sûrement pas à la Commune[4]. Une autre femme « blonde également, décemment mise, sérieuse et distinguée » appelle de son côté à la résistance[5].

De toutes ces initiatives, on peut conclure que les femmes, les 3, 4 et 5 avril s'efforcèrent « de faire quelque chose » pour éviter le heurt sanglant entre Versailles et Paris. Mais ces mouvements ne semblent ni organisés, ni cohérents. Des courants divers, de la conciliation à la résistance, les partagent.

Le 6 avril, dans le journal de Jules Vallès, une « citoyenne », qui est peut-être un « citoyen », lance un appel au calme. « Nous allions à Versailles. Nous voulions

1. *Ibidem*, et 6 avril.
2. *Cri du Peuple*, 6 avril.
3. *L'Action*, 6 avril.
4. Blanchecotte (Mme), *Tablettes d'une femme pendant la Commune*, p. 42.
5. *Ibidem*.

éviter l'effusion de sang. Au nom des femmes de Paris, nous portions à Versailles les deuils récents de nos pères, de nos maris, de nos enfants. Nous n'avons pas pu remplir notre tâche de conciliation et d'humanité. Le gouvernement a attaqué Paris. Le sang a coulé [1]. » Que doivent faire désormais les femmes? Dissoudre leurs rassemblements, rester « calmes et sérieuses ». « Nous n'avons pas de politique à faire, nous sommes humaines, voilà tout. Puisque nous ne pouvons pas empêcher l'effusion de sang, notre première mission est terminée. » Il faut donc que les femmes rentrent dans leurs foyers, ou s'occupent, à la rigueur, des ambulances. Toute autre initiative gênerait les mouvements militaires et l'exécution des ordres de la Commune. Et enfin, curieux argument, qui me fait croire que ce texte fut rédigé par un homme, ou sur ses conseils : « Toute démarche inopportune de notre part prêterait désormais atteinte à la dignité des hommes. » Certes, la tentative des femmes restera comme une protestation contre le gouvernement de Versailles, qu'elles considèrent comme responsable du sang versé, et comme un acte de fidélité envers la Commune, « gouvernement honnête et simple », fait pour tous, et qui apportera par la liberté et le travail « un peu de bien-être à toutes les indigences ». Que les femmes se séparent donc aux cris de « Vive la République! Vive la Commune! » et qu'elles laissent les hommes s'occuper de leurs affaires. Ce texte, digne du bonhomme Chrysale, est signé « Une vraie citoyenne ».

Mais les femmes ne semblent guère disposées à rentrer chez elles. D'ailleurs, un pouvoir populaire exige la participation, la mobilisation des masses. La Commune a décidé de faire des funérailles nationales aux premiers défenseurs tombés pour la défense de la Révolution. Et sans doute Courbet ne se mêle-t-il pas d'en régler l'ordonnance, comme le fit David, jadis, pour les cérémonies de l'autre Révolution. Les enterrements ne s'en font pas moins avec pompe. Le 6 avril, à 2 heures, une foule se réunit à l'hôpital Beaujon, où les cadavres des victimes sont exposés. Les épouses, les mères, « pareilles à des femmes spartiates », jettent, nous dit Lissagaray, « des

---

1. *Le Cri du Peuple,* 6 avril.

cris de fureur et des serments de vengeance ». Puis les
trois catafalques, couverts de voiles noirs et de drapeaux
rouges et traînés par huit chevaux, roulent lentement
vers le Père-Lachaise. En tête, les clairons, et les tambours
voilés, les Vengeurs de Paris, puis les membres de la
Commune. Derrière eux, les femmes des morts et les
ambulancières portant le brassard de Genève et l'écharpe
rouge de la Commune. Le long des boulevards, « voie
sacrée de la Révolution », des milliers de femmes qui
sanglotent. A la Bastille, il y avait 200.000 personnes.
« Les hommes de Versailles ne pourront plus dire que
nous sommes une poignée de factieux. » Et c'est aux cris
de Vive la République! Vive la Commune! que l'on se
sépare au bord des tombes [1].

Le 9 avril, on brûle la guillotine au pied de la statue
de Voltaire, « défenseur de Sirven et de Calas ». La Commune
veut montrer par là, que l'on est entré dans un monde
nouveau, d'où la peine de mort sera exclue, et où régnera
la justice. Des femmes sont là encore, assistant à cette
cérémonie symbolique [2].

Toute politique, qui exige le consentement des masses
et les exprime en même temps, doit faire appel à la sensibilité populaire, organiser un entraînement, une gymnastique émotionnelle. Les religions, comme les mouvements
politiques, ont besoin de manifestations collectives. Les
femmes, plus émotives que les hommes, sont, sans doute,
encore plus sensibles à ces communions.

Mais les femmes avaient aussi de bonnes raisons pour
soutenir le nouveau pouvoir. Sans doute, les buts de la
Commune, précisés dans une déclaration au Peuple Français, ne tenaient-ils aucun compte de leur existence [3]. Pas
plus que « leurs grands ancêtres » de 1789 et de 1793,
ou les révolutionnaires de 1848, les hommes de la Commune
n'envisagent un seul instant que les femmes puissent
avoir des droits civiques. Mais certaines mesures, comme
la remise des loyers, la suppression de la vente des objets

1. Lissagaray, *Histoire...*, pp. 296, 291-192. Benoît Malon, *Troisième
défaite*, p. 330. *Enquête parlementaire...* Déposition de M. Gerspach.
t. II, p. 258.
2. Benoît Malon, *Ibidem*, p. 272.
3. *Journal Officiel de la Commune*, 20 avril.

déposés au Mont-de-Piété, les touchaient directement. Un décret du 10 avril encore bien davantage. Une pension de 600 francs devait être accordée à la femme, mariée ou non, de tout garde national tué pour la défense des droits du peuple, après une enquête qui établirait ses droits et ses besoins. Chacun de ses enfants, reconnu ou non, percevrait, jusqu'à l'âge de dix-huit ans, une pension de 365 francs. Les orphelins recevraient, aux frais de la Commune, l'éducation nécessaire « pour être en mesure de se suffire dans la société [1] ». C'était la reconnaissance implicite de la structure de la famille ouvrière, telle qu'elle existait réellement, en dehors des cadres des lois religieuses et bourgeoises, la reconnaissance de l'union libre, du droit à l'existence des enfants, qu'ils fussent légitimes ou naturels, la disparition de l'antique *macula bastardiae*, du droit romain, de l'Église et du Code civil. La Commune, qui ménagea la Banque de France et n'osa pas toucher à la propriété privée, prit là, sans doute, l'une des mesures les plus révolutionnaires de son règne éphémère. La bourgeoisie, qui s'en indigna, les membres de la Commune, qui l'exaltèrent, en montrent bien toute la portée. Le membre de la Commune, Arthur Arnould, écrit : « Ce décret, en élevant la femme au rang de l'homme, en la mettant aux yeux de la loi et des mœurs sur un pied d'égalité civile absolue avec l'homme, se plaçait sur le terrain de la morale vive et portait un coup mortel à l'institution religioso-monarchique du mariage, tel que nous le voyons fonctionner dans la société moderne. C'était aussi un acte de justice, car il est temps d'en finir avec cet inique préjugé, cette barbarie de la loi, qui, dans ce qu'on appelle aujourd'hui le concubinage, par opposition au mariage légal, ne frappent que les faibles, la femme séduite, l'enfant innocent. » Et, précisant le caractère moral de l'union libre, il ajoute : « L'union de l'homme et de la femme doit être un acte essentiellement libre, accompli par deux personnalités responsables. Dans cette union, les droits moraux, comme les devoirs, doivent être réciproques et égaux. Quand un homme devient l'amant d'une femme et la rend mère, cette femme est sa femme, ces enfants sont

1. *Procès-Verbaux de la Commune*, t. I, p. 162.

les siens. » La société qui ne condamne pas l'homme,
n'a pas le droit de condamner la femme, et encore moins
les enfants. Mais ce décret comporte un correctif : dans
chaque arrondissement, un jury présidé par un membre
de la Commune devait s'assurer que la femme illégitime
n'était pas une « prostituée d'occasion [1] ». Un autre décret
prévoyait l'octroi d'une pension alimentaire à la femme
mariée qui demanderait la séparation de corps.

Mais la Commune ne pouvait espérer légiférer pour
l'avenir, si elle ne défendait d'abord son existence. Après
les essais de conciliation, les illusions sont tombées. La
Commune se bat. Des « citoyennes » lancent, le 11 avril,
un violent appel à la lutte, dans le plus pur style de 1792 [2].
« Paris est bloqué. Paris est bombardé. Citoyennes, où
sont-ils nos enfants, et nos frères, et nos maris?... Enten-
dez-vous le canon qui gronde et le tocsin qui sonne
l'appel sacré? Aux armes! La Patrie est en danger! »
Sont-ce des étrangers qui viennent attaquer Paris et
menacer ces conquêtes que l'on appelle « liberté, égalité,
fraternité »? « Non, ces ennemis, ces assassins du peuple et
de la liberté, sont des Français. » Et elles expliquent le
sens de la lutte : « C'est l'acte final de l'éternel antagonisme
du droit et de la force, du travail et de l'exploitation, du
peuple et de ses bourreaux. » Car, ce que veut la Commune,
c'est la fin de l'exploitation de l'homme par l'homme.
« Plus d'exploiteurs, plus de maîtres, le travail et le bien-
être pour tous, le gouvernement du peuple par lui-même. »
Et elles rappellent le noble mot d'ordre des luttes prolétariennes : « Vivre libre en travaillant ou mourir en
combattant. » Par crainte d'avoir à rendre des comptes,
un jour, devant le tribunal du peuple, le gouvernement de
Versailles n'a pas reculé devant le plus grand des crimes :
la guerre civile. « Citoyennes de Paris, descendantes des
femmes de la Grande Révolution, qui, au nom du peuple
et de la justice, marchaient sur Versailles, ramenant
captif Louis XVI, nous, mères, femmes et sœurs de ce
peuple français, supporterons-nous plus longtemps que

---

1. Arnould (Arthur), *Histoire populaire et parlementaire de la Commune*, t. II, pp. 124-125.
2. *Journal Officiel*, 11 avril, *La Commune*, 11 avril, *La Sociale*, 12 avril.

la misère et l'ignorance fassent des ennemis de nos enfants? Que père contre fils, que frère contre frère, ils viennent s'entretuer sous nos yeux pour le caprice de nos oppresseurs, qui veulent l'anéantissement de Paris, après l'avoir livré à l'étranger? » La cause de Paris, c'est celle de l'Europe entière et la révolution communale a un sens universel. L'Allemagne est ébranlée par le souffle révolutionnaire, la Russie voit périr les défenseurs de la liberté, mais une autre génération monte à son tour « prête à combattre et mourir pour la République et la transformation sociale ». L'Irlande et la Pologne, l'Espagne et l'Italie, retrouvent leur vigueur pour se joindre à la lutte internationale des peuples. L'Angleterre est travaillée par un mouvement révolutionnaire. L'Autriche doit mater les révoltes des peuples slaves qu'elle tient sous le joug. « Citoyennes, le gant est jeté. Il faut vaincre ou mourir. » Que celles qui se disent « que m'importe le triomphe de notre cause, si je dois perdre ceux que j'aime », se persuadent que le seul moyen de les sauver, c'est de se battre, car cette lutte ne peut se terminer que par la victoire du peuple. D'ailleurs, en ce qui concerne nos maris et nos frères, leur tête est jouée et nos enfants eux-mêmes payeraient notre défaite; car « de la clémence, ni nous, ni nos ennemis, nous n'en voulons. » Préparons-nous donc à défendre et à venger nos frères. « Et si nous n'avons ni fusils ni baïonnettes, il nous restera des pavés pour écraser les traîtres ».

Ce texte qui exprime nettement les idées de l'*Internationale* sur la lutte des classes, était signé d'un « groupe de citoyennes ». Il était le premier acte officiel de l'*Union des Femmes pour la défense de Paris et les soins aux blessés*. Un avis suivait : les femmes étaient convoquées le 11 avril, à 8 heures du soir, 74, rue du Temple, salle Larched, au Grand Café des Nations, pour y constituer des comités d'arrondissements. Résumant l'appel, l'avis s'adressait aux citoyennes « qui savent que l'ordre social actuel porte en soi des germes de misère et de mort pour toute liberté, toute justice..., acclament le règne du travail et de l'égalité et sont prêtes à mourir pour le triomphe de la Révolution. »

A la suite de la réunion du 11 avril, le comité central de *l'Union des femmes* s'est constitué provisoirement. Sans perdre de temps, Élizabeth Dmitrieff et sept ouvrières :

Adélaïde Valentin, Noémie Colleville, Marquant, Sophie
Graix, Joséphine Prat, Céline et Aimée Delvainquier
s'adressent à la Commission exécutive de la Commune :
« A l'heure où le péril est imminent et l'ennemi aux portes
de Paris, la population tout entière doit s'unir pour défendre la Commune. Elle représente « l'anéantissement de
tout privilège, de toute inégalité » et doit tenir compte
de toutes les justes réclamations, sans distinction de sexe.
Cette distinction a été maintenue « par les nécessités de
l'antagonisme sur lequel reposent les privilèges des classes
gouvernantes ». La rénovation sociale, qui doit assurer
« le règne du travail et de la justice », présente donc le
même intérêt pour les citoyennes que pour les citoyens.
Un grand nombre de femmes est, en conséquence, résolu
« au cas où l'ennemi viendrait à franchir les portes de
Paris, à combattre, et vaincre ou mourir, pour la défense
de nos droits communs ». Mais cette organisation ne peut
réussir que si la Commune appuie son action. Elle lui
demande donc de lui donner, dans chaque mairie, une salle
pour que les comités puissent y siéger en permanence et
d'assumer les frais d'impression des circulaires et des
affiches nécessaires à sa propagande. C'est une collaboration qui doit s'établir entre *l'Union des Femmes* et les
organismes officiels de la Commune : « Les commissions
du gouvernement n'auront qu'à s'adresser au Comité
central des Citoyennes pour avoir le nombre voulu de
femmes prêtes à servir aux ambulances ou, en cas de
besoin, aux barricades [1]. »

Mais le courant révolutionnaire que représente *l'Union*
est loin d'exprimer toutes les tendances des femmes de
Paris, même parmi celles qui se sont ralliées à la Commune.
Elles sont, en fait, aussi divisées que les hommes par leur
origine sociale. Le 3 mai, une affiche placardée sur les
murs réclame la paix au nom « d'un groupe de citoyennes ».
« Les femmes de Paris, au nom de la Patrie, au nom de
l'honneur, au nom même de l'humanité, demandent un
armistice. » Elles pensent que le courage et la résignation
dont elles ont fait preuve, l'hiver, pendant le siège, leur
donnent le droit d'être écoutées par les divers partis et

1. *Journal Officiel*, 14 avril, *Cri du Peuple*, 16 avril.

elles espèrent que « leur titre d'épouses et de mères attendrira les cœurs à Paris comme à Versailles ». Ce vocabulaire est évidemment bien différent de celui des militantes de *l'Internationale*. Lasses de souffrir, épouvantées par les malheurs sans gloire qui les menacent, elles font appel à la générosité de Versailles et de Paris, les supplient de déposer les armes et d'essayer de trouver une solution pacifique. Toutes, celles qui craignent pour la vie de leurs enfants, celles dont les maris se battent par conviction ou « pour gagner le pain du jour aux remparts », les plus calmes comme les plus « exaltées », toutes réclament la paix [1].

Ce n'est pas du tout l'avis de *l'Union des Femmes*, qui, le 6 mai, répond par un manifeste indigné : « Au nom de la Révolution sociale que nous acclamons, au nom de la revendication des droits du travail, de l'égalité et de la justice, *l'Union des Femmes pour la défense de Paris et les soins aux blessés* proteste de toutes ses forces contre l'indigne proclamation aux citoyennes parue et affichée avant-hier et émanant d'un groupe anonyme de réactionnaires... » Comment peut-on en appeler à la générosité de Versailles, à la générosité de « lâches assassins »? Il n'y a pas de conciliation possible « entre la liberté et le despotisme, entre le Peuple et ses bourreaux ». La conciliation serait une trahison, la négation de toutes les aspirations de la classe ouvrière, c'est-à-dire la rénovation sociale absolue, la suppression de tous les privilèges, la substitution du règne du travail à celui du capital, l'affranchissement du travailleur par lui-même. Cette lutte ne peut se terminer que par la victoire du peuple, et Paris ne peut plus reculer, car « il porte le drapeau de l'avenir... Toutes unies et résolues, grandies et éclairées par les souffrances que les crises sociales entraînent toujours à leur suite, profondément convaincues que la Commune, représentante des principes internationaux et révolutionnaires des peuples, porte en elle les germes de la révolution sociale, les Femmes de Paris prouveront, à la France et au Monde, qu'elles aussi sauront, au moment du danger suprême — aux barricades, sur les remparts de Paris, si la réaction

1. Lanjalley et Corriez, *op. cit.*, p. 385.

forçait les portes — donner comme leurs frères, leur sang et leur vie pour la défense et le triomphe de la Commune, c'est-à-dire du peuple. Alors victorieux, à même de s'unir et de s'entendre sur leurs intérêts communs, travailleurs et travailleuses, tous solidaires, par un dernier effort, anéantiront à jamais tout vestige d'exploitations et d'exploiteurs. Vive la République sociale et universelle! Vive le travail! Vive la Commune [1] ».

---

1. *Ibidem*, pp. 410-411, *Journal officiel*, 8 mai. Fac-similé dans Bruhat (Jean), Dautry (Jean) et Tersen (Émile), *La Commune de 1871*, p. 179.

V

L'Union des Femmes

Quelle était donc cette *Union des Femmes pour la défense de Paris et les soins aux blessés*, dont nous avons lu les appels? C'est, en fait, la section féminine française de l'*Internationale*. Son appartenance et son importance n'ont pas échappé aux contemporains [1] et sont mises en valeur dans l'enquête parlementaire sur l'insurrection du 18 mars. Barral de Montaud n'hésite pas à lui attribuer toutes les initiatives des femmes pendant la Commune [2]. C'est sans doute exagéré.

L'Union des Femmes fut organisée à une date indéterminée, par une amie de Karl Marx, Élizabeth Dmitrieff, qui participait déjà à l'administration du comité de femmes créé par Jules Allix. Curieux personnage qu'Élizabeth Dmitrieff, dont le dossier établi par le Conseil de guerre, ne laisserait guère supposer l'importance [3]. Ce dossier est presque vide, ce qui montre à quel point le travail d'enquête fut mené avec négligence par ces militaires. « Il n'a pas été possible de savoir ce que faisait la femme Dmitrieff avant le 18 mars », y lit-on. Or, il suffisait de se référer à un document conservé également aux Archives de la Guerre [4] pour voir qu'elle participait déjà au comité de femmes suscité par Jules Allix. Aucun témoignage n'a été recherché. Pour les officiers du Conseil de guerre, Élizabeth Dmitrieff, né quelque part en Russie, surgit du néant, le 18 mars. On rappelle seulement son élégance,

1. Benoît Malon, *Troisième défaite...*, p. 274.
2. *Enquête Parlementaire...*, t. II, pp. 261 et 362.
3. A.G. Conseil de guerre VI, 683.
4. Ly 23.

comparable à celle de Théroigne de Méricourt : elle portait habituellement une robe d'amazone, un chapeau de feutre orné de plumes rouges et une écharpe de soie de même couleur garnie de franges d'or, « qui barrait son corsage de droite à gauche », comme l'insigne de sa fonction. Pour le reste, quelques copies de pièces portant sa signature, un certificat de civisme établi au nom du citoyen Henri Colleville. Le butin est maigre.

Pourtant, aujourd'hui, nous sommes beaucoup mieux renseignés. La jeune femme, que l'on connaissait à Paris, pendant la Commune, sous le nom d'Élizabeth Dmitrieff, était née en 1851, dans la province de Pskov. Elle était la fille d'un ancien officier de hussards, Louka Kouchelev, et d'une jeune infirmière, Nathalie Troskevitch. Son père, dans son testament, ne la reconnaît que comme « pupille ». Élizabeth Dmitrieff, comme Louise Michel, a donc une naissance irrégulière. Cette origine commune les prédispose, peut-être, à ressentir plus vivement les injustices sociales. Mais la dureté avec laquelle l'ancien officier de hussards traitait ses serfs n'est peut-être pas étrangère, non plus, à la révolte de sa fille. Quoi qu'il en soit, Élizabeth reçut une excellente éducation et, selon les habitudes de la haute société russe, apprit plusieurs langues. Dans la bibliothèque de son père, à Saint-Pétersbourg, elle trouvait des ouvrages français, allemands, anglais, italiens, qu'elle lisait avidement ; et aussi les revues russes les plus nouvelles auxquelles sa mère était abonnée. C'était le temps de « ces années soixante », où les jeunes gens de l'intelligentsia russe allaient « au peuple » et discutaient passionnément des « idées nouvelles » : l'émancipation des serfs et des femmes, la réforme de l'enseignement et de la justice, les théories de l'art pour l'art et de l'art engagé, le matérialisme et le spiritualisme, la valeur de la science et tant d'autres questions, dont nous retrouvons les échos dans les romans de Dostoïevski. A côté de Tolstoï, de Tourgueniev, de Dostoïevski, en pleine apogée de leurs talents, apparaissaient des écrivains de types nouveaux, plus « radicaux » : le poète Nekrassov, l'auteur dramatique Ostrovski, le critique Dobrolioubov et surtout le philosophe Tchernychevski, qui payait alors, en Sibérie, la hardiesse de ses conceptions sociales. A Saint-Pétersbourg, Élizabeth participait à

toutes ces discussions. Mais les études universitaires étaient,
en Russie comme en France, interdites aux femmes.
Élizabeth décide donc de quitter la Russie et d'aller,
comme beaucoup de jeunes filles de l'intelligentsia russe,
faire ses études en Suisse. Dans ce but, elle contracte un
mariage blanc avec le colonel Tomanovski, beaucoup plus
âgé qu'elle et phtisique, mais partisan de l'émancipation
des femmes. Ce mari exemplaire lui donne ainsi une position
sociale, un titre de noblesse et la liberté. Élizabeth retrouve
à Genève un groupe de jeunes révolutionnaires russes,
qui donnent leur adhésion à la *Première Internationale.*
C'est elle qu'ils chargent d'aller à Londres prendre contact
avec Karl Marx. « Cher citoyen, lui écrivent-ils, permettez-
nous de vous recommander notre meilleure amie, Élizabeth
Tomanovskaïa, sincèrement et profondément dévouée à
la cause révolutionnaire de Russie. Nous serons heureux
si, par son intermédiaire, nous pouvons vous connaître
mieux et si, en même temps, nous pouvons vous faire
connaître plus en détail la situation de notre action, dont
elle pourra vous parler de façon circonstanciée... » Élizabeth arrive à Londres pendant l'été de 1870. Une amitié
se noue rapidement entre elle, Karl Marx et ses filles.
Dans une lettre à Karl Marx (7 janvier 1871), elle lui écrit :
« Je vous remercie de votre bonté et de l'intérêt que vous
portez à ma santé. Je ne veux pas naturellement vous
prendre votre temps, mais si vous aviez quelques heures
libres, dimanche soir, je suis persuadée que vos filles
seraient aussi heureuses que moi-même de vous voir chez
nous. » En même temps, elle le renseigne sur la situation
agraire en Russie : « En ce qui concerne l'alternative que
vous prévoyez dans le problème du sort de la propriété
communale en Russie, malheureusement sa transformation
en petite propriété individuelle est très probable. Je me
permets de vous envoyer un numéro de *Narodnoïe Dielo
(la Cause du Peuple)* où cette question est examinée. Vous
connaissez certainement l'ouvrage de Hoksthausen, paru
en 1847, qui décrit le système communal en Russie. Si
par hasard, vous ne l'avez pas, faites-le moi savoir. J'en
possède un exemplaire et pourrais vous l'envoyer tout de
suite. Dans les articles sur la propriété terrienne, que vous
lisez actuellement, vous verrez que Tchernychevski le

mentionne souvent et en cite des passages... » Lettre précieuse qui donne des indications sur le caractère amical des relations d'Élizabeth et de Marx, mais aussi sur leurs rapports intellectuels. Cette toute jeune femme de vingt ans se montre très avertie des questions sociales russes et informe avec pertinence l'homme que le mouvement révolutionnaire international considère déjà, avec Bakounine, comme son maître. La personnalité d'Élizabeth Tomanovskaïa frappa profondément Karl Marx : ce fut elle qu'il chargea, en mars 1871, d'une mission à Paris, mission d'information sans doute, mais aussi d'organisation, puisque nous la retrouvons à la tête de *l'Union des Femmes pour la défense de Paris et les soins aux blessés*[1].

Sous son impulsion, *l'Union des Femmes* se constitue le 11 avril. Désormais des réunions se tiennent régulièrement dans les différents quartiers de Paris. Le 13 avril, la seconde réunion a lieu à la mairie du 3e arrondissement, rue du Temple, la troisième, à la mairie du 4e arrondissement [2], etc. On retrouve dans *l'Union*, quelques femmes qui appartenaient au groupement de Jules Allix. Mais il est impossible de comparer l'origine sociale des adhérentes des deux associations, car nous ne connaissons leurs professions, et d'ailleurs d'une façon incomplète, que pour la seconde. André Léo, qui adhéra au premier comité, ne figure pas dans le second. Pour Nathalie Lemel, c'est le contraire. Dans le 11e arrondissement, 10 adhérentes du comité Allix passent à l'union Dmitrieff, 6 dans le 8e, 5 dans le 17e, 4 dans le 5e, 6 dans le 7e. Mais ce sont là des exceptions. Élizabeth Dmitrieff recrute des militantes nouvelles et dans un milieu nettement prolétarien. Pour le 13e arrondissement, par exemple, nous trouvons 1 confectionneuse pour vêtements d'hommes, 1 lingère, 3 couturières, 2 piqueuses de bottines, 1 femme dont la profession n'est pas indiquée. Pour le 16e, 1 confectionneuse, 4 couturières, 1 lingère, 1 brocheuse. On connaît la profession de 60 adhé-

1. Soukholmine (Vassili), *Deux femmes russes combattantes de la Commune* dans *Cahiers internationaux*, mai 1950. Tchérednitchenko (P.), *La vie généreuse et mouvementée d'Élise Tomanovskaïa*, dans *Études Soviétiques*, juin 1955.

2. *L'Affranchi*, 14 avril, *Journal Officiel*, 17 avril, *Cri du Peuple*, 22, 23, 28 avril.

rentes sur 128. Tous les métiers de femmes y sont représentés : 15 couturières, 9 giletières, 6 mécaniciennes, 5 modistes, 5 lingères, 3 confectionneuses, 2 piqueuses de bottines, 2 chapelières, 2 blanchisseuses, 2 cartonnières, 1 chamarreuse, 1 passementière, 1 cravatière, 1 institutrice, 1 parfumeuse, 1 bijoutière, 1 polisseuse en or, 1 brocheuse, 1 relieuse. Le Comité central, composé en principe de 20 membres, qui représentent les 20 arrondissements de Paris, reflète bien cette composition sociale. La liste qui nous est parvenue n'indique pas de responsables pour les 2e et 15e arrondissements. Mais, pour les autres, nous rencontrons la couturière Anna Maillet (1er arrt), la mécanicienne Marquant (3e), la chapelière Angelina Sabatier (4e), la chamarreuse Victorine Piesvaux (5e), la relieuse Nathalie Lemel (6e), la lingère Octavie Vataire (7e), Marie Picot (8e), dont nous ne savons pas si elle exerce une profession, la couturière Bessaiche (9e), la modiste Blanche Lefebvre (10e), la couturière Marie Leloup (11e), la couturière Forêt (12e), Mme Chantraile, sans profession (13e), la giletière Rivière (14e), la brocheuse Aline Jacquier (16e), Aglaé Jarry, sans profession (17e), la polisseuse en or Blondeau (18e), la couturière Jeanne Musset (19e), la cartonnière Gauvain (20e). Enfin, Élizabeth Dmitrieff.

L'État-Major de *l'Union des Femmes* — la commission exécutive — comprend quatre ouvrières, Nathalie Lemel, Aline Jacquier, Blanche Lefebvre, Marie Leloup, et trois membres sans profession, Aglaé Jarry, Élizabeth Dmitrieff et une Mme Collin, dont on ne sait quel arrondissement elle représente, à moins que ce ne soit le 2e ou le 15e, qui n'avaient pas de titulaire [1].

L'organisation de *l'Union des Femmes* est précisée dans des statuts qui sont signalés par la presse [2]. « Une organisation sérieuse parmi les citoyennes de Paris résolues à soutenir et à défendre la cause du peuple, la Révolution et la Commune, vient d'être fondée afin de venir en aide au travail des commissions du gouvernement, pour le service des ambulances, des fourneaux et des barricades. » Dans chaque arrondissement, sont créés des comités

---

1. A.G. Ly 23, État signé Élizabeth Dmitrieff.
2. *Ibidem, Statuts de l'Union des Femmes*, et *La Sociale*, 20 avril 1871.

chargés d'enregistrer les femmes qui veulent participer
à ces services, d'administrer les fonds provenant de souscriptions volontaires, de convoquer « à toute heure du jour
ou de la nuit » les femmes de *l'Union*, sur l'ordre de son
Comité central et sur l'invitation des commissions de la
Commune, et de leur désigner leurs tâches. Les comités
d'arrondissement sont donc chargés de la mobilisation
des femmes : ils doivent envoyer chaque jour au Comité
central un rapport sur leur activité.

Ils sont composés de onze membres, doivent établir
une permanence de jour et de nuit, et se réunir, au complet,
au moins une fois par jour. La présidente est désignée
à tour de rôle. Elle est assistée d'un bureau révocable
composé d'une secrétaire générale, de deux secrétaires
adjointes et d'une trésorière. Tous les deux jours, un
rapport financier doit être envoyé au Comité central,
ainsi que l'excédent des sommes indispensables au fonc-
tionnement du comité d'arrondissement. Tous les membres
de *l'Union* doivent verser une cotisation de 10 centimes
(cotisation qui est celle de l'*Internationale*) et reconnaître
l'autorité du Comité central.

Le Comité central, comme nous l'avons vu, se compose
des délégués des arrondissements. Il assure également une
permanence de jour et de nuit. Les séances plénières ont
lieu deux fois par vingt-quatre heures. Le bureau est
composé d'une secrétaire générale, de trois secrétaires
adjointes et d'une trésorière. Une commission exécutive
de sept membres est chargée d'assurer la liaison avec les
commissions gouvernementales. Les membres de la Commission exécutive sont munis d'une carte estampillée
d'un sceau et signée par les membres du Comité central.
Elles portent comme insigne un nœud rouge à la boutonnière.

Les sommes qui restent en caisse, après avoir réglé les
frais d'administration, doivent être employées de la façon
suivante : à soutenir les membres indigents ou malades
de *l'Union*, rémunérer les membres des comités qui, par
manque de moyens, ne pourraient consacrer tout leur temps
à *l'Union* et enfin « à l'achat de pétrole et d'armes pour les
citoyennes qui combattront; le cas échéant, la distribution
d'armes se fera au tirage au sort ». Cet article 14 n'a guère

été mis en valeur. Il semble cependant très important. Il
serait ridicule de penser que ce pétrole est acheté dans un
but d'éclairage. Le pétrole et les armes apparaissent sur
le même plan. Ce sont des moyens de combat. *L'Union
des Femmes* prévoyait donc l'éventualité de l'incendie
comme mesure de défense. Il n'y a pas à sortir de là : toute
autre interprétation ne peut relever que de la mauvaise
foi. Mais il serait d'aussi mauvaise foi de s'indigner beaucoup plus des incendies au pétrole de la Commune, que
des obus incendiaires de M. Thiers.

Nous avons retrouvé au ministère de la Guerre, les
archives du Comité du 7e arrondissement qui permettent
de pénétrer quelque peu dans sa vie quotidienne [1]. Ce
comité n'est peut-être pas très significatif. Sur les dix
membres qui le composent, et qui ne correspondent pas
totalement à l'état général dressé par Élizabeth Dmitrieff,
on trouve une lingère, Octavie Vataire, et neuf autres
femmes dont la profession n'est pas indiquée. Six viennent du comité de Jules Allix, ce qui est une très forte
proportion, que l'on ne retrouve pas ailleurs. Comme le leur
avaient prescrit les statuts de *l'Union*, elles élaborent un
règlement intérieur. Toutes les démarches doivent être
faites par deux membres et l'on doit être présente au
« bureau » de 8 heures du matin à 7 heures du soir. La
permanence est assurée jusqu'à 9 heures. Chaque membre
doit recevoir 3 fr. 50 par jour, ce qui semble considérable
(dans le 9e et le 12e arrondissement, c'est 2 francs que
verse la mairie [2]). Si l'on s'en tient au registre de comptes,
tenu du 24 avril au 17 mai, les revenus de *l'Union* du
7e arrondissement sont extrêmement réduits. Le 25 avril,
il y a 2 fr. 20 en caisse et l'on remet, le soir, au Comité
central, ce qui reste après les dépenses de la journée :
1 fr. 20. Le 27 avril, un citoyen fait un don de 50 centimes,
mais le 3 mai, il faut donner 30 centimes à la déléguée
au Comité central, pour qu'elle puisse prendre l'omnibus.
Quant à réclamer 10 centimes aux adhérentes pour leur
inscription, cela semble tout à fait exclu. Un membre
de la municipalité en a fait l'observation : Comment

---

1. A.G. Ly 23.
2. *Ibidem* et A.S. V *bis* 388.

demander 10 centimes à des femmes « qui n'ont pas
seulement le moyen d'avoir du pain? » Comme le Comité
central ne répond pas, le comité du 7e renonce à faire
payer cette cotisation. Le 15 mai, la trésorière conclut
qu'elle n'a plus de caisse à tenir. En effet, il lui reste, le
17 mai... 5 centimes.

Mais ce dénuement n'entrave pas l'action du comité.
Il envoie au Comité central, une ambulancière du
106e bataillon qui n'a plus de médicaments et voudrait
savoir où elle peut s'en procurer. Il convoque les femmes
à la vingtième réunion de *l'Union*, qui doit se tenir, le
8 mai, à la mairie. Il recense les ouvrières du quartier et
demande l'entreprise des sacs que l'on coud pour les
barricades, afin de pouvoir distribuer du travail aux
femmes de l'arrondissement. Le 17 mai, la poudrerie du
Gros-Caillou explose, *l'Union* s'occupe de donner des
vêtements aux sinistrés et de les reloger [1].

Ce sont des activités analogues que nous retrouvons dans
d'autres arrondissements. Les adhérentes des 2e, 10e,
11e arrondissements vont chercher sous les décombres
les habitants de Neuilly bombardés par l'armée de Versailles [2]. Celles du 5e arrondissement rappellent à un
colonel les règles élémentaires de la discipline militaire :
« Il serait urgent que vous refusiez les laissez-passer
à toutes les femmes des gardes. » Ces visites provoquent
le désarroi, sont nuisibles à la défense, et « cela cause
bien du désagrément dans le service de nos ambulancières
qui se dévouent à secourir nos blessés [3] ».

Mais si la défense de Paris et le secours aux blessés
apparaissent comme les premiers objectifs de *l'Union
des Femmes*, l'organisation du travail est plus importante
encore, car elle porte en elle les germes de cette rénovation
sociale, qui donne à la Commune sa signification historique. Par suite de la guerre, du siège, puis des événements
du 18 mars, un grand nombre d'ateliers avaient fermé
leur porte. Leurs propriétaires avaient préféré quitter
Paris pour des lieux plus sûrs, Versailles ou la province.

1. *Ibidem*, Bruhat (J.), Dautry (J.) et Tersen (E.), *Histoire de la Commune de 1871*, p. 180.
2. *Le Réveil du Peuple*, 1er mai.
3. A. G. Ly 23.

Bien que la plupart des hommes fussent mobilisés comme gardes nationaux, le chômage régnait. Dans une ville en état de siège, la fabrication des cartouches, des sacs pour les barricades et l'équipement militaire, fournissaient aux femmes quelques moyens de subsistance : à l'intendance militaire, au ministère du Travail, les ouvrières venaient demander de l'ouvrage. Trois mille, paraît-il, furent employées à faire des cartouches [1]. Vuillaume, dans ses *Cahiers rouges*, nous conte qu'il surveillait un atelier de 5 à 600 jolies filles, qui collaient des amorces au fulminate [2]. Et Lissagaray nous décrit l'atelier du Corps législatif, où 1.500 femmes cousaient des sacs de terre pour les barricades : « Une grande et belle fille, Marthe, distribue l'ouvrage, parée de l'écharpe rouge à franges d'argent que ses camarades lui ont donnée. Les chansons joyeuses abrègent la besogne. Chaque soir, on fait la paye et les ouvrières reçoivent l'intégralité de leur travail, 8 centimes par sac. L'entrepreneur d'autrefois en laissait 2 à peine [3]. » On avait transformé Saint-Pierre-de-Montmartre en atelier de confection d'habillement militaire, où l'on employait 50 femmes [4]. Mais ce n'étaient là que des palliatifs.

Depuis le 18 mars, les entrepreneurs demeurés à Paris avaient baissé les salaires. Peut-être pour tenter de créer ainsi un courant d'hostilité à l'égard du nouveau gouvernent en aggravant la situation économique. Un rapport sur les marchés d'habillement militaire passés avec la maison C. Monteux-Bernard précise que pour un tarif de 3 fr. 75 par vareuse et 2 fr. 50 par pantalon, il est impossible que les ouvrières puissent vivre. Les associations ouvrières donnent 6 francs de façon. Si la Commune accepte cette concurrence entre le travail capitaliste et le travail coopératif, « elle perd sa dignité » et les ouvriers verront encore décroître leurs salaires. Il ne faut plus que la Commune recoure pour ses marchés à des intermédiaires : « C'est continuer l'asservissement des travailleurs par la centralisation entre les mains des exploiteurs. » Et Léo Frankel conclut que la Commission du travail et d'échange

---

1. *La Montagne*, 16 avril.
2. Vuillaume (Maxime), *Mes Cahiers rouges*, t. II, p. 56.
3. Lissagaray, *Les huit journées de mai...*, p. 292.
4. Fontoulieu (P.), *Les Églises de Paris sous la Commune*, p. 48.

demande que les marchés qui pourront être directement passés avec les coopératives leur soient confiés [1].

De nombreuses réclamations étaient en effet adressées à la Commission de travail et d'échange. Le 3 mai, l'une des dirigeantes de *l'Union des Femmes* qui est en même temps responsable de *l'Internationale* pour son arrondissement, Octavie Tardif, lui adresse une pétition qui porte 85 signatures : « Il nous faut du travail, puisque nos frères, nos maris, nos fils ne peuvent subvenir aux besoins de la famille. » Mais il faut que ce travail soit distribué dans chaque arrondissement pour éviter les courses, la perte de temps et « le désagrément bien plus grand de négliger nos enfants. » L'équipement de la Garde nationale pourrait fournir immédiatement du travail [2].

Au cours d'une discussion de la Commune sur les objets déposés au Mont-de-Piété, Frankel reprend la suggestion d'Octavie Tardif. Les femmes de Paris n'ont pas de travail et les gardes nationaux n'ont pour vivre que 3o sous par jour. La misère est générale chez les ouvriers de Paris. Il faudrait organiser des ateliers, mais non des « ateliers nationaux » à la mode de 1848. « Ce seraient des ateliers où l'on distribuerait du travail et où les femmes recevraient du travail à faire dans leur ménage. Car, tout en procurant du travail, nous tenons en même temps à faire des réformes dans le travail des femmes [3]. » Ces réformes vont dans le sens du courant proudhonien, bien que Frankel appartienne à la fraction marxiste de la Ire *Internationale :* si la femme est obligée de travailler, il faut du moins qu'elle puisse rester à son foyer.

Nous trouvons un projet d'organisation du travail des femmes qui reflète les idées que Frankel a exposées devant la Commune. Ce projet n'est ni daté ni signé, mais le bon à tirer pour 200 exemplaires est de la main de Benoît Malon [4]. C'est un texte des plus importants pour comprendre, par-delà les erreurs et les fautes de la Commune, son sens

---

1. *Rapport sur la délégation de Levy-Lazare et Evette à l'habillement militaire et les conclusions de Léo Frankel : Journal Officiel,* 13 mai. Dauban, *Le fond de la société,* pp. 250-252.
2. A.G. Ly 23.
3. *Journal Officiel,* 7 mai.
4. A.G. Ly 23.

profond. « La Révolution du 18 mars accomplie
spontanément par le peuple, au milieu de circonstances uniques dans l'histoire, est une grande victoire
du Droit populaire, dans la lutte implacable qu'il
soutient contre toutes les tyrannies, lutte commencée par
l'esclave, poursuivie par les serfs et que le prolétaire aura
la gloire de clore par la réalisation de l'égalité sociale.
Le mouvement, qui vient de se produire, a été si inattendu,
si décisif, que les politiques de profession n'y ont rien
compris et n'ont vu dans ce grand mouvement qu'une
révolte sans portée et sans but. D'autres se sont attachés
à circonscrire l'idée même de cette Révolution, en la
ramenant à une simple revendication de ce qu'ils nomment
les franchises municipales. » Mais le peuple ne s'y est pas
trompé. Ce qu'il voit dans la Commune, c'est l'autonomie
communale, certes, mais c'est aussi « la création de l'ordre
nouveau, d'égalité, de solidarité et de liberté qui sera le
couronnement de la révolution communale, que Paris a
l'honneur d'avoir inaugurée ». Paris ne doit donc pas
seulement songer à se défendre, mais entrer vigoureusement dans la voie des réformes sociales. La Commune
a un devoir impérieux vis-à-vis des travailleurs dont elle
émane, c'est de prendre des mesures décisives en leur
faveur. Pendant que les hommes se battent, la Commune
doit s'occuper de leurs femmes et de leurs enfants, leur
fournir des ressources et du travail. Mais il faut se méfier
des ateliers de charité. « La crise que nous traversons est
terrible. Il faut agir, et agir vite, tout en se gardant de
recourir aux expédients, aux essais, qui peuvent quelquefois
répondre aux exigences d'une situation anormale, mais qui
créent pour l'avenir des difficultés redoutables comme
celles qui ont suivi la fermeture des ateliers nationaux de 1848. » Il faut donc écarter le palliatif de la
charité. « L'assistance proprement dite présente des dangers d'un autre ordre. Elle tend à entretenir l'oisiveté
et à abaisser les caractères. La Commune doit donc abandonner les vieux errements, s'inspirer des difficultés
mêmes de la situation et mettre en pratique des moyens
qui survivront aux circonstances qui leur auront donné
naissance. »
Comment parvenir à ce but? Il faudra créer des ateliers

spéciaux pour le travail des femmes et des comptoirs de
vente pour les produits fabriqués. Chaque arrondissement
ouvrira des locaux pour recevoir les matières premières qui
seront distribuées aux ouvrières individuellement ou
collectivement et pour entreposer et vendre les produits.
Pour réaliser ce projet, on fera appel, dans chaque arrondissement à un comité de femmes. Le délégué aux finances
de la Commune ouvrira un crédit aux municipalités
pour la mise en œuvre de ce projet.

Cette organisation du travail, c'est *l'Union des Femmes*
qui va la prendre en main. Élizabeth Dmitrieff, au nom
de *l'Union*, envoie un rapport très précis à la Commission
du travail et d'échange. Elle met en valeur le caractère
socialiste et non charitable de ce projet. « La réorganisation
du travail tendant à assurer le produit au producteur
ne peut s'effectuer qu'au moyen d'associations productives libres, exploitant les diverses industries à leur profit
collectif. La formation de ces associations, en soustrayant
le travail au joug du capital exploiteur, assurerait enfin
aux travailleurs la direction de leurs propres affaires. »
Elle modifierait non seulement les rapports sociaux de
production, mais aussi les formes du travail, qui sont
inhumaines. La diversité est indispensable. Car « la répé-
tition continue du même mouvement manuel influe d'une
manière funeste sur l'organisme et le cerveau ». La dimi-
nution du temps de travail devrait être aussi envisagée,
car « l'exhaustion des forces physiques assure inévita-
blement l'extinction des forces morales ». Enfin, il convien-
drait d'abolir « toute concurrence entre les travailleurs des
deux sexes », car leurs intérêts, dans la lutte qu'ils mènent
contre le capital, sont identiques. Les salaires doivent être
égaux pour un travail égal.

Si l'on veut que ces associations se développent, il faut
que chacun de ses membres appartienne à l'*Internationale*
et que l'État leur accorde un prêt social à intérêt de 5 %,
remboursable par annuités.

Élizabeth Dmitrieff ne se fait pas beaucoup d'illusions
sur la profondeur et la durée de l'enthousiasme des femmes
pour la Commune. L'organisation du travail est urgente,
car « il est à craindre que l'élément féminin de la population parisienne, momentanément révolutionnaire, ne

retourne, grâce aux privations continues, à l'état passif et plus ou moins réactionnaire, qui fut le sien dans le passé ».

Le Comité central de *l'Union des Femmes* demande donc à la Commission de travail et d'échange, de lui confier l'équipement militaire et de mettre à la disposition des *Associations productives fédérées* les sommes nécessaires pour l'exploitation des fabriques et des ateliers qui employaient des femmes, et qui sont abandonnés par leurs propriétaires. Suit une énumération de professions féminines, qui va des typographes aux souffleuses de verre et aux enlumineuses, en passant naturellement par tous les métiers de mode [1].

Des statuts précisent que toutes les associations ouvrières de production seront fédérées et dépendront des comités d'arrondissement de *l'Union des Femmes*. Le Comité central établira des relations avec les organisations étrangères analogues pour faciliter l'exportation et l'échange des produits. Les cadres de *l'Union des Femmes*, Comité central, Commission exécutive, comités d'arrondissement mis en place pour participer à la défense de Paris, peuvent servir également à l'organisation du travail, sur une base socialiste. Les comités d'arrondissement tiendront des registres sur lesquels viendront s'inscrire les femmes des divers métiers pour créer des associations productrices fédérées et recenser également les travailleuses à domicile [2]. Chaque comité d'arrondissement nommera cinq membres pour constituer la Fédération des Associations de femmes. Une commission, assistée du Comité central de *l'Union des Femmes*, rédigera les statuts définitifs, qui seront soumis aux comités d'arrondissement et approuvés par l'assemblée générale. Une commission d'achat, en accord avec la Commission de travail et d'échange de la Commune, décidera des dépenses à engager. Un membre du Comité central siégera en permanence à l'ex-ministère des Travaux Publics (une femme dans un ministère, c'est là une innovation bien hardie). Une commission choisira les

---

1. A.G. Ly 23, *Adresse du Comité central de l'Union des Femmes à la Commission du travail et d'échange*, signé Élizabeth Dmitrieff.
2. Ly 23, Union des Femmes, Comité central.

modèles à exécuter; une autre, formée de caissières et de comptables, établira les prix de revient. Une autre encore recensera les locaux abandonnés par leurs propriétaires.

L'équipement militaire peut fournir immédiatement du travail aux femmes. Mais il faut prévoir l'avenir. La lingerie est d'une importance capitale pour le commerce de Paris. « En supprimant les couvents et l'entreprise des prisons, il sera possible d'augmenter les salaires. » Les plumes et les fleurs artificielles sont des articles de luxe, certes, mais « il est important de préparer un nouvel avenir à cette industrie ». D'ailleurs, le chômage saisonnier y est considérable et l'on devra associer les ouvrières de cette corporation à d'autres travaux. L'idéal reste pour les femmes le travail à domicile. « Les mécaniciennes pourront travailler chez elles, si la société les aide à posséder leur instrument de travail [1]. » Il ne s'agit donc pas, dans ces projets révolutionnaires, de collectiviser les moyens de production, mais de remettre directement aux producteurs leurs instruments de travail.

Mais on ne change pas un état social en quelques semaines. Malgré la volonté de la Commune et de *l'Union des Femmes* de transformer radicalement les conditions du travail, la situation des ouvrières reste précaire et s'aggrave de jour en jour. Les ateliers coopératifs étaient trop peu nombreux pour empêcher les patrons de baisser encore les salaires, ou les obliger à établir des prix plus équitables. Les promesses n'étaient pas tenues. « On a annoncé que les pantalons d'équipement seraient payés 2 francs et les vareuses 4 francs. » Mais « tout comme au bon vieux temps », les prix ont baissé à 1 fr. 40 pour les pantalons et 2 fr. 50 pour les vareuses. « Cette honteuse exploitation doit cesser. Il faut à tout prix que les femmes soient avec nous[2] ». Les couturières en vêtements de la Garde nationale écrivent au *Vengeur* (14 mai) : « Il faut que l'ouvrière laborieuse, intelligente, cesse d'être la victime, l'esclave et la dupe de ceux qui possèdent et s'enrichissent à ses peines et dépens. » Elles demandent donc qu'on

---

1. A.G. Ly 23, Commune. Ministère des Travaux Publics, travail et échange. Plan d'organisation.
2. *Le Cri du Peuple*, 18 mai.

rétablisse les anciens prix ou qu'on leur accorde pleins pouvoirs pour exploiter à leur profit l'entreprise où elles travaillent [1].

Quoi qu'il en soit, les hommes et les femmes de la Commune, dans une ville isolée au milieu d'un pays hostile, engagés dans une lutte sans merci contre un gouvernement qui a pour lui l'armée et l'argent, préparent comme s'ils avaient l'avenir devant eux, la transformation fondamentale de la production, cherchent à frayer les voies de la justice sociale. C'est par cette foi que la Commune et ses partisans sont admirables et, dans une certaine mesure, exemplaires : les recherches de la Commune de Paris de 1871 ont inspiré la réorganisation de la Yougoslavie communiste.

L'Union des Femmes, d'ailleurs, n'en reste pas à ces projets. Le 10 mai, elle invite les ouvrières « ayant des connaissances sérieuses pratiques et théoriques » à se réunir à la mairie du 10ᵉ arrondissement pour s'entendre avec le Comité central sur les mesures à prendre concernant la réorganisation du travail. Et, le 15 mai, elle informe les ouvrières que cette réorganisation lui a été confiée et leur conseille de se faire inscrire dans les mairies [2].

Tout de suite, les pauvres femmes, qui ne possèdent même pas 10 centimes pour payer leur adhésion à *l'Union des Femmes*, répondent à ce recensement qu'entreprennent les comités d'arrondissement. Nous possédons pour les 5ᵉ, 7ᵉ, 10ᵉ, 11ᵉ arrondissements les listes d'ouvrières prêtes à participer à ces nouveaux ateliers [3]. Ces listes reflètent bien la répartition des métiers féminins. Pour le 10ᵉ arrondissement, sur 71 inscrites, on relève 26 couturières, 9 blanchisseuses, 3 brunisseuses, 1 doreuse; toutes les autres se rattachent aux métiers de la mode. Pour le 11ᵉ arrondissement, sur 238 femmes, 140 se disent couturières. Puis, 1 mécanicienne, 1 piqueuse de bottines, 1 batteuse d'or, 1 polisseuse en or. Parmi les professions non prolétariennes, 3 institutrices, 1 garde-malade, 1 comptable, 1 demoiselle de magasin, 1 pianiste, 1 violoncelliste, 1 choriste. Les autres, lingères, modistes, corsetières,

1. *Le Vengeur*, 14 mai.
2. *La Sociale*, 11 mai, *Journal Officiel*, 17 mai.
3. A.G. Ly 23.

se rattachent à la couture. Dans tout cela, très peu d'ouvrières d'industrie.

D'accord avec la Commission de travail et d'échange,
Élizabeth Dmitrieff, Nathalie Lemel, Aline Jacquier,
Blanche Lefebvre et les autres membres de la Commission
exécutive de *l'Union des Femmes*, convoquent toutes les
ouvrières, le 18 mai, à la Bourse, pour nommer les déléguées
de chaque corporation et constituer ainsi les chambres
syndicales. Celles-ci éliront chacune deux déléguées qui
formeront la Chambre fédérale des travailleuses [1]. Le
dimanche 21 mai, les ouvrières sont de nouveau convoquées à l'Hôtel de Ville, pour constituer définitivement
les Chambres syndicales et fédérales [2].

Mais le dimanche 21 mai, les troupes de Versailles entrent
dans Paris. Il ne s'agit plus de construire l'avenir, mais de
se battre.

---

1. *Ibidem*, texte de la main d'Élizabeth Dmitrieff. *Journal Officiel*,
18 mai.
2. *Le Cri du Peuple*, 22 mai.

VI

Les clubs

Quelle que soit l'importance de *l'Union des Femmes*, il serait inexact de lui imputer toutes les manifestations, toutes les activités des femmes pendant la Commune. De même que l'*Internationale* n'est pas l'unique moteur de la Commune, *l'Union des Femmes* ne recouvre qu'une partie de leur action. Les oratrices des clubs, les ambulancières, les cantinières, les soldats qui soulevèrent la sympathie et l'enthousiasme des uns, les critiques et les sarcasmes des autres, n'étaient pas, pour la plupart, affiliées à *l'Union*. Louise Michel n'en fit pas partie, bien qu'elle fût membre de l'*Internationale*. L'adhésion d'André Léo est douteuse. Le Comité de Vigilance des femmes de Montmartre, qui existait déjà pendant le siège, poursuivit son activité indépendante. Ni Sophie Poirier, ni Béatrix Excoffon, ni Anna Jaclard, qui animèrent le Comité de Vigilance, ne participèrent à *l'Union*.

Anna Jaclard avait fait partie du comité de Jules Allix. Comme Élizabeth Dmitrieff, elle était née en Russie. Elle était la fille aînée du général d'artillerie Vassili Korvine Krukovski, qui croyait descendre des rois de Hongrie et, par sa mère, petite-fille du général Schubert, membre de l'Académie des Sciences. Cette double origine aristocratique n'empêcha pas le secrétaire de l'ambassade russe à Paris, en 1871, de traiter Anna de « mégère » et de « pétroleuse ». C'est qu'entre le domaine de Palibino, où elle passa, dans le luxe, son enfance et les pavés de Paris, Anna Vassilievna Korvina Krukovskaïa avait suivi un long itinéraire.

Les deux filles du général Korvine Krukovski, Sophie

et Anna, avaient été élevées avec le plus grand soin. Mais, comme Élizabeth Dmitrieff, elles furent contaminées par le grand vent de révolte qui, dans les années soixante, soufflait sur la jeune génération de l'intelligentsia. Sophie, qui devint une très grande mathématicienne et occupa une chaire à l'Université de Stockholm, nous a laissé des souvenirs sur cette révolte. « On peut dire qu'à cette époque, entre 1860 et 1870, un seul problème préoccupait les classes cultivées de la société russe : le conflit entre les jeunes et les vieux. Une sorte d'épidémie se répandait parmi les enfants, surtout parmi les jeunes filles : le désir de s'enfuir de la maison paternelle... » On apprenait qu'une jeune fille du voisinage s'était sauvée à l'étranger, qu'une autre était partie pour Saint-Pétersbourg rejoindre « les nihilistes ». A Palibino, c'était le fils du pope lui-même, un étudiant, qui répandait ces nouvelles. Sous son influence, Anna se mit à lire des ouvrages de philosophie et de sociologie, et commença à écrire. *Un rêve,* qu'elle signa du pseudonyme masculin (elle aussi) de Youri Orbelov, fut publié par Dostoïevski, dans la revue *Époque* (1864) qu'il dirigeait. Une correspondance s'ensuivit entre l'écrivain et la fille du général. Ils se rencontrèrent à Saint-Pétersbourg, discutèrent passionnément de littérature et de politique, sur lesquelles ils n'étaient pas d'accord. En conséquence, avec la logique qui lui est propre, Dostoïevski demanda Anna en mariage. Elle refusa. « Je suis étonnée parfois moi-même, expliquait-elle à sa sœur, de ne pouvoir l'aimer. Il est tellement bon, intelligent, génial. Mais il lui faut une femme qui se consacrerait entièrement à lui. Je ne le puis pas. » Il fallait cependant que les deux sœurs trouvassent une solution pour échapper au général, au domaine et à la famille. Comme Élizabeth Dmitrieff, Sophie contracte un mariage blanc avec un jeune savant, Vladimir Kovalewski, et, grâce à ce chaperon, franchit la frontière, en emmenant avec elle sa sœur Anna. Tout de suite, le trio se sépare. Vladimir reste à Vienne pour y étudier la géologie et la paléontologie, Sophie va à Heidelberg pour y suivre des cours de physique, et Anna se rend à Paris pour s'y consacrer aux problèmes sociaux. Cette dispersion exaspère le général, qui refuse d'envoyer de l'argent à Anna. Pour gagner sa vie, elle se met à travailler

comme relieuse dans une imprimerie. Cette grande aristo-
crate découvre en même temps la nécessité du travail,
la misère et la révolte ouvrière. « Quand je partais pour
la France, écrivait-elle en 1869, je ne soupçonnais pas que
le rêve de renverser le régime bourgeois était aussi près
de sa réalisation. » Ce fut au cours d'une réunion blanquiste
qu'elle rencontra l'étudiant en médecine, Victor Jaclard,
qu'elle épousa. Mais poursuivi par la police de l'Empire,
Victor Jaclard se réfugie en Suisse avec sa femme. Ils
y suivent attentivement les événements politiques :
« Jaclard attend avec impatience des informations sur
l'état des esprits à Paris. Les nouvelles des défaites françaises et des troubles à Paris nous tiennent en alerte.
Nous avons décidé d'y aller malgré le danger. Pour Jaclard,
le danger est d'autant plus grand qu'il a été condamné à
la déportation. Mais devant les circonstances actuelles,
on ne peut pas demeurer inactifs. Le manque d'hommes
résolus, et ayant une tête sur les épaules, est trop sensible
pour qu'on puisse penser à sauver sa peau », écrit-elle à
sa sœur[1]. L'Empire tombe. Victor Jaclard et sa femme
rentrent en France. Jaclard participe à la journée du
31 octobre, puis est nommé adjoint au maire du 13e arrondissement, colonel de la 17e légion et membre du Comité
central de la Garde nationale. De son côté, Anna fait
partie du Comité des Femmes de Jules Allix pour le
18e arrondissement[2] et, avec André Léo, du Comité de
Vigilance de Montmartre. Ayant vraisemblablement rencontré, en Suisse, Élizabeth Dmitrieff, à la section russe
de l'*Internationale*, il est curieux qu'Anna n'ait pas adhéré
à *l'Union des Femmes*.

Les relations entre le Comité de Vigilance de Montmartre et *l'Union des Femmes* ne semblent pas avoir été
toujours des meilleures. Anna Jaclard, André Léo et
Sophie Poirier avaient appelé, le 22 avril, les femmes de
Montmartre à former des ambulances[3]. *L'Union des
Femmes* prend la mouche en voyant le nom d'André Léo
au bas de l'affiche et fait paraître dans la presse une pro-

1. Soukholmine (Vassili) : *Deux femmes russes combattantes de la
Commune*, dans *Cahiers Internationaux*, mai 1950. A.P. BA 1123.
2. A.G. Ly 23.
3. *Le Cri du Peuple*, 26 avril.

testation. « Le Comité central de *l'Union des Femmes pour la défense de Paris et les soins aux blessés* juge nécessaire d'informer tous les membres de l'Union que la citoyenne André Léo, en donnant des explications sur les motifs qui l'avaient engagée à donner sa signature à un comité étranger à notre Union, a déclaré n'avoir aucun rapport officiel avec ledit Comité de Vigilance et a témoigné son désir de rester membre du Comité du 10ᵉ arrondissement de *l'Union des Femmes pour la défense de Paris et les soins aux blessés* [1]. » Ainsi, à peine constituée, *l'Union des Femmes* prend toutes les caractéristiques d'un parti « monolithique », qui entend régir toutes les activités de ses membres et garder le monopole de leurs initiatives. On ne sait d'ailleurs quelle suite André Léo donna à cette affaire. Un seul fait certain, c'est que son nom ne figure pas sur la liste des adhérentes à *l'Union des Femmes* qui est conservée aux Archives de la Guerre.

Le Comité de Vigilance de Montmartre, comme *l'Union des Femmes*, dirige des ateliers de travail, recrute des ambulancières, assiste les familles indigentes des Fédérés, envoie des oratrices dans les clubs, recherche les réfractaires, etc. [2]. Son activité recouvre donc exactement celle de *l'Union des Femmes*, mais échappe à ses directives. De là sans doute l'irritation de ce groupement. La certitude d'être dans la vérité, et l'intolérance qui en découle, est la marque de tous les partis révolutionnaires. Mais le 18 mars n'a pas été fait par un parti. La Commune est l'expression de diverses tendances : jacobine, blanquiste, internationaliste, que nous retrouvons confusément chez les femmes. Mais celles qui prennent la parole dans les clubs, avec plus ou moins d'éloquence, ne représentent le plus souvent qu'elles-mêmes ou une opinion populaire spontanée : celle du chœur dans les tragédies antiques.

Les clubs, qui avaient déjà exercé une grande influence pendant le siège, ont retrouvé, pendant la Commune, toute leur importance. Les femmes y participent en grand nombre. Certains clubs même sont exclusivement fémi-

---

1. *Le Cri du Peuple*, 2 mai.
2. *Récit de Béatrix Excoffon*, dans *La Commune* de Louise Michel, p. 407.

nins. « Nous voulons leur donner une large place, lit-on
dans *la Révolution politique et sociale*. Toutefois la place la
plus large sera réservée aux résumés des clubs de citoyennes.
Il est temps que nous fassions cesser les injustices et les
préventions dont sont victimes les femmes. Quand nous
aurons mis toutes les citoyennes en état de gagner leur
vie, quand des hommes robustes ne leur voleront plus le
travail qui leur appartient, nos filles ne vendront plus leur
honneur au dernier courtaud de boutique. ... Je ne cesserai
jamais de protester contre le mauvais sort que leur a fait
l'égoïsme des sociétés modernes [1]. »

Une fois de plus, les jugements des contemporains sont
parfaitement contradictoires et méritent d'être cités à
la suite. Maxime du Camp : « Le 3 mai, j'ai été, par curiosité, assister à l'inauguration du club de la Révolution
sociale, dans l'église Saint-Michel des Batignolles. J'ai
rarement vu un spectacle plus bête. Beaucoup de femmes ;
quelques hommes affectant de garder leur chapeau sur
la tête ; des enfants piaillaient ; des membres de la Commune
ceints de l'écharpe rouge, faisaient les importants au
banc d'œuvre. » L'orgue entonna *la Marseillaise*. « Voix
criarde des femmes, basses profondes des hommes, voix
glapissante des enfants... L'orgue joua *le Chant du
Départ* et l'assemblée se mit à braire de plus belle. » Naturellement les propos ne peuvent être que stupides. « Il y a
assez longtemps que nos oppresseurs font la nuit autour
du peuple sans lequel ils ne seraient rien... Demain on
traitera d'une importante question qui appelle la médi-
tation de tous les patriotes : La femme par l'Église et la
femme par la Révolution. » Cette question, aux yeux de
Maxime du Camp, est complètement ridicule [2]. *Le Journal
Officiel* de la Commune nous dépeint la même séance en
ces termes : « L'église était comble et les femmes en majorité. On sentait qu'en partant se battre pour la Commune,
les maris avaient laissé au logis un germe solide d'idées
révolutionnaires... » Les citoyens et citoyennes ne braient
plus. « L'orgue a ouvert la séance par *la Marseillaise*
chantée tout au long par les citoyens et citoyennes du

1. *La Révolution politique et sociale*, 16 mai.
2. Du Camp (Maxime) : *Convulsions de Paris*, t. IV, pp. 250-251.

club avec un enthousiasme admirable. Ce chant patrio-
tique retentissant sous les voûtes, produisait un effet
magistral... » Après plusieurs discours révolutionnaires
« très intéressants », on se sépare au *Chant du Départ*
en ayant fixé l'ordre du jour au sujet : *La femme par l'Église
et la Révolution* [1]. On ne peut pas trouver de textes à
la fois plus concordants et plus contradictoires. Toute la
différence est dans le ton, dans l'esprit du narrateur.
Benoît Malon, Lissagaray, mettent aussi l'accent sur
l'importance des clubs. On y prêchait « la sainte révolte
des pauvres, des exploités, des opprimés, contre les exploiteurs, contre les tyrans [2] ». S'il se dégageait peu d'idées
précises de ces discussions, on y faisait du moins « provi-
sions de flamme et de courage [3] ».

Promenons-nous donc dans Paris, à travers les clubs
de la Commune. Mais méfions-nous des témoins qui nous
y conduisent. Fontoulieu, l'abbé Amodru, l'abbé Delmas,
l'abbé Ravailhe sont plutôt épouvantés de cette occupation
des églises par les suppôts de l'antéchrist. Cela se conçoit.
Un correspondant du *Times* nous mène, à son tour, dans
une réunion de femmes qui semble à ce bourgeois un bien
mauvais lieu.

Plusieurs journaux « rouges » l'ont averti que des réunions seraient prochainement organisées, où les citoyennes
pourraient s'assembler et exprimer leur enthousiasme.
Il doute qu'un homme puisse y assister sans danger,
mais, n'écoutant que son courage et sa conscience professionnelle, et grâce à la protection « d'une marchande
de journaux d'un kiosque des boulevards », il se glisse,
avec un ami, dans l'une de ces assemblées mal famées.
Elle se tient boulevard d'Italie, dans un pavillon délabré,
surmonté d'un drapeau rouge. La salle est encombrée de
femmes et d'enfants, des femmes « de la plus basse classe
de la société », naturellement, « aux jaquettes malpropres,
aux bonnets fripés. » Dans le fond de la salle, une table
couverte de papiers et de livres, derrière laquelle se tiennent
des citoyennes portant des écharpes rouges. L'une d'elles,

1. *Journal Officiel*, 5 mai.
2. Benoît Malon : *Troisième Défaite...*, pp. 269-271.
3. Lissagaray : *Histoire de la Commune*, pp. 297-299.

jeune et belle (curieux que ce reporter ne l'ait pas *vue*
vieille et laide, c'est là une preuve « d'objectivité »), parle,
pérore, je veux dire, sur les droits des femmes. Ce qu'elle
dit avec un accent étranger qui choque notre Anglo-
saxon (il s'agit peut-être d'Élizabeth Dmitrieff) lui paraît
d'ailleurs tout à fait ridicule. C'est une diatribe contre la
stupidité et la lâcheté des hommes et un appel aux femmes
de Paris pour défendre les barricades. Les paroles de
l'oratrice importent peu, au fond, au reporter. Ce qui le
frappe davantage, c'est sa beauté : « Elle paraissait très
belle et aurait pu poser pour le portrait de l'une des
héroïnes de la Grande Révolution. » Cependant quelque
chose dans son regard ne lui plaît pas, à cet homme. Il
n'aurait pas aimé être « son mari ». La seconde oratrice
cependant a l'air « assez respectable », avec son chapeau et
sa robe noire. Mais son discours, toujours d'après notre
reporter, est aussi « insensé » que le précédent. Il ne sera
peut-être pas nécessaire de défendre les barricades, mais
il nous reste l'impérieux devoir de ramasser les blessés
sur le champ de bataille et de sauver ainsi de nombreuses
existences. Il faut aussi nous occuper des fourneaux de
campagne. L'oratrice rappelle l'exemple de Jeanne Hachette
et des femmes de la Révolution de 1789 et lance quelques
attaques contre le clergé. Quant à la troisième oratrice,
elle s'en prend à la société exploitrice des pauvres gens et
défend la République. « Discours vague et plein de redites. »
Là-dessus, ayant accompli son devoir professionnel, notre
reporter et son ami s'esquivent prudemment, car on
avait, dit-il, remarqué leur présence et Dieu sait ce qui
aurait pu leur arriver. A la sortie, une dame quête pour la
« nouvelle société [1] ». Tel est un club de femmes sous la
Commune, vu par un bourgeois anglais.

Mais continuons notre promenade. A Saint-Jacques
du Haut-Pas, à Saint-Séverin, se tiennent des clubs mixtes.
Fornarina de Fonseca prend souvent la parole à Saint-
Séverin [2]. C'est une Italienne, qui a dans sa famille une
forte tradition révolutionnaire. Sa grand-mère, Éléonore
de Fonseca, était dame d'honneur de la reine de Naples

1. Article du *Times*, 4 mai, reproduit dans *L'Étoile*, 10 mai.
2. Fontoulieu (P.) : *Les Églises de Paris sous la Commune*, p. 288.

Marie-Caroline. Elle avait embrassé les idées de la Révolution française et fondé un journal : *Le Moniteur républicain*. Arrêtée par les ordres du roi, elle avait été libérée
par les Français, en 1799. Mais, au retour de Ferdinand IV,
elle fut condamnée à mort et exécutée [1]. Sa petite-fille
reprend fièrement sa succession et n'oublie jamais de
rappeler sa mémoire, quand elle prend la parole dans un
club de la Commune.

L'église Saint-Sulpice fut défendue par ses paroissiens
et le club ne s'y installa que le 14 mai [2]. Les femmes y
formaient la majorité et composaient le bureau. Paule
Minck, Lodoïska Kawecka y prennent souvent la parole.
Comme Paule Minck, Lodoïska Kawecka est d'origine
polonaise. Son mari, le docteur Constantin Kawecki, a
fait ses études à Strasbourg et a été nommé commandant
du 202e bataillon fédéré, puis lieutenant-colonel des
Turcos de la Commune. Lodoïska collabore au *Journal
des Citoyennes de la Commune* et se battra pour défendre
la gare Montparnasse. Tous deux se réfugieront à Londres [3].
Dans le 15e arrondissement, les citoyens et citoyennes
du cercle des Jacobins se réunissent dans les sous-sol
de l'église Saint-Lambert de Vaugirard [4]. *L'Union des
Femmes* y tient une séance le 26 avril, sous la présidence
d'une autrichienne, Mme Reidenreth, qui exerçait, dit-on,
une grande influence sur les habitantes de Vaugirard.
« C'était une femme âgée d'une quarantaine d'années,
grande, forte, le teint très coloré, portant l'uniforme des
zouaves. Sa longue chevelure retombait sur ses épaules
en torsades qu'enroulaient des rubans rouges. A sa ceinture,
deux revolvers américains d'un très riche travail. » Deux
femmes l'assistaient : une couturière, Julie Bourriot,
une cantinière, Anna Lavigne. A cette réunion, les femmes
furent seules admises. On y discuta de l'influence des
religions [5].

A Sainte-Élizabeth-du-Temple, on continuait à célébrer

---

1. *Les Femmes célèbres*, t. I, p. 307.
2. Fontoulieu, *op. cit.*, pp. 254-256.
3. A.N. BB 24, 861, 4567, et Wczanska (Krystyna) : *Polacy w Komuna
paryskiej 1871...*
4. *La Sociale*, 6 mai, et *Journal Officiel*, 6 mai.
5. Fontoulieu, *op. cit.*, pp. 163-165.

les offices du mois de Marie dans la Chapelle de la Vierge, tandis qu'à droite, se tenait le club des femmes du quartier [1].

Le 27 avril, l'église Saint-Nicolas-des-Champs est occupée par le club qui tenait auparavant ses séances salle Molière [2]. Dans cette première réunion on traite de la prostitution et des moyens de l'extirper. Les prêtres de la paroisse s'indignent d'entendre « les sujets les plus scabreux traités sans ménagement devant un auditoire composé en grande partie de femmes et d'enfants », et s'interdisent tout exercice du culte dans une église ainsi profanée [3]. Le club se soucie peu de ces protestations. On hisse le drapeau rouge sur l'église et le président Landeck déclare, au nom de la Commune, que ces monuments appartiennent à la nation : « que les prêtres y disent donc la messe quand il leur plaira, mais nous y ferons aussi notre besogne [4]. » Les femmes, au début, y étaient peu nombreuses. On exigeait à l'entrée une carte d'identité contresignée par les secrétaires du club. Mais on revint sur cette mesure et les femmes « perdues » du quartier affluèrent [5]. Et certes, dans le 3e arrondissement, il devait se trouver beaucoup de prostituées dans l'assistance. C'était d'autant plus compréhensible que, méprisées de tout le monde, alors que l'on ne fait preuve que d'une indulgence amusée à l'égard des hommes qui s'en servent et les exploitent, les prostituées voyaient souvent dans le gouvernement révolutionnaire de la Commune, une possibilité de se reclasser dans la société nouvelle. La prostitution, considérée comme une conséquence économique des bas salaires féminins et de la misère, était à l'ordre du jour, et l'on recherchait les moyens de la faire disparaître.

À côté du président Landeck, siégeait au bureau une fabricante de bijoux Marie-Jeanne Bouquet, femme Lucas, amie de Félix Pyat et de plusieurs officiers fédérés [6].

1. Blanchecotte (Mme) : *Tablettes d'une femme pendant la Commune*, p. 202.
2. *La Vérité*, 28 avril.
3. *La Vérité*, 29 avril.
4. *La Vérité*, 2 mai.
5. Fontoulieu : *op. cit.*, p. 160.
6. A.N. BB 24, 746, 4082, S. 72.

Dans l'assistance, on rencontrait une piqueuse de bottines,
Clotilde Vallet, veuve d'un certain Legros, « compagne »
d'un délégué du Comité central, Gandon, dont elle avait eu
deux enfants [1], selon cette habitude du peuple de Paris
de ne pas se marier à l'église ni à la mairie, mais de pra-
tiquer de fidèles « unions libres »; la femme d'un employé
à la caisse d'épargne, Jeanne-Marie Jobst, etc. [2]. Une
femme, Pauline Mengue (Paule Minck?), arrivant de
province, vint affirmer que le mouvement communal y
faisait de grands progrès et que croissaient la sympathie
et l'admiration à l'égard de Paris [3]. Paroles d'espoir qui
réchauffaient les cœurs.

Le 4 mai, le curé de Saint-Eustache reçut l'ordre de
mettre l'église à la disposition du club. Le 5, la foule s'y
installa. « Il faut bien le dire, note l'abbé Coullié avec
horreur, les femmes forment la tête de cette masse
effrayante. » Mais, en compensation, ce sont les dames
de la Halle qui portent à la Commune une pétition com-
minatoire réclamant la libération de « leur vénérable
curé [4] ». Au reste, bien qu'on eût entendu « sous ces saintes
voûtes, des doctrines mauvaises et plus d'une impiété »,
le curé reconnaît que l'église ne subit aucune déprédation
et que le sanctuaire ne fut jamais occupé [5]. Mais, de
l'autre côté, les « impiétés » sont devenues un « admirable
sermon ». On entend, note un témoin, un discours digne
de l'Évangile selon saint Jean, auquel on aurait ajouté la
liberté et l'égalité. « Le peuple était recueilli comme à
l'office. Quoi de plus religieux, en effet que la Révolution.
Les femmes étaient nombreuses et recueillies... [6] » A ce
club, on entendit une cantinière du 84e bataillon, Mme Bros-
sut, Joséphine Dulimbert, qui rédigeait en 1870 *Le Moniteur des Citoyennes*, Élizabeth Deguy, Marie Menans, que
nous retrouverons par la suite sur les barricades [7].

Le club des Libres Penseurs se réunit à Saint-Germain-

1. A.N. BB 24, 756, 5761, S. 72.
2. A.N. BB 24, 799, 981, S. 74.
3. *Journal Officiel*, 16 mai, et *Le Populaire*, 17 mai.
4. Coullié (abbé) : *Saint-Eustache pendant la Commune*, pp. 46 et 79-80.
5. *Ibidem*.
6. *Le Vengeur*, 12 mai.
7. Fontoulieu : *op. cit.*, p. 13.

l'Auxerrois. Là encore, le club est mixte et nous y rencontrons de nouveau Lodoïska Kawecka, vêtue d'un pantalon de Turco et d'une veste de hussard en velours cramoisi chamarré de broderies. Elle a des bottines à glands d'or et une toque à cocarde rouge. De sa ceinture bleue, pendent deux revolvers. Elle vient au club, quand elle n'est pas avec les Fédérés, à faire le coup de feu [1]. On y retrouve encore Nathalie Lemel [2].

Devant un auditoire d'hommes et de femmes « qui fument », ce qui est particulièrement horrible, on y expose les doctrines « impies » de la libération de la femme. Une résolution en faveur du divorce y est votée par acclamations. « Nous devons avouer, note un rédacteur du *Cri du Peuple*, que les arguments à l'appui, développés avec une véritable éloquence nous ont paru irréfutables [3]. »

A Saint-Ambroise, se réunit le club des Prolétaires. Là encore, les femmes s'y trouvent en grand nombre. Une blanchisseuse, Mme André, en est secrétaire. Nous sommes assez bien renseignés sur ce club, grâce aux procès-verbaux de ses séances, conservés aux Archives de la Guerre [4]. La citoyenne Thiourt (ou Thyou) se montre très violente et très zélée. Elle prend plusieurs fois la parole. Place de la Bourse, elle a demandé un renseignement à un « citoyen ». Il lui a répondu que, dans ce quartier-là, il n'y avait pas des « citoyens », mais des « Messieurs » et des « Dames ». Elle demande en conséquence qu'on mette des canons sur cette place pour faire taire les réactionnaires (13 mai). Le 16 mai, elle réclame l'arrestation de tous les prêtres jusqu'à la fin de la guerre. Le 18, elle signale douze fusils Chassepot cachés rue Neuve-des-Boulets et s'engage à rechercher les réfractaires. La citoyenne Madré, elle, pense que les femmes ne doivent pas prendre les armes pour rechercher les traîtres qui se cachent, mais former des groupes pour travailler aux barricades (18 mai). Le 20 mai, la citoyenne Valentin engage les femmes à « garder les portes de Paris, pendant que les hommes

---

1. *Ibidem*, pp. 182-184.
2. *Gazette des Tribunaux*, 11 septembre 1872.
3. *Le Cri du Peuple*, 10 mai.
4. A.G. Ly 22.

iront au combat ». Puis elle demande que les vêtements qui restent dans les communautés soient vendus ou distribués « pour habiller les pauvres enfants » et que « les fleurs qui se trouvent aux autels, chapelles et partout auprès des madones, qu'on les donne dans les écoles comme récompense aux enfants pour orner les mansardes des pauvres gens ». La proposition est adoptée à l'unanimité. Peut-être ai-je tort de m'arrêter à ce détail indigne d'un historien « sérieux ». Mais je trouve admirable qu'en pleine lutte, en pleine misère, dans l'atmosphère enfiévrée des clubs, une femme pense aux fleurs pour les donner aux enfants. Cela me semble très significatif d'une sensibilité profonde qui n'apparaît guère dans les motions révolutionnaires toujours schématiques, parce qu'elles doivent faire face aux situations les plus urgentes.

À l'église Saint-Eloi, on retrouve la citoyenne Valentin [1], et une couturière, Marie-Catherine Rogissart, qui fait partie, dans le 12e arrondissement, du groupe de femmes chargées de la recherche des réfractaires [2].

Le 12 mai, une trentaine de femmes conduites par Lodoïska Kawecka, qui semble décidément avoir joué un rôle important dans les clubs, viennent demander au bedeau de l'église de la Trinité de remettre les clefs de « cet édifice communal » au club de la Délivrance. Elles sont accompagnées de quelques Fédérés sans armes. Le soir, la séance est ouverte à 8 heures, devant un auditoire où les femmes sont en majorité. La présidente semble avoir vingt-cinq ans. Lodoïska Kawecka a préféré le rôle d'assesseur, pour pouvoir prendre part à la discussion. Des oratrices traitent des moyens de régénérer la société. André Léo y expose raisonnablement les thèses du socialisme, tandis qu'une vieille femme, qu'on appelle dans le quartier « la mère Duchêne », se montre particulièrement violente. Il faudrait exécuter pour l'exemple cent réfractaires : « Qu'est-ce que l'existence de quelques mauvais citoyens quand il s'agit de fonder la liberté? » Nathalie Lemel engage les femmes à prendre les armes pour la défense de la Commune : « Nous arrivons au moment

1. Fontoulieu : *op. cit.*, p. 63.
2. A.N. BB 24, 781, 11568, S. 72, et A.G. XX, 528.

suprême, où il faut savoir mourir pour la Patrie. Plus
de défaillances. Plus d'incertitudes. Toutes au combat.
Toutes au devoir. Il faut écraser Versailles [1]... »

Passons à Notre-Dame de la Croix de Ménilmontant.
Paule Minck est allée demander au curé l'autorisation
d'y tenir des réunions. La cantinière Lachaise y est des
plus assidues [2].

A Saint-Christophe de la Villette, une petite vieille
engage les assistants à chanter *la Marseillaise* au lieu de
cantiques, « car il n'y a plus de Dieu » [3], et Sidonie Herbelin
convoque les femmes à se rendre « à la grange aux
Corbeaux [4] ».

Louise Michel préside souvent le club de la Révolution,
qui se tient à l'église Saint-Bernard de la Chapelle. On y
vote, le 13 mai, la suppression de la magistrature et des
codes en vigueur et leur remplacement par « une commission
de justice chargée d'élaborer un projet de loi en rapport
avec les nouvelles institutions et les aspirations du peuple »,
la suppression des cultes, l'arrestation des prêtres complices
des « monarchiens », l'exécution d'un otage par vingt-
quatre heures, jusqu'au retour, à Paris, de Blanqui,
prisonnier des Versaillais. Puis des mesures d'ordre social :
les objets déposés au Mont-de-Piété seront remis gratuite-
ment aux défenseurs de la cité et aux citoyens dans le
besoin, les maisons de tolérance seront supprimées, les
travaux entrepris par la Commune seront obligatoirement
confiés « aux corporations ouvrières [5] ».

Le club de la Révolution sociale s'ouvre, le 3 mai, dans
l'église Saint-Michel des Batignolles [6]. Là aussi, une majorité
de femmes. La modiste Blanche Lefebvre, de *l'Union des
Femmes*, y joue un rôle important. Ceinte d'une écharpe
rouge, le revolver à la ceinture, elle prend la parole presque
tous les soirs. Grande, maigre, hâlée, elle aime la Commune
« comme d'autres aiment un homme », et mourra pour elle

---

1. Fontoulieu : *op. cit.*, pp. 270-275. Et Villiers (Marc de) : *Histoire
des Clubs de Femmes...*, p. 397.
2. Fontoulieu : *op. cit.*, p. 111.
3. *Ibidem*, p. 175.
4. A.N. BB 24, 761, 6809, S. 72, et A.G. XXVI, 212.
5. Fontoulieu : *op. cit.*, p. 80. Da Costa : *La Commune vécue*, pp. 213-220.
A.G. VI, 135.
6. *La Commune*, 7 mai.

sur les barricades. Elle signale les jeunes hommes qui
obtiennent de la Commune des laissez-passer qui leur
permettent de quitter Paris. « Si ces abus continuent, nous,
citoyennes, nous serons obligées de monter sur les remparts pour venger nos frères que des lâches abandonnent. »
Elle demande que l'on surveille également la sortie des
femmes : « Qu'il en soit placé une à chaque porte, avec
un mot secret pour savoir si la citoyenne peut ou ne peut
pas passer. » Elle réclame aussi la suppression des journaux contre-révolutionnaires [1]. Une blanchisseuse, Victorine Gorget, demande « une organisation forte qui permît
d'employer à la résistance toutes les forces vives de la
population, sans quoi il fallait ouvrir les portes à l'armée
de Versailles [2] ». La couturière Marie Ségaud, femme
Orlowski, « qui s'occupe aussi de littérature », fréquente
assidûment le club Saint-Michel [3]. Le bruit court que
l'archevêque de Paris et l'abbé Deguerry ont été libérés.
Le club délègue les citoyennes Lescluze et Efligier, et le
citoyen Franklin pour s'assurer qu'ils sont encore en prison :
ce sont des otages que l'on tient à garder, tant que Blanqui
n'aura pas été mis en liberté [4]. Mais l'occupation de
l'église par ces impies soulève l'indignation des demoiselles
de la paroisse. Ces pieuses filles, dont nous ne connaissons
que les prénoms, Maria, Cécile, Félicité, Angèle, décident
de faire sauter le club avec l'église. Le premier vicaire,
heureusement, calma un si beau zèle [5].

Terminons cette promenade par le club de la Boule
Noire, où nous retrouvons nos vieilles connaissances du
Comité de Vigilance du 18e arrondissement. Sophie Poirier
le préside. Béatrix Excoffon en est vice-présidente. Il
semble qu'elle ait exercé une influence modératrice sur
les membres du club. Du moins le dit-elle au Conseil
de guerre. Elle intervint pour défendre les religieuses,
contre une femme qui demandait leur exécution. Et, deux
autres fois, sur la suppression de la prostitution et l'organisation du travail. « A l'avant-dernière réunion de la

1. Fontoulieu : *op. cit.*, p. 224. A.G. Ly 22.
2. A.N. BB 24, 768, 8345, S. 72.
3. BB 24, 760, 6427, S. 72, et 4826, S. 76. A.G. XV, 419.
4. A.G. Ly 22.
5. Fontoulieu : *op. cit.*, pp. 228-229.

Boule Noire, déclara Béatrix Excoffon devant le Conseil
de guerre, un citoyen du nom de Barois fit une motion
ayant pour but de demander l'échange de Blanqui contre
l'archevêque de Paris et l'exécution de ce prélat si la
proposition n'était pas acceptée. En qualité de vice-
présidente, par suite de l'empêchement de Mme Poirier,
je soumis la proposition à l'assemblée, qui accepta à
l'unanimité et décida que le compte rendu de la séance
serait adressé sur-le-champ à la Commune. A la dernière
séance du 20 mai, le même citoyen demanda si l'assemblée
voulait qu'on fusillât l'archevêque. Tout le monde
répondit négativement [1]. On soulève aussi la question
de la démolition de la colonne Vendôme : « J'ai dit une
fois que la colonne Vendôme avait coûté quatre millions
d'hommes et qu'il eût mieux valu avoir les guerriers
qu'auraient pu engendrer les victimes du Ier Empire
pour combattre les Prussiens que de posséder un amas de
bronze [2]. »

1. A.G. IV, 57.
2. *Ibidem* et A.N. BB 24, 736, 1046, S. 72.

VII

Opinions et actions

Cette promenade à travers les clubs nous permet de discerner les sujets qu'on y traite avec passion, avec violence.

Sans doute les femmes des clubs n'ont-elles que des idées très vagues sur le socialisme. Mais ce qu'elles savent, ce qu'elles sentent, d'une façon confuse et viscérale, c'est qu'elles travaillent toute leur vie pour des salaires dérisoires, et que leurs enfants seront comme elles, misérables et exploités, si rien ne vient à changer. A un jeune homme qui expose les buts de la Commune, une vieille ouvrière en tablier bleu, et coiffée d'une marmotte à carreaux, se lève et répond : « Il nous dit que la Commune va faire quelque chose pour que le peuple ne meure pas de faim en travaillant. Eh bien! vrai, ce n'est pas trop tôt! Car voilà quarante ans que je suis laveuse et que je travaille toute la sainte semaine, sans avoir toujours de quoi me mettre sous la dent et payer mon terme. La nourriture est si chère! Et pourquoi donc que les uns se reposent du jour de l'an à la Saint-Sylvestre, pendant que nous sommes à la tâche? Est-ce juste? Il me semble que si j'étais le gouvernement, je m'arrangerais de manière à ce que les travailleurs puissent se reposer à leur tour. Si le peuple avait des vacances comme les riches, il ne se plaindrait pas tant, citoyens [1]. »

Des oratrices comme André Léo, Louise Michel, Nathalie Lemel viennent, elles, expliquer les moyens de transformer

---

1. Baron (Louis) : *Sous le drapeau rouge*, cit. dans Alméras (H. d') : *La vie parisienne sous le Siège et sous la Commune*, p. 489.

la société : la suppression de l'exploitation capitaliste, la remise des outils et des ateliers aux travailleurs.

A cette revendication de la justice pour la classe ouvrière, s'ajoute celle des femmes doublement exploitées. On discute, au club de la Révolution sociale, de la situation de la femme « selon l'Église et selon la Révolution ». On vote une motion en faveur du divorce au club des Libres Penseurs [2]. A Sainte-Élizabeth-du-Temple, on demande que les femmes qui ont un certain nombre d'enfants reçoivent une pension. Cette proposition semble grotesque au témoin réactionnaire qui la rapporte. Mais n'est-ce pas le germe des allocations familiales [3]? Les clubs, que les adversaires de la Commune ont dépeints comme des repaires de bandits, d'ivrognes et de prostituées, réclament des mesures d'une morale toute puritaine. Le Comité de Vigilance des citoyennes républicaines du 18e arrondissement vote une motion tendant à faire disparaître de la voie publique la prostitution qui a augmenté depuis quelque temps. La motion est signée de la présidente Sophie Poirier, de la secrétaire Anna Jaclard, de deux membres assesseurs, Mmes Barois et Tesson. Suivent quatre cents signatures [4]. Le club de l'École de Médecine demande « que toutes femmes de mœurs suspectes exerçant leur honteux métier sur la voie publique » soient arrêtées immédiatement, que « les ivrognes qui oublient le respect d'eux-mêmes » soient également arrêtés, que les cafés soient fermés à 11 heures du soir, que les « goguettes » soient interdites. Ce texte est voté à l'unanimité [5]. Les habitants des 1er et 2e arrondissements félicitent la mairie du 11e d'avoir pris des mesures concernant les prostituées et les ivrognes, et demandent qu'un arrêté du même genre soit appliqué dans leurs quartiers. On ne peut faire deux pas sans être arrêté d'une manière scandaleuse par des femmes de mauvaise vie, notamment dans les rues du Petit-Carreau, Montorgueil, Saint-Honoré, etc. Il ne semble pas qu'on

1. *Journal Officiel*, 5 mai.
2. *La Sociale*, 9 mai.
3. Fontoulieu (P.) : *op. cit.*, p. 217.
4. *L'Étoile*, 10 mai.
5. A.G. Ly 22.

puisse attribuer à la situation créée par la Commune,
cette extension de la prostitution qui subsiste, un siècle
plus tard, dans les mêmes rues [1]. Répondant à cet appel,
la municipalité du 2e arrondissement fait fermer les maisons
de tolérance [2]. Les membres de la Commune du 15e font
arrêter les prostituées et les ivrognes : « Tout garde national
ivre sera privé de sa solde pendant quatre jours et sa
solde sera distribuée aux enfants les plus nécessiteux de sa
compagnie [3]. » Des officiers d'état-major, qui banquetaient
avec des filles, chez le restaurateur Peters, sont envoyés
à Bicêtre, avec des pelles et des pioches, pour creuser des
tranchées; les filles, à Saint-Lazare pour fabriquer des
sacs de terre [4]. Edouard Moreau, commissaire civil à la
guerre, propose que tout établissement de boisson d'où
l'on verra sortir un homme ivre soit fermé et qu'aucune
femme ne puisse entrer dans les forts ou les retranchements,
si elle n'est munie d'un laissez-passer régulier [5]. La Commune idéale, c'est la Florence de Savonarole.

Ces prostituées, qui ne peuvent plus exercer leur métier,
que vont-elles devenir? Certaines se présentent à l'Hôtel
de Ville et demandent à soigner les blessés. On leur refuse
cet honneur, car, note Louise Michel, les hommes de la
Commune voulaient des mains pures pour soigner les
Fédérés. Mais, pour Louise Michel, ces victimes de la
misère et de la société ont droit à leur place dans le monde
nouveau qui est en train de naître et qui doit se refuser
à porter une condamnation morale. « Qui donc avait
autant de droit qu'elles, les plus tristes victimes du vieux
monde, de donner leur vie pour le nouveau? » Elle les
adresse donc à un comité de femmes (le Comité de Vigilance du 18e? l'*Union des Femmes?*) « dont l'esprit était
assez généreux pour qu'elles fussent bien accueillies ».
« Nous ne ferons jamais honte à la Commune », disaient
ces filles. Beaucoup, en effet, moururent courageusement
sur les barricades, pendant la semaine de mai, comme

1. *Enquête Parlementaire...*, t. III, p. 204.
2. *Le Cri du Peuple*, 20 mai.
3. *Journal Officiel*, 19 mai.
4. *Ibidem*, 18 mai.
5. *Procès-Verbaux de la Commune de 1871*, t. II, p. 446.

cette Henriette-tout-le-monde, dont Maurice Dommanget nous a raconté l'histoire [1].

Les clubs se préoccupent aussi de la vie quotidienne, de l'organisation des « fourneaux »[2] et de l'aide aux indigents. Au club des Prolétaires, la citoyenne Mayer s'indigne que l'on ait refusé des secours à une mère de neuf enfants, sous prétexte qu'elle avait été employée chez les sœurs [3].

Dans ce Paris de nouveau assiégé, on vit dans la terreur des mouchards, des sergents de ville, des gendarmes. Ce sont les gendarmes qu'on accuse du bombardement de Paris, alors que le commandant du Mont-Valérien aurait refusé d'accomplir cette besogne [4]. Ce sont des agents de Versailles qu'on soupçonne d'avoir fait sauter la cartoucherie de l'avenue Rapp. On se méfie donc des séides de M. Thiers, et de leur famille, de tous ceux dont les sympathies vont au gouvernement de Versailles. On réclame l'enrôlement des hommes valides dans les troupes fédérées. Louise Leroy, Octavie Tardif, Antoinette Decroix, etc., dont les maris combattent pour la Commune, protestent contre « les lâches qui... ne se contentent pas seulement de se cacher quand leurs frères vengent Paris outragé, mais osent encore bafouer les bons citoyens qui font leur devoir au prix de leur vie ». Elles demandent, s'ils refusent de s'enrôler, de les faire arrêter à domicile et de les flétrir publiquement [5]. La citoyenne Gérard, 159, rue Amelot, écrit : « Le premier devoir d'un gouvernement est de faire exécuter ses décrets. S'il n'a pas cette fermeté, ses adversaires ne manquent pas d'exploiter cette faiblesse, et ses partisans, même les plus chauds, se démoralisent. » Tandis que les républicains combattent et meurent pour la Commune, des hommes valides vaquent tranquillement à leurs affaires et se moquent des combattants. Cette situation ne peut plus durer : « Mon mari fait partie de la 7e compagnie de marche du 141e bataillon. Il est au fort d'Issy depuis dimanche 30 avril. Là, il combat pour la défense

---

1. Michel (Louise) : *La Commune*, p. 248. Dommanget (Maurice) : *Hommes et Choses de la Commune*, pp. 200-205.
2. A.G. Ly 22, Club Saint-Ambroise.
3. A.G. Ly 22, Club des Prolétaires.
4. *La Sociale*, 5 avril.
5. *Le Cri du Peuple*, 7 avril.

de nos droits. Je ne regrette pas cela, car moi-même je l'ai encouragé à le faire, car c'est son devoir. Mais aussi, j'ai le cœur saigné de voir qu'il n'y a absolument que ceux qui le veulent qui combattent. La lâcheté des réfractaires reste impunie. » Des Fédérés ont abandonné leur poste et continuent cependant à recevoir leur solde. Ce n'est pas une dénonciation qu'elle veut faire, mais elle craint que la faiblesse de la Commune ne fasse avorter tous ses projets d'avenir. « Le sentiment des combattants est que la Commune doit, au plus vite, procéder au recensement général de la population et à l'incorporation immédiate de tous les citoyens valides [1]. »

Sous la pression de l'opinion et des clubs, le général Cluseret décide l'obligation du service militaire dans la Garde nationale pour tous les hommes âgés de dix-neuf à quarante ans : mesure inutile, puisqu'elle ne fournit qu'un très faible contingent d'hommes disposés à se battre réellement (les partisans de la Commune se trouvent aux remparts et aux forts depuis longtemps), mesure maladroite, puisqu'elle donne à la Commune l'apparence d'un gouvernement dictatorial (ce qu'elle fut si peu), inquisitorial et insupportable, tout en étant inefficace [2].

Quoi qu'il en soit, les femmes sont chargées de cette police populaire. Dans le 12e arrondissement, se constitue un « bataillon de femmes », où la couturière Marie-Catherine Rogissart, que nous avons déjà rencontrée au « club Eloi », joue un rôle important. D'après un témoin, qu'elle avait accusé d'être un espion de Versailles, elle disait : « Je vous ferai partir tous, vous n'êtes que des fainéants. Moi, femme, j'ai plus de courage que vous tous. Bon gré, mal gré, vous vous battrez contre ces assassins de Versailles [3]. » Joséphine Taveau, femme Semblat, dirige les recherches des marins de la Commune [4]. Une femme de ménage, Marie Audrain, femme Vincent, apparaît comme une sorte d'agent de recrutement. Elle cherche à enrôler tous les hommes du quartier et parle même d'armer les femmes « pour aller

1. Dauban : *Le fond de la société sous la Commune*, p. 205.
2. Benoît Malon : *Troisième défaite...*, p. 209.
3. A.G. Conseil de guerre XX, 528, et A.N. BB 24, 781, 11.568, S. 72.
4. A.N. BB 27, 107-109.

venger leurs maris et leurs frères qu'on assassinait[1] ».
La cardeuse de matelas Françoise André, femme Humbert,
signale deux réfractaire[2].

A défaut des sergents de ville et des gendarmes, dont la
plupart sont partis pour Versailles, on s'en prend à leurs
femmes et à leurs familles, qui sont restées à Paris. La
cuisinière Mélanie Jacques, femme Gauthier, dénonce la
femme d'un gardien de la paix : « Prenant le gouvernement
de la Commune pour un gouvernement légal, elle croyait
en la dénonçant faire acte de patriotisme[3]. » A la tête de
vingt Fédérés, Claudine Lemaître, femme Garde, fait arrêter la veuve d'un agent de police et fait jeter tous les uniformes, symboles d'une domination exécrée, par les fenêtres[4]. Louise Arzelier, femme Jumelle, qu'on appelle dans
le quartier « le général de la Commune », dénonce comme
agent de Versailles, la nièce d'un gardien de la paix[5]. La
blanchisseuse Suzanne Preu, femme Dutour, dénonce un
marchand de vin pour ses propos. Il aurait déclaré que « le
gouvernement de Versailles devrait bien envoyer tous les
Communards à Cayenne[6] ».

On pourrait multiplier les exemples tirés des dossiers
de grâce ou des archives des Conseils de guerre. La plupart
de ces femmes agissent par conviction politique. Les actes
d'accusation signalent « l'exaltation » de leurs opinions,
c'est-à-dire leur conviction en faveur de la Commune et
constatent avec étonnement qu'elles « n'ont pas d'antécédents judiciaires ». Parmi toutes ces dénonciations, on peut
supposer cependant que quelques-unes relèvent de la
vengeance privée.

D'ailleurs, les clubs trouvent que les femmes chargées
de la recherche des réfractaires et des agents de Versailles
n'y mettent pas toujours le zèle désirable. Le club Saint-
Ambroise se plaint que les femmes n'aient pas posé des
affiches sur les portes des réfractaires, comme on le leur
avait demandé[7].

1. A.N. BB 24, 773, 9263, S. 72.
2. A.N. BB 24, 745, 3884, S. 72.
3. A.N. BB 24, 744, 3375, S. 72.
4. A.N. BB 24, 748, 4425, S. 72.
5. A.N. BB 24, 772, 9167, S. 72.
6. A.N. BB 24, 781, 11.470, S. 72.
7. A.G. Ly 22, Club Saint-Ambroise.

Les femmes appellent donc à la lutte armée, à la préparation des barricades, non seulement dans le Comité de Vigilance du 18e arrondissement et à *l'Union des Femmes*, mais individuellement, au hasard des conversations dans les clubs et dans les rues. Au club Révolutionnaire, la citoyenne Frenozi demande que « si le gouvernement de Versailles ne nous a pas rendu le citoyen Blanqui dans deux jours, les otages que nous avons entre nos mains soient passés par les armes. Voilà près d'un mois que nous sommes en pourparlers, ajoute-t-elle, qu'il nous soit rendu! C'est le moyen le plus simple pour les faire se dépêcher à nous le rendre [1]. » On critique la mollesse de la Commune, mais on soutient passionnément son action. Au Cirque national, boulevard des Filles-du-Calvaire, devant six ou sept mille personnes, une femme, la citoyenne Baule, qui revient de province, demande que la Commune établisse un programme qui harmonise les revendications de Paris et les aspirations de « nos frères d'outre-Seine ». C'est le seul moyen d'obtenir le soutien de la province, affirme-t-elle. « La province nous aime, elle aime la Commune. Mais elle ne nous comprend pas encore. Elle ne sait pas au juste où nous allons et ce à quoi elle s'engage en nous suivant. » Millière, qui préside la réunion, félicite l'oratrice. L'on décide de nommer des sections départementales, où les femmes et les hommes se grouperont d'après leur province d'origine, pour étudier les possibilités d'action de la Commune dans les départements [2].

Ce tableau de l'opinion serait incomplet si l'on passait sous silence le caractère profondément anticlérical des clubs. Cet anticléricalisme vient de loin : des romans de George Sand, d'Eugène Sue, de Victor Hugo, qui ont été les maîtres à penser du peuple pendant tout le xixe siècle. Pour Victor Hugo, le couvent, le couvent de femmes en particulier, est l'une « des plus sombres sécrétions du Moyen Age »; c'est « un collège de hiboux faisant face au jour [3] ». Pour George Sand, c'est le lieu « du mensonge et de l'imposture [4] ». Des légendes circulent sur les cadavres de l'église

1. A.G. Ly 22, Club Révolutionnaire.
2. *Le Cri du Peuple*, 25 avril.
3. *Les Misérables*, t. III, pp. 284-286 et 289-290.
4. *Spiridion*.

Saint-Laurent, ou les instruments de torture du couvent
Picpus, qui semblent sortir des romans d'Eugène Sue,
et qui trouvent dans l'auditoire des clubs une créance
naïve. On s'indigne. On réclame le remplacement des religieuses par « des citoyennes », dans les hôpitaux et dans les
écoles [1], l'arrestation des prêtres et des religieuses jusqu'à
la fin des combats. Tout cela ne va pas sans outrance et
sans violences, le plus souvent verbales, dont les détracteurs
de la Commune ont fait des florilèges. Aux yeux du peuple
de Paris, l'Église était liée étroitement aux intérêts de la
bourgeoisie : il rejetait à la fois l'une et l'autre.

1. *Le Cri du Peuple*, 19 mai.

VIII

L'enseignement

Pour fonder la société de l'avenir que rêvait la Commune, il fallait former des hommes et des femmes qui fussent libérés de l'empreinte cléricale. Il était nécessaire d'organiser un enseignement laïc, et de prévoir, pour les filles, dont l'instruction avait toujours été si négligée, de nouvelles écoles et, en particulier, des écoles techniques, qui les préparassent à gagner leur vie.

Dès le 26 mars, la société *L'Éducation Nouvelle* nomme des délégués chargés de présenter à la Commune un projet de réforme de l'enseignement. Cette commission comprend trois hommes, Menier, Rama et Rheims, et trois femmes, Henriette Garoste, Louise Laffitte et Maria Verdure, fille de l'instituteur Augustin Verdure, membre de la Commune. Sans perdre de temps, le 1er avril, les délégués portent à la Commune un projet d'enseignement qui rappelle celui qu'avait rédigé, en 1849, l'*Association des Instituteurs, Institutrices et Professeurs socialistes*, sous la direction de Pauline Roland.

Il est nécessaire pour une république de « préparer la jeunesse au gouvernement d'elle-même par une éducation républicaine ». Cette question prime toutes les autres. On ne pourra jamais envisager des réformes sociales, sérieuses et durables, sans l'avoir résolue. Il faut donc que toutes les maisons d'instruction et d'éducation entretenues par les communes, les départements ou l'État, soient ouvertes à tous les enfants quelle que soit leur croyance. Au nom de la liberté de conscience et de la justice, il faut donc que l'instruction religieuse ou dogmatique soit supprimée dans les établissements de l'État : « qu'il n'y soit enseigné ou prati-

qué en commun ni prières, ni dogmes, ni rien de ce qui est
réservé à la conscience individuelle ». Les questions qui
relèvent du domaine religieux doivent donc être supprimées
des examens. Les méthodes d'enseignement doivent toujours être « expérimentales et scientifiques », basées sur
« l'observation des faits ». Les corporations enseignantes
ne pourront donc exister que comme établissements privés
ou libres. L'instruction doit être, en effet, considérée comme
un service public. Elle doit être gratuite, complète, sous
réserve de concours pour les spécialités professionnelles,
et obligatoire, quelle que soit la position sociale des parents.
On répondit aux délégués de la Société *l'Éducation Nouvelle* que la Commune approuvait entièrement leur projet
et qu'elle considérait cette démarche « comme un encouragement à entrer dans la voie où elle était résolue à marcher [1] ».

La Société des Femmes : *la Commune sociale de Paris*
de Jules Allix se joint à *l'Éducation Nouvelle* pour organiser
une réunion sur le thème : *Prévoyance sociale et Éducation* [2].
Deux fois par semaine, le jeudi et le dimanche, *l'Éducation
Nouvelle* convie les éducateurs et les parents à venir discuter
en commun des réformes à réaliser dans les programmes et
les méthodes d'enseignement [3]. A la salle de la rue d'Arras,
Edmond Dumay fait, tous les soirs, des conférences sur
l'éducation nouvelle, sur les droits et les devoirs de l'enfant
et des parents, et sur la famille : « L'époux et l'épouse doivent être égaux devant la loi et devant la morale ; il ne peut
y avoir que des inégalités physiques et intellectuelles et des
fonctions différentes dans l'association. » Cette association
ne peut être durable que si elle est fondée sur « la communauté d'éducation primaire nationale ». Au contraire, les
familles fondées sur la passion, l'intérêt, la convenance,
la domination d'un « chef » sont instables. La dot est une
coutume immorale : « la vraie dot est la valeur de la
fiancée [4] ». De son côté, Louise Michel envoie à la Commune
une méthode d'enseignement à laquelle elle a longuement

1. *Journal Officiel*, 2 avril, et *La Sociale*, 5 avril.
2. *Le Réveil du Peuple*, 23 avril, et *L'Affranchi*, 24 avril.
3. *Journal Officiel*, 14 avril, *La Sociale*, 28 avril, *Le Réveil du Peuple*,
29 avril.
4. *Journal Officiel*, 30 avril.

réfléchi. Il faut enseigner le plus possible de notions élémentaires avec « le moins de mots possible, simples et compréhensibles ». Elle attache une grande importance à la formation morale de ses élèves. Il convient de développer la conscience au point « qu'il ne puisse exister d'autres récompenses ou d'autres punitions que le sentiment du devoir accompli ou de la mauvaise action ». Quant à la question religieuse, elle doit être laissée à la volonté des parents [1]. Avec ses amies du Comité de Vigilance de Montmartre, Sophie Poirier, Marie Cartier, née Lemonnier, Mme Dauguet, Louise Michel réclame des écoles professionnelles et des orphelinats laïques pour remplacer « les écoles et orphelinats des ignorantins et ignorantines [2] ».

Maria Verdure, Félix et Élie Ducoudray, au nom de *la Société des Amis de l'Enseignement*, proposent un plan de réorganisation des crèches. La question des enfants en bas âge est difficile à résoudre pour les femmes qui travaillent. L'idéal serait de dispenser les mères de tout travail pendant la période d'allaitement « au moyen des réformes sociales que nous projetons ». Mais, en attendant, les crèches peuvent rendre des services considérables. Elles ne doivent pas seulement être considérées comme des garderies pour les enfants pauvres, mais, dans un cadre agréable, leur donner un début d'éducation. Il faut d'abord éviter l'ennui, « qui est la plus grande maladie » des petits enfants. Les crèches comporteront donc des jardins, des volières remplies d'oiseaux, des jouets peints ou sculptés représentant des animaux, des arbres, des objets réels. Partout des couleurs claires. Il faudra compter dix femmes pour s'occuper de cent enfants, des femmes gaies et jeunes. Un contrôle médical sera assuré[3]. Ce rêve des communards, qui semblait alors une utopie démagogique, c'est ce que l'on s'efforce de réaliser aujourd'hui dans le monde, quelles que soient, d'ailleurs, les diverses structures sociales.

Mais on ne se contente pas de vœux et de projets. Comme si la partie politique était déjà gagnée, on se met courageusement à l'œuvre. On crée, 40, boulevard Victor-Hugo,

1. A.G. Conseil de guerre VI, 135.
2. A.G. Ly 23.
3. *Journal Officiel*, 15-17 mai.

un orphelinat de la Garde nationale pour les enfants des Fédérés et des femmes qui travaillent à la confection des vêtements militaires ou dans les ambulances, et qui ne peuvent donc prendre soin de leurs enfants : « La république leur ouvre ses bras; elle leur offre un lit, des vêtements, la nourriture. Elle leur enseignera à être honnêtes, laborieux et braves [1]. » Dans le 8e arrondissement, le maire, Jules Allix, fait recenser les enfants. Sur 6.251, 2.730 seulement fréquentent les écoles. Les autres ne sont inscrits nulle part, mais certains reçoivent un enseignement à domicile. Les école libres fonctionnent peu. Deux écoles congréganistes ont fermé leurs portes. Il faut les rouvrir. « Tous les enfants de cinq à douze ans doivent être mis à l'école immédiatement, à moins de prouver qu'on les instruit ou fait instruire [2]. » L'école des filles de la rue de la Bienfaisance est transformée en école-pilote, comme l'on dirait aujourd'hui, sous la direction de Geneviève Vivien. Les enfants y sont admis dès l'âge de trois ans. Entre cinq et sept ans, ils doivent acquérir des notions de lecture, d'écriture, de calcul et d'orthographe [3]. A Saint-Pierre de Montmartre, Paule Minck ouvre une école [4].

Mais on mène aussi la lutte contre les congrégations, dont l'enseignement va à l'encontre des buts sociaux de la Commune. Dans le 4e arrondissement, on évince les religieux et les religieuses des écoles publiques. « La Commune ne prétend froisser aucune foi religieuse, mais elle a pour devoir strict de veiller à ce que l'enfant ne puisse à son tour être violenté par des affirmations que son ignorance ne lui permet pas de contrôler et d'accepter librement. » Instituteurs et institutrices doivent désormais inculquer aux enfants les bases d'une morale laïque : « Apprendre à l'enfant à aimer et à respecter ses semblables, lui imposer l'amour de la justice, lui enseigner également qu'il doit s'instruire en vue de l'intérêt de tous [5]. »

Cette bataille pour la laïcité a besoin de volontaires. La Commune invite les citoyens et citoyennes, qui souhaite-

---

1. *Journal Officiel*, 20 avril.
2. *Journal Officiel*, 30 avril.
3. *Ibidem.*
4. Fontoulieu (P), *op. cit.*, p. 49.
5. *Journal Officiel*, 12 mai.

raient obtenir des postes dans les écoles primaires, à présenter leur candidature, avec pièces à l'appui, à la Commission d'enseignement de l'Hôtel de Ville. Pour avoir accepté un poste d'institutrice dans une école de sœurs, une jeune libraire de la rue Monge, Anne Denis, comparaîtra devant un Conseil de guerre [1].

C'est là, en effet, une participation directe à la lutte de la Commune, car les religieux et religieuses ne se laissent pas évincer sans résistance. Nommée inspectrice des écoles de filles du 12e arrondissement, Marguerite Tinayre va visiter l'école religieuse du passage Corbes, à Bercy, et prévient la Supérieure qu'elle aura désormais à s'adresser à elle pour toutes les réclamations. Quinze jours plus tard, le maire de l'arrondissement, accompagné d'une dizaine de femmes, expulse les religieuses, qui se réfugient à Charenton [2]. La directrice de l'école de la rue Saint-Dominique se plaint que les religieuses, avant de fermer leur établissement, aient laissé partir un certain nombre d'enfants. On vient lui en réclamer deux. « Je compte sur votre bienveillance, écrit-elle, affolée, à Raoul Rigault, délégué à la Préfecture de Police, pour les faire rentrer à la maison [3]. » A l'école de la rue des Bernardins, des « mégères » (c'est un partisan de la Commune qui parle : à chacun ses mégères), des mégères, donc, fouettent les nouvelles institutrices, tandis qu'à l'école du Marché aux Carmes, des marchandes jettent dans l'escalier la directrice que l'on vient de nommer [4]. Devant ces résistances, le délégué à l'enseignement de la Commune, Édouard Vaillant, décide de faire arrêter les récalcitrants [5].

Mais il ne s'agit pas seulement de laïciser l'enseignement primaire. Édouard Vaillant demande aux municipalités de créer des écoles professionnelles. On se préoccupe particulièrement de l'enseignement technique féminin qui permettrait enfin aux jeunes filles de gagner leur vie. Une institutrice, Mme Manière, organise, rue de Turenne, un atelier-école provisoire. Elle soumet à l'Hôtel de Ville un

1. *Gazette des Tribunaux*, 16 décembre 1871.
2. A.G. Conseil de guerre III, 1416, et A.N. BB 24, 852, 732, S. 79.
3. A.G. Ly 23. Écoles.
4. Allemane (Jean), *Mémoires d'un Communard...*, p. 73.
5. *Journal Officiel*, 16 mai.

projet d'organisation d'écoles professionnelles qui remplaceraient les ouvroirs religieux. A partir de douze ans, les jeunes filles y recevraient un enseignement général et professionnel sérieux sous la direction d'institutrices et d'ouvrières spécialisées. « Des disciplines diverses formeraient un milieu favorable à un enseignement progressiste. » Dès que les élèves seraient assez habiles, elles recevraient une rémunération pour leurs travaux [1]. Jules Allix organise, dans le 8ᶜ arrondissement, un atelier qui doit être en même temps une école et un asile pour les jeunes filles sans famille et sans travail [2]. L'école de dessin de la rue Dupuytren est rouverte, et devient, sous la direction de Mᵐᵉ Parpalet, une école professionnelle d'art industriel pour les jeunes filles. On y enseignera le dessin, le modelage, la sculpture sur bois et sur ivoire, toutes les applications de l'art du dessin à l'industrie. Là encore, l'instruction littéraire et scientifique doit être poursuivie en même temps que les cours pratiques [3].

La veille de l'entrée des Versaillais dans Paris, la Commission de l'enseignement de la Commune décide le relèvement des traitements des instituteurs et des institutrices (1.500 francs pour les aides-instituteurs, 2.000 francs pour les directeurs). Pour la première fois, on proclame l'égalité des salaires entre les hommes et les femmes : « considérant que les exigences de la vie sont nombreuses et impérieuses pour la femme autant que pour l'homme et, qu'en fait d'éducation, le travail des femmes est égal à celui de l'homme ». Décision révolutionnaire et anti-proudhonienne, qui est encore bien loin aujourd'hui d'être appliquée partout [4]. Au même moment, une commission composée d'André Léo, Anna Jaclard, Mᵐᵉˢ Périer, Reclus et Sapia, est chargée d'organiser et de surveiller les écoles de filles [5].

Il est bien certain qu'en deux mois, la Commune, sollicitée de tous côtés par des tâches aussi urgentes que diverses, n'a pu mener à bien sa réforme de l'enseignement. Mais des

1. *Le Vengeur*, 3 avril.
2. *Journal Officiel*, 8 mai.
3. *Journal Officiel*, 13 mai.
4. *Le Cri du Peuple*, 21 mai.
5. *Journal Officiel*, 22 mai. A.P. BA 1123.

lignes de force ont été tracées, que suivra la république bourgeoise dans son effort de laïcisation et d'organisation de l'enseignement pour les jeunes filles. Les femmes ont tenu une place importante dans l'élaboration et la réalisation partielle de ces projets beaucoup moins utopiques qu'on ne l'a dit.

IX

Une grande journaliste

Ces buts de la Commune, cette pensée cohérente qui anime les meilleurs des communards, nous les trouvons exprimés par André Léo dans d'excellents articles. Et l'on peut se demander par quelle injustice de l'Histoire, une femme qui a laissé des romans plus qu'estimables, qui a joué dans la Commune un rôle important, n'a trouvé nulle part la place qui lui revient de droit. Benoît Malon qui, il est vrai, devint son mari, lui a rendu cet hommage : « Une femme, dont le nom est celui d'un des plus grands écrivains de notre temps, et que Rossel qui s'y connaît appelait le « citoyen » André Léo, s'était également vouée à la cause populaire et la servait de sa plume, de sa parole et de son concours [1]... » Mais les historiens de la littérature, qui font un sort à des écrivains de troisième ordre, ne citent même pas son nom; et les historiens de la Commune la signalent à peine. Cela tient sans doute à plusieurs raisons. La première, c'est qu'André Léo était une femme, et qu'il faut beaucoup plus de talent à une femme qu'à un homme, pour qu'il soit reconnu. La seconde, c'est qu'André Léo fut compromise dans la Commune et que les historiens de la littérature sont, en général, de tendances très traditionalistes. La troisième, c'est qu'André Léo, quel que fût son dévouement envers la Commune, dévouement qu'elle lui conserva toute sa vie, ne comptait pas parmi les extrémistes et n'hésitait pas à blâmer les erreurs et les violences de ses partisans. Inclinant vers Bakounine plutôt que vers Marx, elle ne peut donc être rangée parmi les saints et les

1. Malon (Benoît), *Troisième défaite...*, pp. 273-274.

prophètes de la Ire *Internationale*. Aux yeux des marxistes orthodoxes, André Léo est un « individu » quelque peu suspect d'anarchisme et vaguement inquiétant. Aux yeux des révolutionnaires anarchisants, elle est beaucoup trop raisonnable. Aux yeux de la bourgeoisie, elle est révolutionnaire. Bref, inclassable, et de ces gens qu'aucune cause ne peut vraiment tirer à soi.

Dans le journal *La Sociale*, André Léo se fait donc la propagandiste zélée, mais lucide, de la Commune. Dès le 9 avril, elle constate l'isolement de Paris, l'incompréhension réciproque de la capitale et de la province. « Tous les deux ont des torts et Paris, le plus intelligent, a peut-être les torts les plus graves. » Il faut donc que Paris éclaire la campagne et la province et leur explique qu'ils ont les mêmes oppresseurs. Il convient que Paris n'imite pas les violences de ses ennemis contre la pensée et contre la liberté, et n'enfreigne pas les principes qui sont les bases mêmes de ses revendications. Ici, André Léo pose implicitement l'éternelle question de la fin et des moyens. Comment mener une politique juste avec des moyens injustes, alors que la fin est toujours contenue dans les moyens qu'on met en œuvre pour l'atteindre et qui la déterminent? « Il faut soutenir dignement sa foi; montrer dans tout son éclat l'idée qu'on a l'honneur de représenter; ne pas la voiler de ses erreurs et de ses colères, ne pas troubler la conscience de ceux qui ne voient les idées qu'à travers les hommes. » Il ne faut donc pas déclarer que l'on est une Commune et agir en Constituante. Paris, en tant que commune, devait accepter l'assemblée élue par la province. Paris, en lutte contre cette assemblée, n'est plus la Commune, mais la Révolution. Il convient donc d'avouer franchement l'idée sociale, l'idée révolutionnaire qu'il représente. « Il n'a plus maintenant rien à ménager. S'il n'en succombe pas moins, il n'en succombera pas davantage. » C'est maintenant une lutte à mort entre la Révolution et la Monarchie, entre le pauvre et le privilégié, entre le travailleur et le parasite, entre le peuple et ses exploiteurs. Le paysan est, lui aussi, un exploité. Mais sa condition lui est masquée par les préjugés. Il faut donc lui montrer où est son intérêt. Certes, il serait préférable de faire appel à son intelligence. Mais à qui la faute? Qui a supprimé la

liberté de la presse? Qui a refusé au peuple l'instruction
« sans laquelle le suffrage universel n'est qu'un piège où
se prend et périt la démocratie »? La responsabilité en
incombe aux hommes de mensonge et de trahison qui ont
voulu la bataille sans merci, la bataille sanglante [1]. Suit
un manifeste adressé aux travailleurs des campagnes, qui
fut rédigé presque entièrement par André Léo. Il s'agit de
supprimer l'antagonisme entre les ouvriers et les paysans,
entre les villes et les campagnes (question sur laquelle
viendront achopper toutes les révolutions du xxᵉ siècle).
« Frère, on te trompe. Nos intérêts sont les mêmes. Ce que
je demande, tu le veux aussi, l'affranchissement que je
réclame, c'est le tien... » Qu'importe que l'oppresseur
s'appelle gros propriétaire ou industriel. Partout le nécessaire manque à ceux qui produisent les richesses. Partout
leur manquent « la liberté, le loisir, la vie de l'esprit et du
cœur ». On répète depuis des siècles que la propriété est le
fruit du travail. C'est là un mensonge. Cette maison, cette
terre, que le paysan a travaillée toute sa vie, ne lui appartiennent pas. Si elles lui appartiennent, il est couvert de
dettes et ses enfants, ou lui-même, seront obligés de les
vendre. « Les riches sont des oisifs, les travailleurs sont
des pauvres et restent pauvres. » C'est contre cette injustice que Paris s'est élevé et veut changer les lois. « Paris
veut que le fils du paysan soit aussi instruit que le fils du
riche et *pour rien*, attendu que la science humaine est le bien
commun de tous les hommes. » Paris ne veut plus de roi
ni de gros traitements. Avec ces économies, on établira
des asiles pour les vieillards. Paris veut que les responsables
de la guerre payent les cinq milliards que l'on doit à la
Prusse. Paris veut que la justice soit gratuite et rendue
par des juges que le peuple choisira. Paris veut enfin « la
terre au paysan, l'outil à l'ouvrier, le travail pour tous ».
On dit que les Parisiens sont des socialistes, des « partageux ». Mais qui dit cela? Ce sont les voleurs qui crient « au
voleur » pour donner le change. Les « partageux » ce sont,
en réalité, « ceux qui ne faisant rien vivent grassement
du travail des autres ». La cause que défend Paris et
la cause des paysans sont donc les mêmes. Les généraux qui,

1. *La Sociale*, 9 avril.

aujourd'hui, attaquent Paris, ce sont ceux qui ont trahi la France; les députés que la province a nommés, veulent ramener Henri V : « Si Paris tombe, le joug de la misère restera sur votre cou et passera sur celui de vos enfants [1]. »

André Léo revient à plusieurs reprises sur la nécessité de faire connaître aux campagnes la vérité sur Paris, de désintoxiquer la province des calomnies que répand la presse de Versailles. « Laissera-t-on cet infâme vieillard (M. Thiers) déshonorer Paris? Veut-on que la province et Paris deviennent enfin plus étrangers l'un à l'autre, plus ennemis que ne le sont des peuples rivaux? » On vend la France. Paris est le seul obstacle. Donc il faut écraser Paris. Que Paris clame la vérité : « C'est la religion de tout cœur honnête. Celui-là seul est athée qui ne l'a point. » Il ne s'agit ni de soutenir, ni de combattre la Commune, mais de proclamer la vérité : « Les hommes du gouvernement révolutionnaire ont leurs défauts, leurs erreurs, soit. Mais ils n'en soutiennent pas moins, à leurs risques et périls, la grande, la vraie, la seule révolution sérieuse de ce siècle, la rupture de l'enveloppe monarchique dans laquelle la révolution naissante étouffe depuis plus de soixante-dix ans. »

Mais comme les femmes sont, en général, pratiques, André Léo ne se contente pas de généralités, ni de vœux. Elle propose la création d'un journal que Paris, par l'intermédiaire de l'Union Républicaine, ferait parvenir deux fois par semaine à tous les journaux départementaux pour les informer exactement de la situation [2].

Si la propagande de Paris était libre de s'exercer, reprend inlassablement André Léo, le 16 mai, le peuple des villes et des campagnes comprendrait qu'il doit s'unir contre ses exploiteurs. Car les uns et les autres haïssent la guerre. C'est pourquoi les paysans ont voté « pour la paix ». Ce que le peuple des provinces pardonne le mieux à la Révolution de Paris, c'est d'avoir tué des généraux. « Il faut qu'un grand cri s'élève, assez puissant, assez unanime, pour aller retentir jusqu'au fond des villages, le cri toujours écouté du

1. *La Commune*, 10 avril, *La Sociale*, 3 mai. Malon (Benoît), *op. cit.*, pp. 169-173.
2. *La Commune*, 22 avril, *La Sociale*, 23 avril.

martyr mourant pour sa foi. » Cette foi, c'est la liberté
communale, la République, l'Égalité [1].

Paule Minck se rendit en province pour essayer de faire
entendre la voix de la Commune de Paris. Mais elle prêchait dans le désert.

Au milieu des passions politiques, André Léo poursuit
un effort de clarification et de vérité, convaincue d'ailleurs
que la Commune, quelles que soient ses erreurs et ses fautes,
se trouve du côté de la vérité et de la justice historiques.
M. Thiers a promis d'appliquer à Paris « le droit commun ».
Mais qu'est-ce donc que le « droit commun »? « Nous sommes
dans un siècle où les mots ont besoin d'être définis. Le droit
commun de M. Thiers et de l'Assemblée, c'est la liberté de
l'ignorance et l'esclavage de la pensée. » Alors que les villages ont le droit de choisir leur maire, les villes de plus
de 6.000 habitants n'ont droit qu'à un maire nommé par
le Gouvernement. Pourquoi cette différence de régime?
Ou bien « les campagnards, laboureurs, maçons, bergers, etc.
sont tous des philosophes qui pèsent, dans la solitude, le
fort et le faible des choses humaines, entre Sénèque et
Montaigne, à l'ombre des chênes de saint Louis et des hêtres
de Virgile, et, d'autre part, les villes ne sont peuplées que
d'abominables bandits sans foi ni loi, tous, comme on sait,
repris de justice, et qui, en ce siècle de bouleversements,
ont abandonné leurs cavernes traditionnelles pour le
plein jour de Belleville, de Montmartre, des Batignolles... »;
ou bien les villages sont illettrés, « réduits au prêche et à
l'almanach », tandis que les villes savent plus ou moins lire,
écrire, juger, se former une opinion, comme M. Thiers a
pu le faire lui-même, par l'étude et la discussion. C'est
précisément de l'intelligence que se méfient M. Thiers et
ses hommes d'ordre : notables légitimistes, bourgeois
orléanistes, financiers, gros propriétaires, gros industriels.
On voit trop bien pourquoi [2].

La loi municipale de Paris, que vient de voter l'Assemblée
de Versailles, apporte une autre preuve de cette grande
peur des notables. Passy, quartier aristocratique, qui
compte 42.000 habitants, aura le même nombre de députés

1. *La Sociale*, 16 mai.
2. *La Sociale*, 18 avril.

que le quartier Popincourt peuplé de 183.000 travailleurs. Et il faudra avoir résidé au moins trois ans au même endroit pour être électeur. « Aux yeux de cette assemblée de bornes, l'immobilité est signe de vertu. L'huître est le symbole de la sagesse. » De plus, les charges municipales seront gratuites. « Voilà qui est bien fait. Ouvriers, mes amis, avisez-vous maintenant de nommer des vôtres pour administrer vos intérêts. Vous le pouvez, on ne vous le défend point. Seulement vos élus devront avoir des rentes ou apprendre à vivre sans manger. » Vous voulez « le droit commun », le voici. « L'égalité »? la voilà. « Le coffre-fort est Dieu, et l'Assemblée est son prophète [1]. »

Mais si André Léo attaque sans cesse le gouvernement de Versailles, elle n'hésite pas à critiquer les actes de la Commune. Elle s'indigne de la suppression des journaux réactionnaires et se désolidarise des rédacteurs de *la Sociale*, qui ont approuvé cette mesure. « Je tiens à dégager sur ce point ma responsabilité par respect pour les principes qui constituent la force et toute la raison d'être de la démocratie. A mon avis, les abdiquer, c'est abdiquer sa mission. Si nous agissons comme nos adversaires, comment le monde choisira-t-il entre eux et nous? » C'est toujours la question de la fin et des moyens, qui se pose douloureusement à toute conscience révolutionnaire. Qu'on attaque en justice, quand il le faut, le mensonge et la calomnie, mais que « la liberté de pensée soit inviolable [2] ».

Elle s'indigne également des silences de la Commune, particulièrement dans les cas graves, comme celui de Rossel, délégué à la Guerre. On connaît la hautaine et magnifique lettre de démission que Rossel, exaspéré par l'anarchie et la faiblesse de la Commune, lui jette à la face : « Chargé par vous à titre provisoire de la délégation à la Guerre, je me sens incapable de porter plus longtemps la responsabilité d'un commandement où tout le monde délibère et où personne n'obéit... Je ne briserai pas l'obstacle, car l'obstacle, c'est vous et votre faiblesse : je ne veux pas attenter à la souveraineté publique. Je me retire, et j'ai l'honneur

---

1. *La Sociale*, 21 avril.
2. *La Sociale*, 22 avril.

de vous demander une cellule à Mazas [1]. » André Léo prend
vigoureusement le parti de Rossel : sa lettre est « le cri
d'une conscience », écrit-elle. S'il se trompe, qu'on le prouve ;
s'il dit vrai, qu'on fasse justice, non du citoyen Rossel, mais
des abus qui nous perdent, et qu'il n'est pas seul à constater. « Pourquoi ces réticences? Pourquoi ce triage des
faits? Pourquoi ce huis clos? Il y a donc encore des choses
bonnes à dire, d'autres à cacher au public? Mais de quel
droit? Ne sait-on pas que c'est nier la souveraineté populaire et les droits de la Vérité? » Ce conflit, qui éclate entre
les dirigeants de la Commune, ne compromet pas les idées
qu'elle défend, mais les hommes qui les représentent et les
incarnent provisoirement. Les hommes, on les change et l'on
en trouve toujours. Le vrai sauveur, c'est la vérité. Qu'a-
t-on à cacher? Pourquoi les réunions de la Commune sont-
elles secrètes? La Commune ne doit-elle pas des comptes au
peuple? « Le peuple qui meurt pour cette cause a droit de
savoir qui la sert ou qui la trahit. La vraie démocratie ne
se défie pas de la vérité, car elle en est faite. Elle en vient,
elle y va et ne meurt que faute de lumière [2]. » Le lendemain,
André Léo revient courageusement à la charge pour défendre Rossel contre la Commune et le Comité central qui
l'accusent de complot. C'est un réquisitoire contre le Comité
central. Elle accuse certains de ses membres d'être à la base
d'un complot monarchique : c'est contre leur volonté
que le 18 mars se serait changé en révolution sociale.
Cette accusation, qui retourne habilement l'accusation
que l'on portait contre Rossel, n'emporte pas davantage
l'adhésion de l'historien. Mais André Léo a raison d'affirmer, avec Édouard Vaillant, Jourde, Delescluze et bien
d'autres, que le Comité central a accru l'anarchie et l'indiscipline, miné la Commune et contribué largement à son
incapacité et à son impuissance. « Qu'a fait le Comité central
depuis l'élection de la Commune? Il avait annoncé dans
un noble langage qu'il abdiquait sans arrière-pensée,
mais ses actes ont été en contradiction avec ses paroles.
Il s'est posé en rival du pouvoir élu. Il a semé dans les

---

1. Rossel (Louis-Nathaniel), *Mémoires, Procès et Correspondance*,
pp. 250-252.
2. *La Sociale*, 14 mai.

rangs de la Garde nationale le désordre et la division.
Il a excité les soldats contre les chefs et les chefs les uns
contre les autres... Il a voulu se charger de l'administration militaire et l'administration militaire est dans un
état déplorable... » Bref, le Comité central ne poursuit
qu'une organisation, celle « du désordre ». « Quand un
peuple héroïque se bat pour une grande idée, il a droit
d'exiger de ses mandataires un peu de clairvoyance, de
courage et de bon sens », continue-t-elle. Mais elle ne se
contente pas de défendre et d'accuser. Toujours pratique
et concrète, elle demande à la Commune de nommer
immédiatement une commission d'enquête pour rechercher
la vérité. Mais qu'on se hâte, car la province, qui se
rapprochait de la Commune, est dégoûtée par tous ces
débats. Les Versaillais en tirent des avantages et assurent
leurs positions [1].

Au contraire de la plupart des hommes de la Commune
qui s'égaraient si souvent en de vaines discussions et négli-
geaient l'essentiel pour se consacrer aux détails, André Léo
ne perd jamais de vue les deux objectifs les plus urgents,
si la Commune veut triompher : l'appui indispensable de
la province, la lutte armée contre Versailles. Dans un très
bel article, elle exalte les soldats de la Commune, ces
60.000 hommes qui, depuis plus de trois semaines, tiennent
tête à une armée aguerrie de vieux soldats, de policiers
et de gendarmes. Qui sont-ils donc, ces morts, dont l'on
donne chaque jour le nom et la profession? Un cordonnier,
un tailleur de pierre, un menuisier, un forgeron. « Le soldat
de la Révolution actuelle, c'est le peuple... Hier encore, il
était dans son échoppe, la poitrine courbée sur les genoux,
poussant l'alène ou l'aiguille, ou battant le fer. Combien
passaient à côté sans savoir, sans croire, qu'il y avait là un
homme? Aujourd'hui, ce tailleur, ce cordonnier, ce menuisier, ce mouleur, se redresse tout à coup et, déposant l'outil
et le tablier, s'est porté au champ de bataille. Il fait la
plus grande chose que puisse faire un être humain, il se
dévoue pour sa foi, il combat pour une idée, dont, peut-être,
il ne verra pas le triomphe. Ce pauvre donne le plus précieux des biens de l'homme, sa vie, à l'humanité. » Entre la

1. *La Sociale*, 15 mai.

discipline imposée au soldat et « la libre résolution » du combattant révolutionnaire, de l'homme qui prend son fusil et renonce pour son idée à toutes ses affections, à sa vie même, il y a un abîme. D'où viennent chez lui ce dévouement, cet héroïsme? Ce n'est pas « des hautes études classiques, de ce culte de la vertu qui inspirent si bien la jeune bourgeoisie ». Ce que ces hommes du peuple obligent à reconnaître, c'est que « l'humanité n'est pas dégénérée, c'est que la France n'est pas en dissolution[1] ». André Léo flétrit les neutres et les lâches, ceux qui vaquent à leurs petites occupations, pendant que les autres se battent. Si l'on est contre la Commune, que l'on aille à Versailles, où l'on complote « contre la justice, contre la liberté », où l'on se bat pour défendre « l'exploitation de l'homme ». Mais si l'on est « pour la liberté communale, pour l'idée non plus écrite, mais vécue », pour la liberté dans l'égalité, que l'on rejoigne les rangs des défenseurs de la Commune. Sans doute, on peut discuter les hommes qui la représentent. Mais ce sont, en majorité, des hommes de bonne foi, que l'on peut d'ailleurs changer par l'élection. D'autres s'offusquent de « certaines intempérances ». Il faut prendre des mesures, certes, encore que la fatigue et le manque d'aliments sains soient pour beaucoup dans ces abus. Ce ne sont pas là, en tout cas, des raisons suffisantes pour se dispenser de servir la Commune[2].

Enfin, elle appelle les femmes à se joindre à la lutte. Si la démocratie a été vaincue jusqu'ici, c'est parce que les démocrates n'ont jamais tenu compte des femmes. Aujourd'hui, il ne s'agit plus seulement de la défense nationale, mais de la défense des droits et de la liberté. Paris est loin maintenant d'avoir trop de combattants. Des femmes, comme Louise Michel, comme Mme de Rochebrune, ont donné l'exemple et « font l'orgueil et l'admiration de leurs frères d'armes ». Que les femmes combattent donc aux côtés de leurs fils, de leurs maris, de leurs frères; et les soldats de Versailles, que l'on trompe par des calomnies, comprendront alors qu'ils n'ont pas en face d'eux un groupe de factieux, mais le peuple tout entier. Toutes les femmes

1. *La Sociale*, 28 avril.
2. *La Sociale*, 30 avril.

ne peuvent combattre, mais toutes peuvent soigner les blessés ou organiser le ravitaillement des troupes. « Que le général Cluseret ouvre donc maintenant trois registres pour l'action armée, le secours aux blessés et les fourneaux ambulants. » Les femmes viendront s'y inscrire en foule.

Mais lorsque les femmes veulent répondre à l'appel de la Commune, elles se heurtent à l'incompréhension des chefs de bataillon et des médecins. André Léo en cherche les causes et reprend patiemment la discussion, comme nous le verrons plus loin [1].

Dans tous ses articles, André Léo se montre donc lucide, pratique. Elle discerne clairement les nécessités urgentes des réformes illusoires, qui ne pourraient être réellement appliquées qu'après la victoire, en quoi elle se montre infiniment plus réaliste que la plupart des hommes de la Commune. D'abord, il faut vaincre et cela implique que Paris obtienne l'appui de la province, d'où ses explications aux paysans. Il faut se battre, d'où l'exaltation de ces volontaires qui ont choisi de donner leur vie pour la Commune, et l'appel aux femmes. Mais André Léo ne perd jamais de vue que la fin ne justifie pas les moyens et que la vérité doit rester l'arme du peuple contre la réaction, qui, elle, ne peut appuyer sa domination que sur un système de mensonges. Il est dommage qu'André Léo n'ait pu, en tant que femme, siéger parmi les membres de la Commune. Au milieu de tant de bavardages, elle eût pu faire entendre des paroles de bon sens, de raison et d'honnêteté intellectuelle.

Des artistes mettent aussi leur talent au service de la Commune. On organise aux Tuileries des concerts et des représentations populaires au profit des veuves et des orphelins de la République. Le peuple prend possession de ces appartements royaux où il n'était pas entré depuis 1848. La foule se presse, pacifique et joyeuse. De nombreux spectateurs ne peuvent entrer, mais refusent de reprendre le prix de leur place, 1 fr. 50 ou 3 francs. On leur donne en souvenir une cocarde rouge et un insigne de cuivre, qui représente un bonnet phrygien [2]. Rosalie Bordas, qui

1. *La Sociale*, 6 mai, 8 mai, 9 mai.
2. *Le Vengeur*, 8 mai, *L'Étoile*, n° 4.

s'était rendue célèbre dans Paris en chantant *la Canaille*, au lendemain de l'assassinat de Victor Noir, puis *la Marseillaise*, à la Scala, après la déclaration de guerre, apparaît, vêtue d'un péplum blanc et d'une grande ceinture rouge qui traîne derrière elle. De nouveau, elle chante *la Canaille*, dont la foule reprend en chœur le refrain :

> *Dans la vieille cité française,*
> *Existe une race de fer*
> *Dont l'âme comme une fournaise*
> *A de son feu bronzé la chair.*
> *Tous ses fils naissent sur la paille,*
> *Pour palais ils n'ont qu'un taudis.*
> *C'est la Canaille*
> *Eh bien, j'en suis* [1].

Rosalie Bordas fait un signe. Un Fédéré sort de la coulisse et lui tend un drapeau rouge qu'elle déroule lentement et dont elle s'enveloppe. Elle continue à chanter. « C'est un spectacle empoignant, nous dit Vuillaume : sur le blanc péplum, comme une tache de sang, le rouge du drapeau frangé d'or, la chevelure étalée sur les épaules nues, la poitrine large, le bras solide et musclé, le regard fixé là-haut, comme dans une brutale extase... elle symbolise la canaille héroïque qui se bat aux remparts [2]. »

Agar, de la Comédie-Française (Mme Charvin), apporte également son concours aux représentations populaires des Tuileries. Elle va déclamer, dans chaque salon, *la Lyre d'airain* d'Auguste Barbier et *l'Hiver* du poète misérable et phtisique, Hégésippe Moreau [3]. Cette participation aux fêtes de la Commune lui vaut, de Versailles, les injures du *Figaro*. « Il y avait une fois une princesse qui se piquait de protéger les arts, étant une artiste elle-même. Elle s'éprit, je ne sais comment, d'une tragédienne médiocre, à la diction chevrotante et pâteuse » et l'imposa comme sociétaire à la Comédie-Française. Cette ingrate se met, après la chute de l'Empire, à réciter

---

1. Blanchecotte (Augustine), *Tablettes d'une femme pendant la Commune*, p. 181.
   2. Vuillaume (Maxime), *Mes Cahiers rouges*, III, p. 234. *L'avant-garde.* 5 mai.
   3. *Le Vengeur*, 8 mai, *L'Étoile*, n° 4.

les Châtiments contre ses bienfaiteurs. « A présent, roulant
sur cette pente de lâcheté, flattant la canaille souveraine,
comme elle flattait l'Empire et son entourage, l'ex-pro-
tégée retourne aux Tuileries, avec des rubans rouges à son
corsage, pour débiter des vers socialistes et baver l'insulte
sur une société qui l'avait casée au-dessus de ses mérites. »
Et le rédacteur lui promet qu'elle sera déportée à Cayenne,
avec la « citoyenne » Duguerret qui, au Vaudeville, ose
donner des représentations au profit des Fédérés. A ces
menaces, Agar répond dignement : oui, elle a dit aux
Tuileries, au profit des blessés, des veuves et des orphelins,
la Lyre d'airain et *l'Hiver*. « Ces poésies, je les ai toujours
dites sous l'Empire et devant l'Empereur, souvent dans
les salons de la princesse Mathilde. Je n'ai jamais dit
les Châtiments et tout le Théâtre Français peut attester
que j'ai refusé de les dire. » Quant à sa reconnaissance
et à son affection, elles sont acquises pour toujours à la
princesse Mathilde. Cette déclaration de fidélité envers un
membre de la famille impériale, après la chute de l'Empire
et en pleine Commune, ne manque pas d'élégance. Elle
ajoute d'ailleurs : « Je suis prête à aller à Cayenne.
J'attends pour cela une nouvelle dénonciation de vous.
Je ne crains pas plus vos attaques à Versailles que je ne
crains la Commune à Paris. » Elle continuera donc à prêter
son concours à ceux qui souffrent, quelle qu'en soit la
cause [1]. Agar n'alla pas à Cayenne, mais mise à l'index,
après la chute de la Commune, elle partit faire des tournées
en Suisse, et dut quitter la Comédie-Française en 1872 [2].
Mais laissons ces anecdotes très parisiennes.

---

1. *La Vérité*, 22 mai.
2. Vuillaume (Maxime), *op. cit.*, t. II, p. 129. Labarthe (Gustave),
Le théâtre pendant les jours du Siège et de la Commune, pp. 127-130.

x

Ambulancières, cantinières, soldats

Nous les séparerons pour la logique de l'exposé. Mais la vie n'est pas logique. En temps de révolution, moins encore. Pendant la lutte de la Commune, les frontières s'établissent mal entre des fonctions apparemment si diverses. Louise Michel, sur le champ de bataille, fait le coup de feu et panse les blessés. Elle faisait partie du 61e bataillon, corps d'armée d'Eudes. Après avoir pris les Moulineaux, on entra au fort d'Issy. « Deux ou trois jours après, drapeau rouge déployé, venaient nous retrouver une vingtaine de femmes, Béatrix Excoffon, Malvina Poulain, Mariani Fernandez, Mmes Gaullé, Dauguet, Quartier. Elles suivaient l'appel qu'on avait publié dans les journaux, pansaient les blessés, mais aussi reprenaient les fusils des morts... Il en fut ainsi de plusieurs cantinières, Marie Schmid, Mme Lachaise, Victorine Rouchy... tant d'autres, dont on remplirait un volume [1]. »

Ceux qui sont brûlés par la passion révolutionnaire s'engagent totalement dans les tâches multiples que la Révolution exige d'eux. On n'a pas affaire à des fonctionnaires, mais à des êtres vivants qui ont choisi librement l'accomplissement total de leur destin. C'est pourquoi nous retrouvons tout au long de cette étude les mêmes femmes dans les clubs, les comités, les ambulances, et, le fusil à la main, jusque sur les dernières barricades. Et derrière chaque nom, et derrière chaque anonyme qui constituent les « masses » et forment le matériel des statis-

---

1. Michel (Louise) : *La Commune*, pp. 188-189.

tiques, il y a un être vivant, unique et irremplaçable, dans sa singularité.

La Commune, le 13 avril, avait décrété l'organisation de compagnies d'ambulances, composées chacune de 20 docteurs et officiers de santé, 10 voitures, 120 brancardiers. Dans chaque arrondissement, devaient se tenir en permanence 2, 3 ou 4 escouades. A chaque escouade, devaient être adjointes 2 ambulancières qui marcheraient avec les brancardiers. Elles toucheraient la solde de 1 fr. 50 et les vivres alloués aux sous-officiers et aux gardes [1]. Anna Jaclard, André Léo, Sophie Poirier répondent à l'invitation de la Commune par l'appel suivant : « Les citoyennes de Montmartre, réunies en assemblée, le 22 avril, ont décidé de se mettre à la disposition de la Commune pour former des ambulances qui suivent les corps engagés avec l'ennemi et relever sur le champ de bataille, nos héroïques défenseurs. Les femmes de Montmartre animées de l'esprit révolutionnaire veulent témoigner par des actes leur dévoucment à la Révolution [2]. » Au nom du Comité de Vigilance du 18e arrondisement, Anna Jaclard, Sophie Poirier et Béatrix Excoffon organisent une réunion au club de la Boule Noire « pour toutes les citoyennes qui désirent prêter leur concours actif à la revendication de tous nos droits, pour aller panser les blessés sur les champs de bataillle ou pour les soigner dans les hôpitaux [3] ».

En effet, aux soins des blessés, s'ajoutait encore la transformation de l'assistance publique. Le Comité de Vigilance du 18e encore, dans une pétition suivie de deux cents signatures, s'élève contre la présence des religieuses dans les hôpitaux et les prisons, et réclame leur remplacement « par des mères de famille dévouées et courageuses qui feraient mieux leur devoir qu'elles [4] ». Ces mesures de laïcisation sont réclamées par tous les clubs. Dans les arrondissements, les bureaux de bienfaisance catholiques font place à l'assistance communale : « L'aumône doit être remplacée par l'esprit de solidarité qui lie les répu-

1. *Journal Officiel*, 14 avril.
2. *Le Cri du Peuple*, 26 avril, et A.G. Ly 23.
3. *Le Cri du Peuple*, 28 avril.
4. *Le Cri du Peuple*, 30 avril.

blicains et qui la leur impose comme un devoir [1]. » Les maisons de secours des rues Thouin, Boutebrie, Saint-Jacques, de l'Épée-de-Bois sont prises en charge par des femmes dévouées à la Commune [2]. A la prison de Saint-Lazare, comme à l'hôpital Beaujon, les religieuses sont remplacées par des femmes du peuple [3].

Dans le domaine de l'assistance publique, la Commune agit donc comme un pouvoir révolutionnaire. Elle rompt l'appareil qui existait avant elle, tente de mettre en place un autre système plus conforme à ses vues : ici, la laïcité. Mais en tant que pouvoir révolutionnaire, la Commune aurait mieux fait de s'emparer de la Banque de France que de prendre, sur un plan secondaire, des mesures qui désorganisaient les services hospitaliers et contribuaient à créer inutilement un désordre inextricable. Mais les hommes de la Commune ne distinguent pas les ordres d'urgence. Leurs discussions, comme leurs décisions, sont marquées souvent d'infantilisme révolutionnaire.

Les ambulancières de la Commune publient, de leur côté, un appel très violent : elles « déclarent n'appartenir à aucune société quelle qu'elle soit. Leur vie est tout entière à la Révolution; leur devoir est de panser, sur le lieu même du combat, les blessures faites par les balles empoisonnées de Versailles, de prendre, quand l'heure l'exige, le fusil comme les autres. Leur droit, et elles ne l'oublieront pas, c'est dans le cas où, ce qui peut arriver, la réaction triompherait quelque part, de mettre le feu aux poudres; car à quelque place que ce soit, la Révolution ne doit pas être vaincue. Vive la Commune! Vive la République universelle! » Ce texte est signé de Louise Michel, qui doit l'avoir rédigé (on y retrouve sa manière), et de ses amies Mariani Fernandez, Malvina Poulain, Mmes Gaullé, Quartier et Dauguet [4].

L'Union des Femmes pour la défense de Paris et les soins aux blessés recrutait également des ambulancières, des cantinières, des soldats. Le Comité des femmes du

1. *Journal Officiel*, 12 mai.
2. Allemane (Jean), *Mémoires d'un Communard*, p. 81.
3. *La Vérité*, 13 mai, *Journal Officiel*, 22 mai.
4. *La Sociale*, 25 avril.

4ᵉ arrondissement convie toutes les citoyennes « dévouées
et patriotes » à se réunir à la mairie « pour s'organiser
afin de venir en aide aux blessés [1] ».

Tous ces appels ne restent pas théoriques. Les femmes
du 18ᵉ arrondissement ont organisé une ambulance
permanente à l'Élysée-Montmartre [2]. Louise Michel et
ses amies organisent une ambulance volante à Neuilly ;
Béatrix Excoffon, avec dix-huit femmes, en crée une
autre à Issy [3]. *L'Union des Femmes* dirige un poste de
huit ambulancières au Petit-Vanves [4]. Béatrix Excoffon
nous a restitué, dans un récit vivant, le caractère d'impro-
visation de ces ambulances. « Nous voilà parties pour la
porte de Neuilly. En chemin, beaucoup de personnes nous
donnèrent de la charpie et des bandes ; j'achetai chez un
pharmacien les médicaments nécessaires et nous voilà
fouillant Neuilly pour voir s'il ne restait pas des blessés
et ne nous doutant pas que nous étions en plein dans
l'armée de Versailles. » Un lieutenant fédéré leur demande
ce qu'elles vont faire, avec leur drapeau rouge. « Je lui
réponds que nous allions soigner les blessés et que nous
avions voulu passer sur le pont, parce que cela nous rapprochait de l'endroit où l'on entendait le canon. » Bien
qu'elles n'eussent pas de laissez-passer de la Commune,
le lieutenant les autorise à continuer leur chemin, puisqu'elles ne sont pas armées. Ayant traversé le pont, elles
entendent le canon du côté d'Issy. Une jeune femme leur
conseille, si elles veulent aller plus loin, d'appeler le batelier « qui est dans l'île ». Mais, ajoute-t-elle, « il faut dire
que vous êtes des femmes de la Commune. Sans cela il
ne vous passerait pas dans son bateau [5] ». Le batelier les
reçoit dans sa cabane, coupe une longue branche d'arbre
et y accroche le drapeau rouge, que Béatrix Excoffon tient
dans le tableau. De la rive, les gendarmes tirent sans les
atteindre. Enfin, elles arrivent au fort d'Issy, où elles
retrouvent Louise Michel, avec le 61ᵉ bataillon. Béatrix

---

1. *La Sociale*, 22 avril.
2-3. Michel (Louise), *La Commune*.
4. A.G. Ly 23.
5. Récit de Béatrix Excoffon dans *La Commune* de Louise Michel,
pp. 404-407.

Excoffon resta à Issy une quinzaine de jours, comme ambulancière des Enfants Perdus [1].

D'autres continuent à soigner les blessés de la Commune, comme elles avaient soigné les blessés pendant le siège. Telle cette vieille dame « distinguée », dont nous parle Vuillaume, et à qui l'on ne reprocha pas d'autre crime [2], ou cette Victorine Brochon, qui fut recherchée comme « pétroleuse », et qui nous a laissé sur le siège et la Commune des mémoires si précieux. On la trouve aussi à Issy au plus fort de la lutte, soignant, avec des moyens dérisoires, les blessés auxquels « les balles mâchées » des Versaillais ont fait des plaies inguérissables. « Malheureusement tout nous manquait. Nous n'avions pas de bandes pour les pansements. Nous étions obligées de faire boire ces malheureux dans de petites boîtes à cartouches. Malgré tout, ces mutilés ne proféraient pas une plainte, pas un regret. Ils souffraient, mais ils avaient l'air contents d'avoir repris le fort, heureux de donner leur vie pour fonder une société plus juste et plus équitable. Pour nous tous République était un mot magique. » Les médicaments, qui manquaient si cruellement, furent retrouvés trop tard dans un fourgon abandonné et les blessés moururent dans la nuit. « Vivrais-je cent ans que je ne pourrais oublier cette effroyable hécatombe [3]. » Une autre ambulancière, Alix Payen, dans les lettres qu'elle écrit à sa mère, nous donne un récit concordant. D'une famille de républicains fouriéristes, les Milliet, Alix Payen obtint un brevet d'infirmière qui lui permit de suivre son mari sur les champs de bataille d'Issy, de Vanves, de Clamart, de Levallois-Perret, de Neuilly. Elle note le mécontentement des hommes « à cause de la mauvaise administration, de l'excès de fatigue et surtout parce que les tranchées étaient très mal défendues ; il y a le quart des hommes qu'il faudrait », mais aussi le courage, la gentillesse, l'esprit, les attentions de « ces enfants de Paris [4] ». Un Fédéré, Alphonse Freye, prie les rédacteurs du *Cri du Peuple*

1. *Ibidem.*
2. Vuillaume (Maxime), *Mes Cahiers rouges*, IV, p. 113.
3. Brochon (Victorine), *Souvenirs d'une morte vivante*, pp. 122-127.
4. *Les Milliet. La Commune et le second Siège de Paris. Alix Payen ambulancière*, pp. 67-99.

(3 mai), de bien vouloir lui donner « un coin dans le journal » pour remercier une ambulancière du 169ᵉ bataillon de la Garde nationale qui, à Neuilly, soignait les blessés sur le champ de bataille et lui a sauvé la vie.

Mais dans cette lutte inexpiable, les Versaillais ne tiennent pas plus compte de la qualité d'infirmière que de celle de prisonnier. Les uns et les autres sont passés également par les armes. Le lieutenant Butin, envoyé en parlementaire pour ramasser les blessés du fort de Vanves, est reçu à coups de fusil par les Versaillais malgré le drapeau blanc et celui de la Convention de Genève, et doit regagner en hâte les lignes des Fédérés. Une ambulancière, qui va relever un blessé, est violée et tuée par cinq Versaillais [1]. La Commune se saisit de l'affaire et discute de l'application du décret sur les otages, qui avait été voté, le 5 avril, à la suite du massacre de Flourens, de Duval, et des prisonniers faits par Versailles. Décret qui souleva l'indignation de tous les gens de bien, mais qui n'était qu'une réponse aux assassinats commis sur l'ordre de M. Thiers. La discussion révèle d'ailleurs que les hommes de la Commune sont beaucoup plus respectueux de la vie de leurs ennemis que leurs adversaires. Si Urbain, sous l'influence de sa maîtresse Marie Leroy, elle-même influencée par un agent de Versailles, Barral de Montaud, demande que dix otages soient fusillés dans les vingt-quatre heures en représailles du meurtre de l'ambulancière, le procureur de la Commune, Rigault, déclare que, quant à lui, il aimerait mieux laisser échapper dix coupables que de frapper un seul innocent. Il demande, en conséquence, la création d'un jury d'accusation [2]. En réalité, le décret sur les otages ne fut pas davantage appliqué en réponse au meurtre de l'ambulancière. Il faudra les massacres en masse des Fédérés par l'armée de Versailles, pendant la semaine sanglante de mai, pour que la foule exaspérée se livre à des violences contre les otages.

Malgré leur bonne volonté, ces ambulancières improvisées sont souvent mal vues des officiers. André Léo,

---

1. *La Sociale*, 13 mai, *Le Cri du Peuple*, 21 mai.
2. *Procès-Verbaux de la Commune*, t. II, p. 380.

dans *la Sociale*, raconte les mésaventures des infirmières
du 17e arrondissement. Munies d'une commission de la
municipalité et d'un brassard de la Croix-Rouge, elles se
rendent à la porte de Clichy, pour offrir leurs services.
Le commandant du 34e bataillon en accepte quatre.
Les autres gagnent Levallois, d'où on les renvoie à l'état-
major du général Dombrowski, qui se trouve à Neuilly.
Là, les officiers leur adressent des plaisanteries équivo-
ques. « Pourquoi tous ces obstacles? leur demande la
déléguée. Paris et la Révolution ont-ils donc à leur service
trop de dévouement? » Elles rencontrent Louise Michel
qui, avec deux de ses camarades, se morfond dans une
petite chambre. Elle a quitté le fort d'Issy pour Neuilly,
où l'action militaire est la plus violente. Mais on refuse
de l'utiliser. « Ah! dit-elle, si l'on me permettait seulement
de secourir nos blessés. Mais vous ne sauriez croire que
d'obstacles, que de taquineries, que d'hostilité! »

Partout, aux avant-postes, André Léo constate une
double attitude à l'égard des ambulancières. Les officiers,
les chirurgiens, leur sont nettement hostiles, les hommes
de troupe, favorables. De même, en 1849, Jeanne Deroin,
présentant sa candidature électorale, illégale d'ailleurs,
n'avait rencontré que des sarcasmes dans les quartiers
bourgeois, tandis que les auditoires du faubourg Saint-
Antoine l'accueillaient avec sympathie. « A côté de cet
esprit bourgeois et autoritaire, si étroit et si mesquin,
qui se trouve encore malheureusement chez beaucoup de
chefs, éclate, chez nos soldats citoyens, le sentiment vif,
élevé, profond de la vie nouvelle. Ils croient, eux, aux
grandes forces qui sauvent le monde et les acclament au
lieu de les proscrire : ils sentent le droit de tous dans leur
droit... Tandis que la plupart des chefs ne sont encore
que des militaires, les soldats sont bien des citoyens [1]. »
Rossel, ce polytechnicien devenu ministre de la Guerre
de la Commune, et qui est sans doute l'un des visages les
plus curieux et les plus sympathiques de la Révolution,
exprime ses regrets de la situation que lui signale André
Léo, et lui demande de lui indiquer « par la voie de la
publicité » (en révolutionnaire conséquent, Rossel est

1. *La Sociale*, 6 mai.

ennemi du secret), les moyens d'y remédier [1]. « Le ton
haut et franc de vos récentes déclarations, lui répond
André Léo, m'avait fait pressentir un homme incapable
de préjugés vulgaires. Ce que vous pouvez faire pour
utiliser le dévouement des républicaines, vous le sauriez
mieux que moi, puisque cela dépend de votre pouvoir... »
Les femmes se heurtent aux préjugés masculins et à l'esprit
de corps des chirurgiens, alors qu'il faudrait tendre au
contraire « à cette fraternité sérieuse de l'homme et de
la femme, à cette union de sentiments et d'idées qui,
seules, peuvent constituer dans l'honneur, dans l'égalité,
dans la paix, la Commune de l'avenir ». La République
ne peut être fondée que sur la reconnaissance de cette
égalité. André Léo soumet à Rossel l'idée du Dr Jaclard,
chef de la 17e légion, dont la femme Anna, comme nous
l'avons vu, joue un rôle important dans l'organisation des
ambulances. Il faudrait mettre, à la tête de quelques
ambulances, des médecins sans préjugés antiféministes
et les trois ou quatre jeunes femmes qui ont passé leurs
examens à l'École de Médecine. « Elles ont eu l'audace
de forcer les portes de la science; elles ne manqueront
point au service de l'Humanité et à celui de la Révolution [2]. » Mais, à l'opposé de Rossel, le général Dombrowski se montre, en ce qui concerne les femmes, éminemment réactionnaire. André Léo lui rappelle vertement
que sans la participation des femmes, la journée du 18 mars
aurait échoué : « Vous n'auriez jamais été général de la
Commune, citoyen Dombrowski. » Raisonnons un peu,
général. Croit-on pouvoir faire la Révolution sans les
femmes? Ce fut la faute de la première Révolution de
les avoir exclues de la liberté et de l'égalité. Les femmes
retournèrent alors au catholicisme et apportèrent leurs
forces à la réaction. Les républicains sont pleins d'incon-
séquence : ils ne veulent pas que les femmes soient sous
l'emprise des prêtres, mais il leur déplaît qu'elles soient
libres penseuses et qu'elles veuillent agir comme des êtres

1. *La Sociale*, 7 mai.
2. *La Sociale*, 9 mai. La première femme reçue docteur en médecine,
en 1870, fut une Anglaise, Miss Garrett; la seconde, en 1871, une Améri-
caine, Miss Putnam. Lipinska : *Les femmes et le progrès des sciences médicales.*

humains, égaux et libres. Ils ont détrôné l'Empereur et
Dieu, mais pour se mettre à leur place. Il faut des sujets
aux républicains, ou du moins des sujettes. Pas plus
qu'autrefois ils n'admettent que la femme relève d'elle-
même. « Elle doit demeurer neutre et passive, sous la
direction de l'homme. Elle n'aura fait que changer de
confesseur. » Mais Dieu avait sur l'homme l'immense
supériorité de rester inconnu, ce qui lui permettait d'être
un idéal. La religion condamnait la raison et la science.
La Révolution postule, au contraire, l'exercice de la
raison et de la liberté pour la recherche du vrai et du juste.
« Elle est la liberté et la responsabilité de toute créature
humaine, sans autre limite que le droit commun, sans autre
privilège de race ni de sexe. » Les femmes ne peuvent donc
rester indifférentes, mais on parle de l'affranchissement
de l'homme et pas du sien. On les repousse, quand elles
veulent servir la Révolution. On les décourage. C'est ainsi
qu'on les rejette du côté de la réaction. On pourrait écrire
l'histoire depuis 1789, sous le titre : *Histoire des inconsé-
quences du Parti révolutionnaire* [1]. Mais cette attitude de
nombreux officiers de la Commune à l'égard des femmes
correspond à un sentiment millénaire trop profond et
trop répandu pour qu'elle puisse se modifier si rapidement,
malgré des interventions diverses. C'est ainsi que le
club de la Révolution sociale demande, à son tour, à la
municipalité du 17e arrondissement d'intervenir en faveur
des ambulancières auprès des chirurgiens et des chefs de
bataillon [2].

Les femmes armées, cantinières ou soldats, souvent
cantinières et soldats à la fois, ont attiré, en tout cas,
l'attention des admirateurs comme des détracteurs de
la Commune. Avec leurs chassepots, leurs revolvers, leurs
cartouchières, leurs ceintures rouges, leurs uniformes
fantaisistes de zouaves, de marins, de lignards, elles
sont la cible des caricaturistes; une femme qui porte un
pantalon est en soi un scandale. Mme Blanchecotte décrit
avec étonnement « ces figures de femmes fédérées sinis-

---

1. *La Sociale*, 8 mai.
2. *Le Cri du Peuple*, 20 mai.

tres, fatales, presque toutes fort jeunes, quelques-unes très belles [1] ».

On les trouve disséminées au milieu des troupes. Il y a en principe quatre cantinières par bataillon, mais on en trouve souvent bien davantage qui accompagnent leur mari ou leur amant, combattent et font le coup de feu à côté d'eux. On en voit aussi défiler par groupes, portant un drapeau rouge, devant les badauds ébahis. « Une troupe de femmes armées de chassepots est passée place de la Concorde. Elles allaient rejoindre les combattants de la Commune », signale *la Sociale*, le 5 avril. Une compagnie de femmes est intégrée à la 12e légion, sous le commandement de la colonelle Valentin et de la capitaine Louise Neckebecker [2]. Le 14 mai, une centaine de femmes vont à l'Hôtel de Ville réclamer des armes. Gambon, membre du Comité de Salut public, leur en fait distribuer [3]. Le journal réactionnaire ajoute avec une ironie à la fois méprisante et inquiète : « On voudrait sourire. Serions-nous revenus aux Vésuviennes de 1848 et les lauriers du citoyen Bormes empêcheraient-ils le citoyen Gambon de dormir [4]? »

Ces cantinières, ces femmes soldats sont mêlées à toutes les actions militaires. Elles sont doublement maltraitées, injuriées par les Versaillais, en tant que femmes : ces femelles, comme disait Alexandre Dumas fils.

Le 3 avril, lors d'une sortie où Flourens et le général Duval furent assassinés par les Versaillais, le géographe Élisée Reclus, fait prisonnier, nous a laissé le témoignage suivant sur une cantinière : « La malheureuse femme était dans le rang qui précédait le mien, à côté de son mari. Ce n'était point une jolie femme, ni une jeune femme, mais une pauvre prolétaire entre deux âges, petite, marchant péniblement. Les insultes pleuvaient sur elle, toutes de la part des officiers qui caracolaient le long de la route. » Un très jeune officier de hussards dit : « Savez-vous ce que nous allons en faire? Nous l'enc... avec un fer rouge. »

1. Blanchecotte (Augustine), *Tablettes d'une femme...*, p. 186.
2. Malon (Benoît), *Troisième défaite...*, p. 279, et A.N. BB 24, 756, 5805, S. 72.
3. *La Justice*, 15 mai, *La Discussion*, 15 mai.
4. *Ibidem.*

Un grand silence d'horreur se fit parmi les soldats [1].

Ces femmes sont souvent héroïques. Même les plus antiféministes ont rarement refusé aux femmes le courage. A Neuilly, une cantinière blessée à la tête se fait panser et retourne au combat. Une autre, poursuivie par un gendarme, se retourne tout à coup et le tue à bout portant. Ses camarades et la foule l'acclament, quand elle rentre dans l'enceinte de Paris [2]. Sur le plateau de Châtillon, une cantinière se retire la dernière, avec un groupe de gardes nationaux, et se retourne, à chaque instant, pour faire le coup de feu [3]. Au 137e bataillon, une jeune cantinière, presque une enfant, ne cesse de mettre le feu au canon, malgré les obus qui partent de Châtillon et tombent autour d'elle [4]. Lorsque les Fédérés réussissent à évacuer le fort de Vanves, par les catacombes et les carrières, qui minent la région, les journaux signalent que « ce sont les femmes qui ont, dans cette circonstance, montré le plus de sang-froid, de présence d'esprit et de courage. Les ambulancières ont voulu emmener les blessés. Les cantinières distribuaient les cordiaux et veillaient à l'entretien des torches [5]. »

La cantinière du 68e bataillon est tuée d'un éclat d'obus [6]. Parmi les Fédérés tués dans un engagement à Neuilly, le correspondant du *Times* remarque trois cadavres de femmes. L'une d'elles tenait encore un tronçon de sabre : « C'était une belle fille aux cheveux noirs nattés autour de la tête [7]. »

La plupart de ces femmes restent anonymes. D'autres tuées au combat ou disparues dans la défaite ne sont pas beaucoup plus qu'un nom : Mme Oudot du 208e bataillon de Ménilmontant [8]; Honorine Siméon, signalée à Clamart pour être restée continuellement dans les tranchées et avoir fait « sous le feu de l'ennemi une corvée de cartouches, que les gardes nationaux eux-mêmes hésitaient à aller

1. Da Costa (Gaston), *La Commune vécue*, I, p. 373.
2. *L'Affranchi*, 13 avril, *Le Vengeur*, 12 avril.
3. *Le Vengeur*, 12 avril.
4. *La Commune*, 14 avril.
5. *Le Cri du Peuple* et *La Vérité*, 18 mai.
6. *Le Vengeur*, 12 avril.
7. *La Commune*, 20 avril.
8. *Le Cri du Peuple*, 8 avril.

chercher [1] »; la citoyenne Lens, du 261e bataillon, mère de
trois enfants, « femme honorable et estimée de tous »,
est tuée au fort d'Issy [2]; Victorine Rouchy, des Turcos
de la Commune, est félicitée par ses camarades « pour
le courage qu'elle a montré en suivant le bataillon au
feu et l'humanité qu'elle a eue pour les blessés dans les
journées des 29 et 30 avril [3] ».

Marguerite Guinder, femme Lachaise, comme Victorine
Rouchy et tant d'autres, est à la fois cantinière et ambulancière. Mais nous la connaissons un peu mieux. Née
à Salins (Jura), en 1832, elle exerçait le métier de confectionneuse. Mariée à un certain Prévost, dont elle avait
eu un enfant, elle était séparée de son mari et vivait,
depuis onze ans, avec un monteur en bronze, Lachaise,
dont elle portait le nom. C'est là un exemple de ces unions
aussi fidèles et durables que d'autres, mais que l'inter-
diction du divorce empêchait de légitimer. Les officiers
des Conseils de guerre semblent toujours considérer ce
« concubinage » comme une présomption d'immoralité et
une charge de plus, en un temps cependant où l'adultère
mondain était regardé avec la plus grande indulgence.
Jamais la morale « de classe » ne s'est manifestée avec
autant d'évidence. Les Lachaise suivent le 66e bataillon
à Issy et à Meudon [4]. Les Fédérés du 66e demandent aux
membres de la Commune de reconnaître l'héroïsme de
leur cantinière : « Elle a, dans le combat du 3 courant
(avril), en avant de Meudon, tenu une conduite au-dessus
de tout éloge et de la plus grande virilité, en restant toute
la journée sur le champ de bataille, malgré la moisson
que faisait autour d'elle la mitraille, occupée à soigner
et panser les nombreux blessés, en l'absence de tout service
chirurgical. En foi de quoi, citoyens membres de la Commune, nous venons appeler votre attention sur ces actes,
afin qu'il soit rendu justice au courage et au désintéres-
sement de cette citoyenne républicaine des plus accom-
plies [5]. » Certes le style de cette citation n'est pas des

1. *La Commune*, 18 avril, *L'Avant-Garde*, 19 avril.
2. *Le Cri du Peuple*, 22 mai.
3. *Journal Officiel*, 17 mai.
4. A.N. BB 24, 759, 6263, S. 72.
5. *Journal Officiel*, 9 avril.

meilleurs. Mais les défenseurs de la Commune sont des humbles, souvent illettrés.

Mme de Rochebrune venge la mort de son mari, le fusil au poing [1]. La femme du général Eudes, sa « compagne », comme on disait dans les milieux blanquistes auxquels Eudes appartenait sous l'Empire, est aussi fréquemment citée pour son courage. Victorine Louvet était de longue date une amie de Louise Michel. En 1865, elles allaient ensemble passer leurs vacances. Victorine préparait alors « ses examens » [2]. Courageuse, certes, et joignant le courage civil au courage militaire (ce n'est pas tout à fait le même), Victorine Louvet l'avait montré, lors de l'arrestation de son mari, au moment du coup de main de la Villette (août 1870). Le juge d'instruction savait qu'Eudes cachait Blanqui. Il insista auprès de Victorine Louvet pour qu'elle dénonçât la cachette du révolutionnaire. Mais aucune menace (on ne parlait pas de torture, il est vrai, à cette époque) ne put la faire sortir de son silence [3]. Naturellement les Maxime du Camp et autres ont déversé sur cette femme des torrents de boue, d'injures et de calomnies. Une marque physique est, à leurs yeux, le symbole de la déchéance morale : « Avec ses grands yeux éclairant un visage au teint délicat, qu'encadrait une opulente chevelure châtain tendre, Mme Eudes eût pu passer pour une beauté parfaite, sans la vilaine tache de vin qui, descendant entre les sourcils, matérialisait terriblement cette physionomie de madone. » Maxime du Camp la juge vulgaire, prétentieuse, grossière. Il s'indigne de la voir faire des armes avec Raoul Rigault, le jeune procureur de la Commune : « Je m'imagine qu'elle était désespérée d'être femme ou que, du moins, elle eût voulu être femme à barbe [4]. » Tel est le ton. Louise Michel signale qu'au fort d'Issy « Mme Eudes, elle aussi, ne tire pas mal [5] ». Et le correspondant du *Times* voit en elle une autre Jeanne Hachette, « non pas une hachette à la main, mais un vrai fusil, dont elle fait

1. *La Commune*, 12-13 avril.
2. Michel (Louise), *Mémoires*, p. 70.
3. Clère (Jules), *Les Hommes de la Commune*, pp. 88-89.
4. Dalsème (A. J.), *Histoire des conspirations sous la Commune*, p. 127, et Du Camp (Maxime), *Les Convulsions de Paris*, II, p. 102.
5. Michel (Louise), *La Commune*, p. 192.

usage avec un sang-froid remarquable, choisissant toujours
son homme et prenant parfaitement son temps pour le
bien viser [1]. »

Mais parmi toutes ces femmes, soldats de la Commune,
il faut faire une place à part à Louise Michel, dont la
grande figure les domine toutes. Elle est partout à la
fois : soldat, ambulancière, oratrice. On la trouve dans
les clubs et sur les champs de bataille, au Comité de
Vigilance de Montmartre et dans les ambulances qu'elle a
contribué à créer. Elle propose aussi de se charger d'une
étrange mission : celle d'aller à Versailles assassiner
M. Thiers en personne, qu'elle tient pour le plus grand
responsable de la situation. Ferré et Rigault, à qui elle
s'ouvre de ce projet, réussissent à l'en dissuader : les
meurtres des généraux Clément Thomas et Lecomte ont
déjà soulevé l'opinion contre la Commune. D'ailleurs,
ajoutent-ils, « vous ne parviendriez pas jusqu'à Versailles ».
Louise Michel veut leur démontrer que ce projet est peut-
être absurde, mais possible. Elle s'habille si bien « qu'elle
ne se reconnaît pas elle-même », arrive à Versailles sans
encombre, pénètre dans le parc où campe l'armée, y fait
de la propagande pour la Révolution du 18 mars et ressort
aussi tranquillement qu'elle est entrée. Puis, elle achète des
journaux dans une grande librairie. Comme elle ne manque
pas d'humour, elle s'amuse à dire le plus grand mal de la
sanguinaire Louise Michel. Elle revient ensuite à Paris,
en emportant les journaux versaillais comme des trophées [2].
Mais son courage, sa hardiesse ne se satisfont pas de ces
dangereuses gamineries. Partout, à Neuilly, aux Moulineaux, au fort d'Issy, on la rencontre, son fusil au poing.
« Ainsi j'eus pour compagnons d'armes les Enfants Perdus
dans les Hautes-Bruyères, les artilleurs à Issy et à Neuilly,
les éclaireurs de Montmartre [3] » et surtout les Fédérés
du 61e bataillon auquel elle appartient. « Dans les rangs
du 61e bataillon, combattait une femme énergique. Elle a
tué plusieurs gendarmes et gardiens de la paix [4]. » On lui
donne une carabine Remington à la place de son vieux

1. *La Montagne*, 16 avril, *Journal Officiel*, 20 avril.
2. Michel (Louise), *La Commune*, pp. 161-162.
3. *Ibidem*, p. 189.
4. *Journal Officiel*, 10 avril.

fusil. « Pour la première fois j'ai une bonne arme. » Elle
nous a laissé quelques instantanés de cette guerre, à la fois
artisanale et meurtrière : « Maintenant, on se bat. C'est
la lutte. Il y a une montée où je cours en avant, criant :
« A Versailles! A Versailles! » Razoua me jette son sabre
pour rallier. Nous nous serrons la main en haut, sous une
pluie de projectiles. Le ciel est en feu. » Elle s'oppose aux
timorés, fait honte aux hésitants. Pris de panique, un
Fédéré veut livrer la gare de Clamart : « Faites-le si vous
voulez, lui dis-je, moi je reste là et je fais sauter la gare,
si vous la rendez. » Et elle s'assoit avec une bougie allumée,
à la porte d'une pièce où l'on avait entreposé des munitions [1].

Elle ramasse aussi les blessés et les panse sur le champ de
bataille. Sa pitié, comme jadis à Vroncourt, s'étend aux
animaux : elle va recueillir un chat sous la mitraille. Mais
c'est aussi une intellectuelle qui, au cœur de l'action,
s'interroge. Une nuit, où elle veille à la gare de Clamart,
avec un ancien zouave pontifical rallié à la Commune,
on entend cet étrange dialogue : « Quel effet vous fait la
vie que nous menons? — Mais l'effet de voir devant nous
une rive qu'il faut atteindre », répond Louise Michel.
Sous les obus, elle lit Baudelaire avec un étudiant, joue
de l'harmonium auprès d'une barricade, dans l'église
protestante de Neuilly [2]. Elle note au passage des impressions de poète : « On va au fort d'Issy par une petite
montée entre les haies. Le chemin est tout fleuri de violettes
qu'écrasent les obus... » Ou encore, veillant au cimetière
Montmartre : « Certains obus venaient par intervalles
réguliers. On eût dit les coups d'une horloge, l'horloge
de la mort. Par cette nuit claire, tout embaumée du par-
fum des fleurs, les marbres semblaient revivre [3]... »

1-2-3. Michel (Louise), *La Commune*, pp. 192-193, 219.

XI

La semaine sanglante

Jamais il n'y avait eu autant de fleurs que ce prin-
temps-là [1]. Le dimanche 21 mai, il faisait un temps mer-
veilleux et l'on avait plus grande envie de se promener
que de se battre. Beaucoup de Parisiens assistaient au
concert donné aux Tuileries pour les veuves et les orphelins
de la Commune. Dans sa séance du 19 mai, la Commune
s'était occupée des théâtres et le bombardement de Paris,
par les Versaillais, avait fait dégarnir les remparts.

Le 21 mai, à 3 heures de l'après-midi, les troupes de
Versailles entrèrent dans la ville. La Commune n'en fut
avertie qu'à 7 heures. Les Parisiens n'apprirent la nouvelle
que le 22, au matin.

Paris, qui semblait endormi dans la douceur de mai, se
réveille. Mais, sur les murs, apparaissent des affiches mala-
droites qui achèvent de désorganiser la défense : « Assez
de militarisme. Plus d'États-majors galonnés et dorés
sur toutes les coutures [2]... » On ne fait plus appel qu' « aux
combattants aux bras nus », à la foi révolutionnaire.
On ruine en même temps les derniers vestiges de discipline indispensable à toute lutte armée, qu'elle soit révolutionnaire ou non. Paris se battra donc, quartier par
quartier, rue par rue, maison par maison, barricade par
barricade, sans plan d'ensemble, mais avec un héroïsme
farouche, fou, désespéré.

On appelle toute la population aux barricades : « Que
les femmes elles-mêmes s'unissent à leurs frères, à leurs

1. *La Sociale*, 20 avril.
2. Lissagaray, *Huit journées...*, pp. 29-30.

pères, à leurs époux! Celles qui n'auront pas d'armes soigneront les blessés et monteront des pavés dans leurs chambres pour écraser l'envahisseur. Que le tocsin sonne; mettez en branle toutes les cloches et faites tonner tous les canons[1]. »

Partout les rues se hérissent de barricades, malgré les beaux plans d'Haussmann qui avait tout prévu pour les empêcher. (Nous les reverrons surgir en 1944.) « Où avais-je la tête, écrit Jules Vallès, je croyais que la ville allait sembler morte avant d'être tuée. Et voici que les femmes et les enfants s'en mêlent. Un drapeau rouge tout neuf vient d'être planté par une belle fille et fait l'effet, au-dessus de ces moellons gris, d'un coquelicot sur un vieux mur. Votre pavé, citoyen[2]. » Des femmes en guenilles et des femmes vêtues de robes de soie[3], des jeunes filles et des vieilles femmes, cousent et remplissent des sacs de terre, manient la pioche, le hoyau, jour et nuit, à la lumière du gaz. Les dames de la Halle, en une demi-journée, érigent une barricade de 20 mètres de long, à l'intersection du square Saint-Jacques et du boulevard Sébastopol[4]. Place du Panthéon, une barricade est construite par des femmes et des enfants qui chantent le *Chant du Départ*. Des femmes « fédérées », une grande écharpe et une cocarde rouges sur leur robe noire, mènent les travaux[5]. Et l'on voit un régiment de femmes conduites par un officier à barbe blanche, traverser Paris. « Tout en admirant le courage des modernes héroïnes, nous regrettons le temps où l'on inscrivait sur la tombe des matrones romaines : Elle resta chez elle et fila la laine », note un rédacteur de *la Vérité* avec une pointe d'antiféminisme nostalgique.

Quelles sont ces femmes qui construisent les barricades? On en peut saisir quelques-unes à travers les procès des Conseils de guerre, qui nous sont parvenus, et qui les condamnent « pour avoir fait ou aidé à faire des barricades pour s'opposer à l'action de la force publique ».

1. *Bulletin Communal*, 3 Prairial, 79.
2. Vallès (Jules), *L'Insurgé*, p. 255.
3. Lissagaray, *Ibidem*, p. 50.
4. *Ibidem*.
5. Blanchecotte (Augustine), *Tablettes d'une femme...*, pp. 257-258.

Voilà Modeste Trochu, femme Mallet, marchande de vin, née en 1829 à Bourg-des-Comptes (Ille-et-Vilaine), qui, pour construire une barricade de la rue Saint-Jacques, distribue aux Fédérés des pioches que des agents de la voierie avaient déposées chez elle, et qui leur donne à boire, et qui plante un drapeau rouge sur la barricade et qui crie « Vive la Commune », et qui signale la boulangère, sa voisine, 346, rue Saint-Jacques, parce qu'elle a caché son mari « pour qu'il ne marche pas avec les autres [1] ». Et Joséphine Mimet, femme Bernard, ravaudeuse de bas, née en 1833 à Adilly (Deux-Sèvres), qui porte du café, nuit et jour, aux combattants des barricades, et qu'on a vue, un fusil à la main, rue Saint-Antoine [2]. Et Virginie Lenordez, femme Vathonne, crémière, née en 1823 à Saint-Pierre-Église (Manche), qui a poussé son fils à se battre pour la Commune, travaille aux barricades de la rue des Charbonniers et de la rue d'Aligre, et interpelle les passants : « Votre pavé, Citoyen [3]. » Et la passementière Rosalie Gaillard, née en 1836 à Saint-Gervais-les-Bains (Savoie), qu'on a vue, toute la journée du 23 et toute la nuit du 23 au 24, coudre des sacs de terre dans le jardin de la tour Saint-Jacques [4]. Et Élodie Duvert, femme Richoux, née à Toulouse en 1826, qui tient un petit restaurant, rue Saint-Honoré-Chevalier. Élodie Richoux est d'une famille bourgeoise. Son mari, ingénieur civil, a été tué pendant la campagne d'Italie, son frère est artiste peintre à Meudon. « Courage! mes enfants, crie-t-elle à ceux qui construisent la barricade au coin de sa rue et de la rue Bonaparte, courage, dépêchez-vous, nous viendrons à bout de ces cochons de Versaillais! » Et elle va, avec des Fédérés, enfoncer la porte du libraire, M. Repos, dont les livres servent de matériaux de construction. Elle apporte de la nourriture aux combattants et un matelas pour qu'ils puissent se reposer [5]. Et la plumassière, Eugénie Dupin, veuve Léger, née en 1836 à Bussy-Saint-Georges (Seine-et-Marne), qui a poussé son amant à servir la Commune et

1. A. N. BB 24, 765, 7603, S. 72.
2. A. N. BB 24, 746, 3960, S. 72.
3. A. N. BB 24, 787, 779, S. 73.
4. A. N. BB 24, 735, 837, S. 72.
5. A. N. BB 24, 753, 5271, S. 72.

aidé à construire la barricade de la rue Ténier [1]. Et Alphon-
sine Blanchard, dite la Paysanne, journalière, née en 1844,
à Saint-Jean-de-la-Ruelle (Loiret), qui, le fusil en bandoulière, travaille à la construction de la barricade de la rue de
Lyon et force les passants à déposer leur pavé [2]. Et Célina
Chartrus, veuve Godefroy, née en 1832, à Agen, garde-
malade, qui, armée d'un revolver, apporte des pavés
pour la barricade de la rue de Meaux [3]. Et Joséphine
Courtois, veuve Delettra, couturière, qui n'est plus jeune,
puisqu'elle est née en 1820, à Laroche (Haute-Savoie),
et qui a déjà combattu à Lyon, en 1848, où on l'avait
surnommée « la reine des Barricades », et qui n'a rien perdu,
malgré les années, de sa foi révolutionnaire. On l'a vue
fréquenter les clubs de la Boule Noire et de l'église Saint-
Bernard, et maintenant, armée d'un fusil, une écharpe
rouge sur sa robe, elle réquisitionne les tonneaux vides
du sieur Gallier pour construire la barricade à l'angle de
la rue Doudeauville et de la rue Stephenson. Elle distribue
des cartouches et en fait même porter aux combattants
par sa petite fille [4]. Autour d'elle, on voit d'autres femmes :
parmi elles Marie Cartier, née Lemonnier, apprêteuse
de neuf, née en 1833, à Rainfreville (Seine-Inférieure),
que nous avons vue, comme membre du Comité de Vigilance du 18e arrondissement, signer avec Louise Michel
une pétition pour obtenir des écoles professionnelles et des
orphelinats laïcs. Elle aussi roule les tonneaux de M. Gallier
pour construire la barricade [5]. Et voici encore Jeanne-
Marie Quérat, femme Jobst, née à Guignen (Ille-et-
Vilaine), en 1824, mariée à un employé de la Caisse d'Épargne : elle fréquentait le club Saint-Nicolas-des-Champs
et a engagé son fils à se battre dans les rangs de la
Commune [6]. Et Madeleine Billault, veuve Brulé, née en
1820 à Châtellerault, marchande de chaussures, qui
distribue des pelles et des pioches aux Fédérés, les engage
à réquisitionner les voitures d'un entrepreneur de démé-

---

1. A. N. BB 24, 798, 62, S. 74.
2. A. N. BB 24, 782, 12096, S. 72.
3. A. N. BB 24, 748, 4540, S. 72.
4. A. N. BB 24, 778, 11072, S. 72.
5. A. N. BB 24, 758, 6120, S. 72.
6. A. N. BB 24, 799, 981, S. 74.

nagement, et porte des ordres au milieu des balles [1]. Et Marguerite Fayon, journalière, née en 1835 à Coren (Cantal), dont l'amant est sous-lieutenant de la Garde fédérée et membre du Comité de Vigilance, et qui, au plus fort des combats, va porter des cartouches aux défenseurs des barricades [2]. Et Marie-Augustine Gaboriaud, née en 1835, à Ardelay (Vendée), qu'on appelle dans le quartier « la Capitaine », et qui est la « compagne » d'un tailleur de pierre, Jules Chiffon, capitaine au 121e bataillon fédéré. Ceinte d'une écharpe rouge, armée d'un revolver, elle l'entraîne aux barricades du pont d'Austerlitz et du boulevard Mazas, organise une ambulance et introduit les Fédérés dans une maison pour défendre la barricade de l'avenue Daumesnil [3]. Et Eugénie Rousseau, femme Bruteau, coiffeuse, née à Warcq (Ardennes) en 1826, qui appelle ses voisins aux barricades, nettoie les fusils, les lave pour les refroidir, les recharge, les rapporte aux combattants et va sous la mitraille ramasser les fusils des morts. D'un chiffon rouge, elle a fait un drapeau, commencé la barricade du coin de la rue Myrrha et de la rue Poissonnière et y reste jusqu'à la fin. Lorsque tout le monde est désespéré, elle crie encore, elle, son espoir : « Voilà que Dombrowski arrive! Nous sommes sauvés! Vive Dombrowski! Vive la Commune [4]! »

Une remarque s'impose. Ces femmes, dans une proportion notable, sont toutes d'origine provinciale. Pour les hommes, la proportion est moindre, mais tout de même très importante : l'insurrection parisienne de 1871 a été faite par des provinciaux. Il y a sans doute plusieurs explications à ce paradoxe. Ces hommes et ces femmes, qui ont rompu leur lien avec leur village pour venir à Paris, ont fait preuve, dans leur vie privée, d'une volonté de renouvellement, d'un esprit d'aventure, qui les poussent également à rejoindre les rangs de la Révolution sociale. Sans doute aussi sont-ils moins intégrés à la vie traditionnelle de la cité. Les sédentaires forment toujours la masse des conservateurs. Les paysans le prouvent assez.

1. A. N. BB 24, 798, 60, S. 74.
2. A. N. BB 24, 738, 1493, S. 72. A. G. IV, 62.
3. A. N. BB 24, 775, 10096, S. 72.
4. A. N. BB 24, 737, 1149, S. 72, et BB 27, 107-109.

Ces hypothèses mériteraient sans doute bien d'autres recherches.

Les Versaillais avancent lentement, prudemment. Ils ont appris à leurs dépens, depuis deux mois, que ces va-nu-pieds se battent avec courage. Ils préfèrent les tourner à les attaquer de front. Tout de suite, les soldats de M. Thiers montrent que la lutte sera sans merci : à la caserne de Babylone, seize Fédérés faits prisonniers sont immédiatement passés par les armes et les obus versaillais mettent le feu au ministère des Finances. Les pompiers de la Commune éteignent ce premier incendie [1].

Coude à coude avec leurs hommes, les femmes se battent : inorganisées pour la plupart, venues là parce que leur mari ou leur amant sont engagés dans la lutte, ou parce que l'on élève une barricade au bout de leur rue. Mais, de son côté, le comité de *l'Union des Femmes pour la défense de Paris* s'est réuni une dernière fois, le 21 mai, à la mairie du 4e arrondissement, sous la présidence de Nathalie Lemel. Sur l'ordre de la Commune, elles partent, drapeau rouge en tête, défendre les Batignolles [2]. Cent vingt femmes tiennent la barricade de la place Blanche et font échec, pendant plusieurs heures, aux troupes du général Clinchant. A 11 heures seulement, exténuées et manquant de munitions, elles reculent et celles qu'on saisit sont massacrées sur place [3]. Parmi elles, tomba la modiste Blanche Lefebvre, du Comité directeur de *l'Union des Femmes*, qui « aimait la Révolution comme on aime un homme ». Les survivantes se replient sur la place Pigalle, où elles tiennent encore pendant trois heures. Les dernières se retirent alors sur la barricade du boulevard Magenta. « Pas une ne survécut. C'est un des nombreux épisodes de cette barricade devenue légendaire », note Lissagaray [4].

Nathalie Lemel s'était repliée des Batignolles sur la place Pigalle, où elle avait planté le drapeau rouge. Il ne semble pas qu'elle ait fait le coup de feu. Elle soigne les blessés et exhorte les Fédérés à la résistance. « Sa figure

1. Clémence (A.), *L'amnistie au Parlement*, p. 74.
2. A. G. IV, 688.
3. Lissagaray, *Huit journées...*, p. 61.
4. *Ibidem*, p. 63.

m'a frappé, dit un témoin, car elle était seule âgée au milieu d'un groupe de jeunes filles, toutes armées de fusils et portant des brassards d'ambulancières ainsi que des écharpes rouges. » Élizabeth Dmitrieff, de son côté, jette au comité du 11ᵉ arrondissement un ultime ordre : « Rassemblez toutes les femmes et le comité lui-même et venez immédiatement pour aller aux barricades [1]. » On la trouve avec Louise Michel, à Montmartre, avec Frankel, au faubourg Saint-Antoine. Louise Michel tient le cimetière Montmartre avec une cinquantaine d'hommes du 61ᵉ bataillon. Bientôt, ils ne sont plus que vingt, que quinze et se retirent sur la barricade de la chaussée Clignancourt. Tout à coup des gardes nationaux arrivent : « Venez, nous ne sommes plus que trois », leur crie Louise Michel. Mais ce sont des Versaillais. Ils la saisissent et la rejettent dans la tranchée de la barricade. Quand elle se relève, à demi assommée, ses camarades ont disparu. Les Versaillais fouillent les maisons : « Je ne voyais plus qu'une barrière possible et je criais le feu devant eux. Le feu! le feu [2]! »

Il faut ici poser nettement la question des incendies, dont les témoins et les historiens bourgeois ont imputé toute la responsabilité aux communards. Ces incendies ont eu, en réalité, plusieurs causes. D'abord, les obus incendiaires et les bombes à pétrole lancés par l'armée de Versailles, depuis le début d'avril. De nombreuses maisons de Paris et de la banlieue furent ainsi brûlées, pendant le second siège de Paris, par les obus des amis de l'ordre et de la propriété. Sans doute ceux-là sont-ils de « bons » incendies, regrettables, certes, mais faits de guerre normaux. Certains incendies de la dernière semaine de mai sont attribuables également à des agents bonapartistes, qui s'efforçaient d'effacer ainsi des traces compromettantes pour le personnel de l'Empire. Il est curieux, en effet, de constater que les communards, ces « partageux », ne s'attaquèrent pas aux maisons des « riches », que les communards, ces anticléricaux, ne brûlèrent pas les églises. Mais que disparurent dans les flammes des édifices

1. A. G. VI, 683.
2. Michel (Louise), *La Commune*, p. 266.

comme la Cour des comptes, le Conseil d'État, ou le ministère des Finances qui contenaient les archives de la gestion impériale [1]. Peut-être aussi des particuliers espéraient-ils toucher de fortes indemnités.

Mais ces réserves faites, il est certain que les Fédérés portent une grande part de responsabilité dans les incendies de Paris. « Fièvre obsidionale », « folie du désespoir », « vandalisme révolutionnaire », c'est vite dit et un peu court. En fait, les Versaillais tiraient à l'abri des maisons, jusqu'à ce que les insurgés eussent brûlé leurs dernières munitions. Ils s'avançaient alors au pas de course et fusillaient les défenseurs : c'est pour obvier à cette tactique que les Fédérés incendiaient les maisons voisines des barricades. Ils obligeaient ainsi les Versaillais à venir à découvert. Marx justifie la Commune qui « employa le feu strictement comme moyen de défense, pour interdire aux troupes de Versailles les avenues qu'Haussmann avait expressément ouvertes pour le feu de l'artillerie ». Il s'agissait pour les Fédérés « de couvrir leur défaite, de même que les Versaillais ouvraient leur marche par des obus qui détruisaient au moins autant de bâtiments que la Commune [2] ». D'ailleurs, les Fédérés ne recoururent à l'incendie que lorsque les Versaillais commencèrent à massacrer en masse les prisonniers, ce qui conférait à la lutte son caractère définitif et inexpiable.

Mais il y a aussi autre chose. Si la défense de la rue Royale ou de la rue de Lille exigeait l'incendie des maisons voisines des barricades, aucune raison d'ordre militaire ne justifie l'incendie des Tuileries, par exemple, et il faut recourir à une autre explication. C'est Benoît Malon qui nous la donne : « Il était permis au peuple de Paris, à ce peuple magnanime, qui, depuis un siècle, sacrifie l'élite de chacune de ces générations pour le progrès du monde, à ce peuple qu'on massacrait en ce moment même pour sa foi républicaine... de brûler le Palais des Rois [3]. » Lissagaray renchérit : « Les flammes irritées semblaient

---

1. Pelletan (Camille), *Le Comité central*, pp. 162-166, cité dans Bourgin (Georges), *La Commune*, p. 174, note 3.
2. Malon (Benoît), *Troisième défaite...*, p. 410. Marx (Karl), *La Guerre Civile...*, p. 65.
3. Malon (Benoît), *Ibidem*, p. 432.

se dresser contre Versailles et dire au vainqueur rentrant
à Paris qu'il n'y retrouverait plus sa place et que ces
vastes monuments de la monarchie n'abriteraient plus
de monarchie. » Et il ajoute cette opinion qui fait frémir
les archéologues, mais qui se justifie, si l'on croit encore
à la force des symboles : « Peuple ou roi, le souverain,
quel qu'il soit, ne pardonne jamais aux symboles de
l'ennemi. Ainsi au xvie siècle et en 89, la royauté et la
bourgeoisie ne furent en repos que lorsque les nids de
pierre de la féodalité eurent été détruits et ramenés au
ras du sol [1]. »

Sur les lieux des incendies, à la Légion d'Honneur,
rue Royale, aux Tuileries, on arrêta des femmes mêlées
aux Fédérés. Contribuèrent-elles aux incendies? Le mythe
des pétroleuses correspond-il à une réalité? C'est ce que
nous discuterons plus loin.

Malgré des défenses locales acharnées, les Versaillais
avancent peu à peu. Au coin de la rue Racine et de l'École
de Médecine, la barricade est tenue par des femmes [2].
Rue du Pot-de-Fer, des femmes combattent. Rue Mouffe-
tard, des femmes ramènent au combat un maréchal des
logis qui s'enfuyait [3]. Place du Panthéon, les femmes
préparent les fusils. Les hommes tirent [4]. La barricade
de la place du Château-d'Eau exerce une sorte de fasci-
nation. Un étudiant en médecine anglais, qui a installé
auprès une ambulance, raconte : « Juste au moment où
les gardes nationaux se mettaient en retraite, survint un
bataillon de femmes qui s'avançait au pas de course et
commença à tirer aux cris de « Vive la Commune ». Elles
étaient armées de la carabine Snider et tiraient admirablement. Elles se battaient comme des démons... » Cin-
quante-deux furent tuées sur le champ. Parmi elles, une
jeune fille d'une vingtaine d'années, habillée en fusilier
marin, « rose et charmante avec ses cheveux noirs bouclés »
et qui se battit toute la journée : Marie M., dont on sait
du moins le prénom au milieu de toutes ces mortes ano-

---

1. Lissagaray, *Huit journées*, p. 93.
2. Lissagaray, *Histoire de la Commune...*, p. 340.
3. Allemane (Jean), *Mémoires d'un Communard*, pp. 130-131.
4. Blanchecotte (Augustine), *Tablettes d'une femme...*, p. 274.

nymes, qui ne seront jamais dénombrées [1]. Notre étudiant anglais poursuit : « Une pauvre femme se débattait dans une charrette et sanglotait amèrement. Je lui offris un verre de vin et un morceau de pain. Elle refusa en disant : « Pour le peu de temps que j'ai à vivre, cela n'en vaut pas la peine. » La femme est saisie par quatre soldats qui la déshabillent. Un officier l'interroge : « Vous avez tué deux de mes hommes. » La femme se mit à rire ironiquement et reprit d'un ton rude : « Puisse Dieu me punir pour n'en avoir pas tué plus. J'avais deux fils à Issy, ils ont été tués tous deux. Et deux à Neuilly. Mon mari est mort à cette barricade et maintenant faites de moi ce que vous voudrez... » Je n'en entendis pas davantage, je m'éloignai en rampant, mais pas assez tôt pour ne pas entendre le commandement de « Feu », qui m'apprit que tout était fini [2]. » On pourrait multiplier les anecdotes de ce genre. Un ennemi de la Commune, Arsène Houssaye, nous rapporte qu'une fille, bien connue rue Richelieu et place du Palais-Royal, fut arrêtée, un revolver à la main, dans une maison d'où étaient partis deux coups de feu. Elle nia d'abord. Et puis tout à coup : « Eh bien oui, c'est moi qui ai tué. » « Jusque-là, dit Arsène Houssaye, on n'avait vu en elle qu'une fille échevelée, gorge flottante, traînant une robe de soie flétrie, avec des verroteries aux oreilles et aux doigts. Mais ce fut le commencement de sa transfiguration, cet accent de fierté qu'elle reprit après tant de jours d'humiliation... Oui, c'est moi, reprit-elle, et j'aurais voulu tuer d'un seul coup tous les Versaillais, puisqu'ils ont tué mon amant. Et je n'ai qu'un regret, c'est de n'en avoir tué qu'un et si je pouvais recommencer, je recommencerais. Quelques minutes plus tard, on la fusillait contre la grille de la colonnade du Louvre [3]. »

Mais la répression n'atteint pas seulement les combattants et les combattantes pris les armes à la main ou qui revendiquent hautement la responsabilité de leurs actes. Elle frappe au hasard. Toute femme pauvre est suspecte. Bien davantage encore, si elle porte un cabas, une bou-

1. Malon (Benoît), *Troisième défaite...*, p. 461.
2. *Ibidem.* Lissagaray, *Huit journées de mai*, 27 mai.
3. Houssaye (Arsène), *Les Comédiens sans le savoir*, cit. dans Alméras (Henri), *La vie parisienne pendant le Siège et sous la Commune*, pp. 519-522.

teille. C'est une « pétroleuse », et on l'exécute sur place aux cris furieux de la foule. Une femme reconnaît son mari parmi les Fédérés arrêtés. Elle veut lui parler. Un coup de crosse la jette sur le trottoir. Son enfant roule dans le ruisseau [1]. Le mari de Marguerite Tinayre, qui ne s'est pas mêlé à l'insurrection, est fusillé sans jugement. Auprès des fosses communes où l'on entasse les Fédérés, la douleur est une preuve de complicité. Une femme qui pleure est une « femelle d'insurgé [2] ». « Quant aux femmes fusillées, on les traitait à peu près comme les malheureux Arabes des tribus insurgées. Après les avoir tuées, on les dépouillait, agonisantes encore, d'une partie de leurs vêtements et quelquefois l'insulte allait plus loin, comme au faubourg Montmartre et sur la place Vendôme, où des femmes furent laissées nues et souillées sur les trottoirs [3]. » On arrête même des partisans de Versailles, comme cette femme du monde qu'un député de l'Assemblée nationale retrouva par hasard parmi les prisonnières arrêtées comme « pétroleuses [4] ».

Les prisonniers, les prisonnières qu'on envoyait à Versailles en longue file, passaient sous les injures, les sarcasmes, les coups d'une foule déchaînée. Des femmes se traînaient, exténuées, s'appuyant sur leur voisin. Mais d'autres marchaient, la tête haute, comme cette jeune fille, dont parle un correspondant du *Times* : « La foule l'accablait de ses outrages. Elle ne sourcillait pas et faisait rougir les hommes par son stoïcisme [5]. » Les femmes du monde frappaient les prisonniers de leurs ombrelles. Mon arrière-grand-mère, prise dans la foule, s'écria « les pauvres gens »! « Taisez-vous, Madame, lui dit quelqu'un, « ils » vous emmèneraient vous aussi. » Maxime du Camp lui-même s'indigne [6]. *Le Figaro* est un peu gêné. Mais il se console en pensant que ces femmes insurgées sont toutes des prostituées et n'ont droit, comme telles, à aucune pitié [7].

1. Vuillaume (M.), *Cahiers rouges*, I, p. 78, note 1.
2. Lissagaray, *Histoire de la Commune*, p. 382.
3. Lissagaray, *Huit journées...* p. 170.
4. *Ibidem*, pp. 297-298, note 5, et *Histoire de la Commune*, pp. 526-527.
5. *Times*, 29 mai.
6. Du Camp (Maxime), *Les Convulsions de Paris*, II, 419.
7. Lissagaray, *Huit journées...*, p. 202.

Échappée de justesse à sa barricade, Louise Michel avait changé sa jupe trouée de balles, emprunté une capeline pour avoir l'air « le plus bourgeois possible » et était retournée à son école, rue Oudot, où elle habitait avec sa mère. La concierge lui apprend que les Versaillais sont venus la chercher et ont arrêté sa mère à sa place. Folle de douleur, elle court au poste de police le plus proche. « Elle est au bastion 37, lui dit le chef, mais elle doit être fusillée à l'heure qu'il est. » Louise se précipite au bastion, aperçoit sa mère dans la cour et se livre à sa place. Elle retrouve des membres du Comité de Vigilance de Montmartre, du club de la Révolution et des Fédérés du 61e bataillon. Près d'elle, on fusille un inconnu, qu'on a pris pour Mégy. Peu importe, on n'en est pas à un mort près. Arrive le général de Galliffet. « C'est moi qui suis Galliffet, crie-t-il. Vous me croyez bien cruel, gens de Montmartre. Je le suis plus encore que vous ne pensez. » Alors, Louise Michel, qui n'a rien perdu de son insolence, chantonne : « C'est moi qui suis Lindor, berger de ce troupeau. » Les prisonniers éclatent de rire. « Tirez dans le tas », crie Galliffet furieux. Mais, las de tuer, les soldats ne tirent plus.

On rassemble les prisonniers. Louise Michel, qui a un incontestable tempérament de poète, a évoqué ce départ et cette longue marche dans la nuit. « On marchait, bercé par le pas régulier des chevaux s'en allant dans la nuit éclairée par place de lueurs rouges... C'était bien l'inconnu, une brume de rêve où nul détail n'échappait. » On fait descendre les prisonniers dans le ravin de la Muette : « Des rayons de lune glissaient entre les pieds des chevaux sur cet étroit chemin où nous descendions. » « Que pensez-vous ? » lui demande un soldat. « Je regarde », lui répond-elle [1]. Puis, c'est Versailles, Satory.

Elle y retrouve Malvina Poulain, Béatrix Excoffon, qui avait été trois fois mise en joue et qui, depuis quatre jours, couchait dans la cour sur les cailloux [2]. Il y avait là une vieille religieuse, qui avait donné à boire à un Fédéré blessé, une femme abrutie qui ne savait pas si elle

---

1. Michel (Louise), *La Commune*, pp. 295-300.
2. *Ibidem, Récit de Béatrix Excoffon.* p. 407.

avait été arrêtée par la Commune ou par les Versaillais, une sourde-muette qui avait crié, disait-on : « Vive la Commune! » Chaque jour, on dit à Louise Michel qu'elle sera fusillée le lendemain : « Comme il vous plaira », répond-elle.

Ces nuits de Satory sont comme des cauchemars. On a enfermé les femmes dans une sorte de grenier. « Sur le plancher serpentaient de petits filets argentés formant des courants entre de véritables lacs, grands comme des fourmilières et remplis, comme les ruisselets, d'un fourmillement nacré. C'étaient des poux [1]... » Dans la cour, on entasse les prisonniers sous la pluie, couchés dans la boue. De temps en temps, on tire sur eux, au hasard. Parfois, on appelle des noms et des hommes se lèvent. On leur donne une pelle avec laquelle ils doivent creuser leur propre fosse.

Béatrix Excoffon, Louise Michel passent devant une commission mixte qui les interroge. Désespérée d'être sans nouvelles de ses enfants et pour disculper sa mère, Béatrix se charge de tout ce dont on l'accuse. « Malheureuse, lui dit un gendarme, vous allez vous faire fusiller [2]. »

Quant à Louise Michel, elle répond avec insolence. Oui, elle était à l'affaire de la Villette, oui, à l'enterrement de Victor Noir, oui, à la manifestation du 31 octobre, oui, à celle du 22 janvier; et pendant la Commune, elle était aux bataillons de marche. On trie « les meneuses », Louise Michel, Eulalie Papavoine, Victorine Gorget, une quarantaine de femmes que l'on envoie à la prison des Chantiers, puis à la maison de correction de Versailles. Au bout de quinze jours, elles ont droit à une botte de paille pour deux, une boîte de conserve pour quatre. On punit les récalcitrantes, en les attachant pendant plusieurs heures « au poteau », nous dit une institutrice, Mme Hardouin, qui fut arrêtée sur des ragots, puis acquittée [3].

Tout sert de prison. A la gare de l'Ouest, on a entassé huit cents femmes. Pendant des semaines, elles ne peuvent changer de linge. Les gardes les frappent, surtout aux

1. *Ibidem*, p. 306.
2. *Ibidem*, p. 409.
3. Hardouin (Mme C.), institutrice, *La détenue de Versailles en 1871.*

seins. Des femmes avortent, d'autres deviennent folles [1].
Les forts, les pontons regorgent de prisonniers. Plus d'un
millier moururent de faim et de mauvais traitements.

On reconnut officiellement que trente mille Fédérés
avaient disparu dans la lutte. D'autres disent cent mille.
Comme pour la Saint-Barthélemy, on ne saura jamais
exactement le nombre des victimes de « la semaine de mai ».

1. Lissagaray, *Histoire de la Commune*, p. 401.

XII

Y eut-il des pétroleuses?

Les femmes contribuèrent-elles aux incendies de Paris?
Y eut-il des « pétroleuses »? J'avoue qu'arrivée au point
culminant de mon sujet, je n'en sais rien et que tout ce
que je puis faire, c'est d'apporter les pièces de mon dossier
et de les discuter objectivement.

Les adversaires de la Commune accusèrent des femmes
d'avoir participé à l'incendie de Paris : « Tout était prêt.
Les bonbonnes de pétrole étaient à portée, et des hommes
et des femmes apostés pour répandre l'huile et faire du
2e arrondissement un brasier. L'arrivée de Versailles a
été tellement subite qu'elle a déconcerté ce beau plan. »
Ces détails, affirme un journaliste, il les tient d'un capitaine
des « Vengeurs[1] ». Une petite fille de huit ans, arrêtée
au moment où, disait-on, elle allait jeter du pétrole dans
une cave, aurait dit qu'il y avait dans Paris, huit mille
pétroleuses embrigadées par Ferré. Elles formaient dans
chaque quartier des escouades commandées par des sergents et caporaux féminins, chargées de mettre le feu au
fur et à mesure que les troupes de Versailles pénétraient dans
Paris. La presse versaillaise donne bien d'autres détails :
des affichettes, portant la mention B.P.B. (bon pour brûler)
et une tête de bacchante, auraient été collées sur les immeubles que l'on devait incendier. On parlait d'œufs de pétrole
munis de capsules à la nitroglycérine, de ballons porteurs
de matières incendiaires. On avait arrêté, disait-on, une
vivandière dont le barillet contenait deux litres de pétrole.
Rue des Vinaigriers, on avait trouvé, chez deux femmes,

1. *L'Avant-Garde*, 27 mai 1871.

une trentaine d'œufs au pétrole. Au pétrole, on ajouta
bientôt le vitriol, aux « pétroleuses » les « vitrioleuses »,
chargées par la Commune de défigurer les officiers et les
soldats versaillais [1].

Peu importait la vraisemblance. *Le Figaro* affirmait que
l'on avait arrêté, à Montmartre, une femme et une petite
fille qui, pendant une heure, avaient jeté du pétrole dans
les caves : la preuve, c'est que leur boîte à lait était encore
pleine de pétrole [2]. *La Patrie* rapportait que l'on avait
trouvé, faubourg Saint-Germain, le squelette calciné d'une
pétroleuse, la pipe à la bouche : la preuve, c'est que ses
vêtements étaient encore imbibés de pétrole : « On suppose
que c'est le feu de la pipe qui aura déterminé cette com-
bustion », expliquait savamment le journal. Mais ce qu'il
n'expliquait pas, c'est comment des vêtements imbibés
de pétrole avaient subsisté sur un squelette calciné [3].

Dans cette hystérie collective, on voyait partout des
pétroleuses. Il suffisait, dans les quartiers occupés par les
Versaillais, que des femmes fussent pauvres, mal vêtues,
qu'elles portassent un cabas, une bouteille, une boîte à
lait. Au coin de la rue de Rivoli et de la rue Castiglione,
la foule s'ameutait autour d'une femme que venaient
d'arrêter deux artilleurs. On l'accusait d'avoir jeté une
bouteille de pétrole sur le ministère des Finances, qui
brûlait depuis plusieurs jours. Deux gendarmes l'abat-
tirent [4].

Des centaines de femmes — qui en saura jamais le
nombre? — furent ainsi exécutées sur place. Maxime Du
Camp lui-même fait justice de ces légendes : « Dès la matinée
du 24, écrit-il, Paris fut pris de folie. On racontait que des
femmes se glissaient dans les quartiers déjà délivrés par
nos troupes, qu'elles jetaient des mèches soufrées par les
soupiraux, versaient du pétrole sur le contrevent des
boutiques et allumaient partout des incendies. Cette
légende excusée, sinon justifiée, par l'horrible spectacle
que l'on avait sous les yeux, était absolument fausse;

1. Lissagaray, *Les huit journées…*, pp. 248-253, et *Hisoire de la Commune*,
p. 392.
2. Lefrançais, *Souvenirs*, p. 568.
3. Lissagaray, *Les huit journées…*, p. 253.
4. *Ibidem*, p. 97.

nulle maison ne brûla dans le périmètre occupé par l'armée française. » Et il cite à l'appui le témoignage du colonel Hofmann, de la Légation des États-Unis, qui écrit, le 26 mai : « Le pétrole est la folie du moment. De paisibles ménagères bouchent les ouvertures des caves donnant sur le trottoir, sous le prétexte ridicule que des bandes de femmes rôdent par les rues, jettent du pétrole dans les caves, puis y mettent le feu [1]. »

De leur côté, les partisans de la Commune ont nié absolument l'existence des pétroleuses. Louise Michel : « Les légendes les plus folles coururent sur les pétroleuses. Il n'y eut pas de pétroleuses. Les femmes se battirent comme des lionnes, mais je ne vis que moi criant le feu! le feu! devant ces monstres [2]. » Lissagaray, répondant en 1897 à une enquête de la *Revue Blanche* sur la Commune (son ton ironique et désabusé est bien différent de celui de *L'Histoire* et des *Huit Journées...*), affirme cependant avec force : « Quant aux pétroleuses, c'étaient des êtres chimériques, analogues aux salamandres et aux elfes. Les Conseils de guerre ne parvinrent pas à en exhiber une [3]. » Et Karl Marx, dans une interview au *New York Herald* du 3 août 1871, précisant les rapports entre l'*Internationale* et la Commune, déclare que si elles ont travaillé ensemble, puisqu'elles combattaient le même ennemi, il est absurde de dire que les chefs de l'insurrection agissaient sur les ordres reçus du Comité central de l'*Internationale* de Londres. Au sujet des pétroleuses, il ajoute : « Cette histoire est une des plus abominables machinations qu'on ait jamais inventées dans un pays civilisé. Je suis sûr que pas une femme, pas un enfant ne pourrait être accusé, avec la moindre apparence de preuve, d'avoir répandu du pétrole dans des maisons, ou d'avoir essayé d'incendier quelque chose; et cependant on en a fusillé des centaines pour cela et déporté des milliers à Cayenne. Tout ce qui a pu être brûlé, l'a été par des hommes. » Le reporter du *New York Herald* répond : « Je dois dire que j'en suis aussi convaincu. Je n'ai encore jamais rencontré une seule personne qui

1. Du Camp (Maxime), *Les Convulsions de Paris*, II, pp. 401-403.
2. Michel (Louise), *La Commune*, p. 274.
3. Lissagaray, *Histoire de la Commune*, pp. 533-534.

ait réellement vu une femme ou un enfant avec du
pétrole [1]. »

De tout cela, que reste-t-il? Je crois qu'il faut distinguer
deux cas : l'incendie, arme de guerre, moyen de défense
des Fédérés contre les Versaillais, qui attaquaient avec
tous les moyens d'une armée régulière et qui massacraient
sans pitié les insurgés faits prisonniers; les incendies, qui
auraient été perpétrés dans les quartiers déjà occupés
par l'armée de Versailles. Pour les seconds, attribués précisément à ces fameuses « pétroleuses », il semble bien qu'il
s'agisse d'un mythe, dont l'un des calomniateurs les
plus virulents de la Commune, Maxime Du Camp, a fait
lui-même justice. Il s'agit là, sans doute, d'une de ces
manifestations de peur collective, comme on en rencontre
parfois dans l'histoire : grande peur de 1789, ou tout
récemment encore, terreur de la fin du monde, qui poussait les foules indiennes vers les sanctuaires.

Mais les incendies de Paris, au cours de la lutte armée,
posent un autre problème. Ils furent allumés au cours
des combats, et par des combattants. Il n'y a aucune
raison de penser que les femmes, qui participèrent à la
construction et à la défense des barricades, ne contribuèrent pas aussi aux incendies. Nous avons lu dans les
statuts de *l'Union des Femmes pour la défense de Paris
et les soins aux blessés* la petite phrase suivante : « Art. 14 :
Les sommes qui resteront après l'administration seront
utilisées... à l'achat de pétrole et d'armes pour les citoyennes
qui combattront aux barricades; le cas échéant, la distribution d'armes se fera par tirage au sort [2]. » Il est difficile
d'admettre, comme l'ont fait certains historiens animés
de je ne sais quelle hypocrite pudeur, que le mot « pétrole »
accolé au mot « armes » n'a ici qu'un sens domestique,
pétrole anodin pour allumer les lampes familiales. Il est
plus vraisemblable de penser que l'on avait envisagé le
pétrole, comme l'ultime moyen de défendre la Commune.

Le rôle de *l'Union des Femmes*, que ce texte permet de
supposer, se trouve confirmé par la déposition de Barral

---

1. *Deux Interviews de Karl Marx sur la Commune*, p. M. Rubel, dans
le *Mouvement Social*, mars 1962.
2. *La Sociale*, 20 avril, et A.G. Ly 23.

de Montaud, dans l'*Enquête parlementaire sur le 18 mars*.
Je sais bien que Barral de Montaud était un triste sire.
Agent de Versailles, il avait réussi à se faire nommer chef
de la 7ᵉ légion fédérée. Par l'intermédiaire d'une femme
extrêmement suspecte, Marie Leroy, maîtresse du membre
de la Commune Raoul Urbain, il avait téléguidé l'une des
mesures les plus discutables de la Commune, la proposition
de fusiller immédiatement des otages, en représaille de
l'assassinat d'une ambulancière [1]. Mais ce côté odieux de
l'agent secret ne doit pas nous faire rejeter absolument
son témoignage, alors qu'il corrobore les statuts de l'*Union
des Femmes*. Selon Barral de Montaud, l'*Internationale*
n'a pas été étrangère aux incendies de Paris, « puisqu'elle
agissait au moyen du Comité des Femmes. Si elle n'a pas
donné l'ordre d'incendie, elle a fourni les moyens d'exécution, car, je le répète, c'est le Comité des Femmes, dépen-
dant de l'*Internationale*, qui a tout fait [2]. »

C'est là donner beaucoup trop d'importance à l'*Internationale*, qui ne représentait qu'une des tendances de la
Commune, et à l'*Union des Femmes*, qui était bien loin de
contrôler l'activité de toutes les combattantes. La plupart
des procès, ou des dossiers de grâce, ne signalent que très
rarement l'appartenance des accusées à l'*Union des
Femmes*. Et à quelques exceptions près, Nathalie Lemel,
Élizabeth Dmitrieff, nous ne retrouvons pas le nom des
accusées dans les listes d'adhérentes à l'*Union*, qui nous
sont parvenues. Et l'on a l'impression que les Conseils
de guerre se sont donné beaucoup de mal pour retrouver
des « pétroleuses », sans grand résultat.

Éliminons d'abord une affaire de droit commun, dont
on a voulu faire un procès politique, selon un procédé
d'amalgame bien connu. Il s'agit d'une certaine Marie-
Jeanne Moussu, femme Gourier, blanchisseuse, née le
4 août 1829 à Bourg (Haute-Marne) [3]. « La femme Moussu
est le type le plus parfait qu'on puisse rêver de ces ignobles
créatures des faubourgs qui, on le sait, fournirent aux
Communeux de puissants auxiliaires pour brûler Paris »,

1. Lissagaray, *Histoire...*, p. 286.
2. *Enquête Parlementaire sur l'insurrection du 18 mars 1871*, II, pp. 362-364.
3. A.N. BB 24, 731, 5412, S. 71.

lit-on dans *la Gazette des Tribunaux* (23 septembre 1871). Mais tout de suite, le rédacteur ajoute : « Ce qu'il y a de singulier dans le cas de la Moussu, c'est qu'elle s'est rendue coupable du fait dont on l'accuse, non au moment de l'entrée des troupes dans Paris, mais longtemps après, le 19 juin, quand tout était terminé. » Voilà, en effet, qui est singulier. Cette pétroleuse à retardement devait être ou bien entêtée, ou bien fanatique, ou bien étrange. Or, elle déclara avoir tenté d'incendier la maison où elle croyait qu'habitait son amant, pour se venger de lui. On peut bien la croire. On ne relève en tout cas aucun indice permettant de déceler une intention de caractère politique. C'est une affaire de droit commun, sans rapport avec la Commune, pour laquelle Marie-Jeanne Moussu fut condamnée à mort.

Avec l'incendie des Magasins du Tapis rouge, le 25 mai, nous retrouvons des faits de guerre. Les Fédérés avaient juré de mourir plutôt que de se rendre, et leur commandant, Brunel, avait donné l'ordre de détruire le magasin, dont les flammes devaient élever une barrière devant l'ennemi. On accusa de complicité deux femmes, une concierge, Louise-Frédérique Noël, femme Bonnefoy (née à Paris, en 1827) et une couturière en ombrelles, Jeanne-Victorine Laymet (également née à Paris, en 1840). Jeanne Laymet était séparée de son mari, un certain Roubert, et vivait depuis dix ans avec un agent d'affaires, Ernest Levieux, dont elle avait eu un enfant. Les deux femmes, qui s'entendaient fort bien, avaient témoigné d'un grand attachement à la Commune, travaillèrent à la construction des barricades, et offrirent leurs fenêtres aux Fédérés pour qu'ils pussent tirer à l'abri. On les accusa aussi d'avoir participé à l'incendie du « Tapis rouge », mais le IVe Conseil de guerre ne retint pas cette charge. Elles furent condamnées à la déportation dans une enceinte fortifiée et à la dégradation civique, pour « avoir provoqué au massacre, pillage, dévastation des propriétés et participé à la construction des barricades [1].

Une cuisinière, Eugénie Chilly, femme Desjardins, dite

---

1. A.N. BB 24, 748, 4503, S. 72, et 733, 89, S. 72. *Gazette des Tribunaux*, 1er octobre.

la Picarde, fut accusée d'avoir apporté du pétrole sous ses
jupons et dans ses poches, à son amant, l'ouvrier terrassier
François Bufferne, garde national de la 6e compagnie du
184e bataillon fédéré, pour incendier la Préfecture de
Police. On la condamna à vingt ans de travaux forcés [1].

Tout cela est menu fretin. Restent deux affaires beaucoup plus importantes autour desquelles Maxime Du Camp,
et autres plumitifs, ont accumulé toutes leurs injures et
brodé des calomnies lyriques. Ce sont des bacchantes ivres,
des Messalines hystériques qui dansent autour d'un
spahi, « le diable noir », une ronde de sorcières infernales.

Après les procès des membres de la Commune et du
Comité central, vient, le 3 septembre 1871, celui des
« Pétroleuses ». Le mardi 22 mai, Eudes et Mégy, avec le
135e bataillon de Belleville et les Enfants Perdus, avaient
occupé la rue de Lille, la rue Solférino, la Légion d'Honneur et la Cour des comptes. Le combat contre les Versaillais s'engagea et c'est comme moyen de défense que
les Fédérés mirent le feu à la Légion d'Honneur et à une
partie des maisons de la rue de Lille. Parmi les combattants,
on voyait quelques femmes, que l'on arrêta après coup :
Élizabeth Rétiffe, Joséphine Marchais, Eugénie Suétens,
Eulalie Papavoine, Lucie Maris, femme Bocquin. Deux
autres échappèrent aux recherches, une certaine Mme Masson, qui semble avoir joué un rôle important, et une fille
toute jeune, qui ramassait les blessés [2].

Ces femmes allaient et venaient, servaient à boire et
à manger aux insurgés. Elle étaient armées pour la plupart,
et portaient des écharpes rouges, ou avaient revêtu le
costume de la Garde nationale. L'une, très grande, fit le
coup de feu à la barricade de la rue de Bellechasse. On en
vit une autre rouler un tonneau de pétrole contre la porte
de l'hôtel, 6, rue de Bellechasse. Elles tenaient, disent les
témoins, « des propos épouvantables » et forçaient les
Fédérés à rester aux barricades. « Aucune de ces femmes,
ajoute l'acte d'accusation, n'ignorait les desseins des
insurgés, puisqu'elles criaient à tue-tête : « Il faut que
Paris saute. » En vain, elles repoussent toute participation

1. A.N. BB 24, 780, 11441, S. 72. A.G. IV, 639.
2. A.G. IV, 21.

à l'émeute et à l'incendie et cherchent à se donner un rôle sublime rempli de charité et de dévouement. Ce qu'elles ne peuvent nier, c'est qu'elles ont avec connaissance aidé les bandits des Enfants Perdus et du 135e bataillon fédéré et qu'elles les ont assistés dans leurs exploits criminels [1]. »

Ce furent de pauvres femmes, bien incapables de se défendre, qui comparurent devant ce tribunal de militaires.

Élizabeth Rétiffe, cartonnière, trente-neuf ans, était née à Vézelise (Meurthe) [2]. Pendant sept ans, elle vécut fidèlement avec un chef cantonnier de Paris, qu'elle quitta parce qu'il l'avait battue. Dans un moment de misère, elle avait porté ses vêtements au Mont-de-Piété. Dès lors, elle vit seule de son maigre salaire. Pendant le siège, les cartonnières sont en chômage. Élizabeth Rétiffe doit accepter l'aide que la ville de Paris fournit aux indigents : une livre de pain et 60 centimes. Cependant, malgré sa pauvreté, elle trouve le moyen de payer son terme régulièrement [3]. Bien qu'elle eût été condamnée, en 1853, à vingt jours de prison pour s'être battue avec une femme et, en 1855, à 16 francs d'amende, pour injures à un agent, elle est aimée dans son quartier de la rue du Temple « pour sa douceur, sa probité et ses bons rapports avec tout le monde », atteste le commissaire de police. Dans les premiers jours de mai, une voisine, Eulalie Papavoine, l'engage à suivre le 135e bataillon fédéré de Belleville comme cantinière. Elle accepte, parce qu'elle n'a pas de quoi vivre. Mais elle devient vite ambulancière « parce que ça lui faisait trop de peine de voir les malheureux blessés. » Devant le tribunal militaire, elle confirme : « J'aurais ramassé aussi bien un soldat de Versailles qu'un garde national [4]. » Au Palais de la Légion d'Honneur, on l'a aperçue vêtue d'une camisole blanche, portant une écharpe rouge et un fusil en bandoulière, mais on ne l'a pas vue s'en servir. « Elle s'occupait de la nourriture, de porter de la boisson aux barricades, dit un témoin, et de ramasser

---

1. *Ibidem.*
2. A.N. BB 24, 730, 3975, S. 71.
3. A.G. IV, 21, Témoignage de son propriétaire Verry.
4. *Gazette des Tribunaux*, 4-5 septembre 1871.

les blessés. » « Je faisais le premier pansement pour les envoyer à la Charité », confirme-t-elle.

— Vous n'avez pas roulé de tonneau de pétrole? lui demande le président.

— Non.

Et, en effet, les témoins, qui la reconnaissent, « ne lui ont rien vu faire d'extraordinaire [1] ».

La couturière Eulalie Papavoine est née à Auxerre, en 1846. Elle n'a pas « d'antécédents judiciaires ». Depuis deux ans, elle vit avec un ouvrier ciseleur, Ernest Balthazar, dont elle a eu un enfant. Ernest Balthazar est garde national au 135ᵉ bataillon, et elle l'a suivi, comme ambulancière, à Neuilly, à Issy, à Vanves, à Levallois-Perret, puis à la Légion d'Honneur, partout où le bataillon s'est battu. Par conviction? On ne sait. Peut-être simplement parce qu'une femme doit suivre son homme et que c'est là une morale élémentaire. On avait organisé une ambulance, rue Solférino, où se trouvaient encore des victimes de l'explosion de l'avenue Rapp. Eulalie Papavoine ramassait les blessés, les conduisait à l'ambulance pour un premier pansement, puis les accompagnait à l'hôpital de la Charité. « J'étais à la Charité, quand la Légion d'Honneur commença à brûler, dit-elle. J'en suis restée saisie. J'ai bien vu les tonneaux de pétrole mais je n'y ai touché en rien [2]. »

— Vous vous doutiez bien qu'on allait incendier quelques bâtiments, demande le président, pourquoi n'avez-vous pas abandonné ces misérables?

— Je voulais suivre le sort de mon amant.

— Pourquoi, demande encore le président, êtes-vous restée quand le bataillon se sauvait?

Et la pauvre Eulalie Papavoine, couturière, trouve ce mot tout simple et tout sublime :

— Nous avions des blessés et des morts [3].

Rien ne prédisposait Lucie Maris, femme Bocquin, née à Choisel (Seine-et-Oise), en 1843, journalière, à servir la Commune. Les juges du Conseil de guerre n'y comprennent rien. C'était, en effet, une femme « tranquille », qui avait

1. *Ibidem.*
2. *Ibidem.*
3. *Ibidem.*

épousé un ouvrier « honnête et laborieux », et qui avait un enfant. Sa conduite était des plus « régulières » et, dans le quartier, on la considérait comme une ouvrière travailleuse, « d'un caractère doux et obligeant pour ses voisins [1] ». Respectueuse des lois et de la morale, elle ressemblait donc plutôt à une candidate aux prix de vertu qu'à une militante de la subversion sociale. Mais son mari la quitta pour s'engager dans l'armée. Elle fit connaissance d'un certain Marcelin Dubois, garde au 135e bataillon fédéré. Le crime commença avec l'adultère. C'est ainsi que Lucie Bocquin se trouva, le 22 et le 23 mai, à la Légion d'Honneur, où elle ramassa, sur la barricade, le cadavre de son amant.

Avec Joséphine Marchais, avec Eugénie Suétens, nous trouvons des figures plus conformes aux schémas réactionnaires, qui exigent que les révoltés politiques soient toujours des repris de justice, gibiers de sac et de corde qui ne posent pas de problème aux soutiens d'un ordre social si bien fait.

Joséphine Marchais, journalière, n'a pas laissé à Blois, où elle est née, une bonne réputation. Et pas davantage à Charonne, où elle habite. Elle fut condamnée à six mois de prison pour vol; sa mère à cinq ans d'emprisonnement et dix ans de surveillance pour excitation à la débauche, sa sœur Madeleine fut enfermée dans une maison de correction jusqu'à vingt ans, puis condamnée pour vol à trois mois de prison [2]. Avec une telle famille, on sait tout de suite à quoi s'en tenir : ces réprouvés ne pouvaient que participer à la Commune. Dès le mois de mars, Joséphine Marchais entre comme vivandière au bataillon des Enfants Perdus, où se trouve son amant, un garçon boucher, Jean Guy. « Le titre de vivandière des Enfants Perdus indique tout d'abord de quoi peut être capable la nommée Marchais... », déclare l'acte d'accusation. Coiffée d'un chapeau tyrolien et armée d'un fusil, on l'accuse d'avoir participé au pillage de l'hôtel du comte de Béthune, d'avoir tenu des propos épouvantables, d'avoir excité à combattre les gardes nationaux. (« Tas de traîtres, allez donc vous battre, leur

1. A.N. BB 24, 730, 3975, S. 71.
2. A.G. IV, 21, et A.N. BB 24, 764, 7519, S. 72.

criait-elle. Moi, si je me fais tuer, je veux en tuer auparavant »), d'avoir ramené sur la barricade son amant
Jean Guy, qui voulait déserter. Un témoin déclare qu'elle
lui a paru plus dangereuse que les Enfants Perdus eux-
mêmes. Mais personne ne l'a vue déposer du pétrole.
Joséphine Marchais nie tout : elle est allée seulement, rue
de Lille, reporter aux Fédérés du linge qu'ils lui avaient
donné à laver [1].

Sur Léontine Suétens, blanchisseuse, née à Beauvais,
en 1846, nous sommes assez bien renseignés. Sa mère
appartenait à une famille d'ouvriers « honnêtes et tran-
quilles ». Mais son père, tailleur d'habits, manifestait des
opinions « avancées » et il quitta Beauvais pour s'installer
à Paris, en 1848. Avec un père pareil, il n'est pas étonnant
que Léontine Suétens ait été condamnée pour vol, en
1867, à un an d'emprisonnement. De plus, Léontine Suétens
vit en concubinage, depuis six ans, il est vrai, avec un
ciseleur, Aubert, sergent-major au 135e bataillon. Dès les
premiers jours de la Commune, elle est entrée au régiment
comme cantinière et a participé à tous les combats, à
Neuilly, Issy, Vanves, Levallois-Perret, où elle fut blessée
deux fois [2]. Armée d'un fusil Chassepot et portant une
écharpe rouge, on l'a vue dans la cour de la Légion d'Honneur. Elle portait à boire aux combattants, ramassait les
blessés et aurait participé à la construction des barricades.

Elle admit avoir reçu des denrées : trois bouteilles de
vin, des bougies, du sucre, du beurre, des sardines, ce qui
n'est après tout que le ravitaillement normal des troupes
en campagne. Mais le pétrole?

— Je n'ai jamais mis la main au pétrole.

— Vous avez reçu de l'argent?

— J'ai reçu 10 francs pour payer les ambulancières.

Mais le président a une autre idée en tête :

— Nous supposons, au contraire, que c'était pour vous
encourager à faire ce qu'on vous avait commandé : c'est-
à-dire à mettre le feu [3].

Cette hypothèse ne reçoit aucune confirmation.

1. *Ibidem.*
2. A.G. IV, 21, et A.N. BB 24, 730, 3975, S. 71.
3. *Gazette des Tribunaux,* 4-5 septembre 1871.

Une femme n'est pas au banc des accusées : Mme Masson, qui semble avoir joué un rôle important. Une Mme Masson figure parmi les adhérentes au Comité de Jules Allix, mais pas à *l'Union des Femmes*. C'était une femme blonde de vingt-cinq ans environ, qui avait l'accent allemand (?), et portait l'écharpe rouge frangée d'argent de la Commune, et un brassard. Elle était armée d'une carabine et d'un revolver. C'est à elle qu'un commandant fédéré avait remis 60 francs pour payer les ambulancières et on la vit — elle seule — faire le coup de feu [1]. De l'interrogatoire de Mme Masson, on aurait peut-être appris davantage, car les autres accusées ne sont, de toute évidence, que des comparses.

De tout cela, que reste-t-il? Les témoins à charge sont formels. On n'a pas vu les accusées rouler de baril de pétrole. Elles s'occupaient de la cuisine et des soins aux blessés. « Une fois les premiers pansements faits, elles venaient chez moi et je leur donnais à manger », dit un marchand de vin. Pourtant c'est lui qui a fait arrêter Élizabeth Rétiffe. Il la croyait donc coupable?

— De quoi?

— De l'insurrection.

— Et des incendies aussi?

— Nullement.

— Qui a mis le feu? insiste le président.

— Je ne sais. Pour moi, elles ne sont pas coupables à cet égard.

— Je sais bien que vous n'avez pas vu ces femmes, des torches à la main. Mais je vous demande votre impression. Vous n'avez pas vu de pétrole?

— Non [2].

Une couturière reconnaît les cinq accusées. Elle les a vues passer avec des fusils en bandoulière. Mais elles n'ont rien fait « d'extraordinaire ». Elles faisaient la cuisine et soignaient les blessés [3].

Tout cela déplaît fort au président. « Il est extraordinaire qu'il soit si difficile de faire parler les témoins »,

---

1. A.G. IV, 21.
2. *Gazette des Tribunaux*, 6 septembre.
3. *Ibidem*.

constate-t-il. Peu importe d'ailleurs. Il faut faire des exemples. On en fera.

Le capitaine Jouenne commence son réquisitoire. Tout de suite, le capitaine élève les débats à des hauteurs vertigineuses. C'est la civilisation même qui est en cause. « L'horrible campagne commencée, le 18 mars dernier, contre la civilisation par des gens qui ne croient ni à Dieu, ni à la Patrie, ainsi que l'avait proclamé Jules Vallès, un des leurs, devait amener devant vous non seulement des hommes oublieux des devoirs les plus sacrés, mais encore, et en grand nombre, hélas, des créatures indignes qui semblent avoir pris à tâche de devenir l'opprobre de leur sexe et de répudier le rôle immense et magnifique de la femme dans la société. »

Et quel est donc ce rôle magnifique? La femme «légitime», objet de nos affections, de nos respects, toute dévouée à sa famille, dont elle est le guide et la protectrice, doit exercer son influence sur l'homme pour le maintenir dans le respect de ses devoirs sociaux.

« — Mais si, désertant cette sainte mission, son influence, changeant de caractère, ne sert que le démon du mal, elle devient une monstruosité morale; alors la femme est plus dangereuse que l'homme le plus dangereux. »

Encore que ces couturières, ces journalières, ces blanchisseuses ne puissent guère passer pour des victimes de la culture, c'est le procès de l'instruction des femmes que fait le capitaine Jouenne.

« — Si elles étaient illettrées, on pourrait peut-être les plaindre en les maudissant; mais, parmi ces femmes — et je me reproche de leur donner ce nom — nous en trouvons qui ne peuvent appeler à leur secours la misérable ressource de l'ignorance... Alors que des esprits élevés — et nous devons les seconder avec ardeur — réclamaient cet important bienfait de l'instruction populaire, quelle amère déception pour eux, pour nous! Parmi les accusées, nous verrons des institutrices. Celles-ci ne pouvaient pas prétendre que la notion du bien et du mal leur était inconnue. »

Tout cela, c'est la faute de l'émancipation des femmes :

« — Et voilà où conduisent toutes les dangereuses utopies, poursuit le capitaine Jouenne, l'émancipation des femmes, prêchée par des docteurs, qui ne savaient pas quel pouvoir

il leur était donné d'exercer, et qui, aux heures des soulève-
ments et des révolutions, voulaient se recruter de puissants
auxiliaires. »

Quelles rêveries ridicules, en effet, ne leur a-t-on pas
proposées?

« — N'a-t-on pas, pour toutes ces misérables créatures, fait
miroiter à leurs yeux les plus incroyables chimères, des
femmes magistrats, membres du barreau! Oui, des femmes
avocats, députés, peut-être, et que sait-on, des comman-
dants? des généraux d'armée? Il est certain qu'on croit rêver
en présence de pareilles aberrations! »

Après avoir flétri, comme il convient, ces pernicieuses
doctrines et ces anticipations invraisemblables, le capitaine fait le procès de toutes les femmes de la Commune :
des oratrices des clubs (« ces héroïnes de l'immoralité, du
vol et de l'incendie qui, dans la chaire de nos temples, ont
substitué à la parole de l'Évangile, la propagande du crime »)
aux institutrices laïques (« qui, profanant la pureté de
l'enfance, ont usurpé dans les écoles les fonctions vénérées
des sœurs de charité »), et nommément à cette « femme
Michel », qui remplaçait les cantiques par *la Marseillaise*
et *le Chant du Départ*, et dont le procès sera d'une extrême
importance.

Mais quittons ces généralités pour en revenir aux faits,
à ces malheureuses, qu'on a un peu oubliées dans leur box,
et qui ne semblent guère avoir été contaminées par les
principes de l'émancipation des femmes ou par un excès
d'instruction. Le capitaine Jouenne trouve, dans tous les
témoignages entendus, la preuve de leur présence parmi les
insurgés (ce qui est vrai), de la part active qu'elles ont
prise à l'insurrection (ce qui est vraisemblable), de leur
participation au pillage (du beurre, des sardines) et aux
incendies (ce qui n'est pas du tout prouvé).

Me Thiroux plaide pour Élizabeth Rétiffe :

« — Je cherche une insurgée, je trouve une femme couverte par la neutralité de Genève. Je cherche une voleuse,
je trouve une femme qui paie son terme, même pendant le
siège : petite preuve d'une grande probité... Je cherche
la complice d'un assassinat, je trouve une ambulancière
ramenant les blessés. Je cherche une pétroleuse et je ne
vois dans ses mains ni feu ni pétrole. »

Pour Léontine Suétens, le maréchal des logis Bordelais, qui remplace l'avocat défaillant, « s'en rapporte à la sagesse du Conseil ». Joséphine Marchais est défendue également par un militaire, le lieutenant Guinez, qui occupe « la place désertée par les membres du barreau ». Ils ont refusé de « tendre la main à ces parias de la société », constate-t-il. Le lieutenant Guinez est vraiment un honnête homme et fait ce qu'il peut pour sauver l'accusée dont il assume la défense. C'est la misère qui est cause de tout.

« Je me demanderai où, dans notre temps de corruption, va la femme pauvre quand elle n'a plus de pain? » Quels emplois, quel travail, peut-elle trouver? « Des jeunes gens qui n'ont pas la force de porter le mousquet, des hommes que j'accuse et que je flétris, tiennent une foule d'emplois que les femmes pourraient avantageusement remplir et ne craignent pas de leur enlever le pain de chaque jour. » C'est la pauvreté donc, qui les a poussées à se joindre aux insurgés. « Pitié, Messieurs, conclut-il, ce sont des femmes... Vous écouterez ma prière, c'est la prière d'un soldat. »

Ces quelques mots « dits avec une simplicité et une chaleur toute militaire provoquent dans l'auditoire des murmures d'approbation », note le rédacteur de la *Gazette des Tribunaux*.

Me Haussmann, qui plaide pour Eulalie Papavoine, ne retient contre sa cliente que sa participation aux barricades et la soustraction de trois mouchoirs. Il ne trouve, dans son cas, aucune preuve de participation à l'incendie. Pour Lucie Bocquin, dont il remplace l'avocat absent, il sollicite tout simplement l'acquittement.

Mais ce n'est pas l'avis du Conseil de guerre. Le jugement est terrible. Élizabeth Rétiffe est condamnée à mort. Joséphine Marchais, à mort. Léontine Suétens, à mort. Eulalie Papavoine, à la déportation dans une enceinte fortifiée. Lucie Bocquin, à dix ans de réclusion.

Léontine Suétens et Joséphine Marchais pleurent. Élizabeth Rétiffe reste impassible [1].

Victor Hugo éleva sa grande voix pour défendre les insurgés, qu'il considère comme des combattants révolutionnaires et non comme des criminels de droit commun [2].

1. *Ibidem.*
2. Victor Hugo, *Depuis l'exil*, 1871-1876, pp. 17-18.

Il demande donc la vie pour Rossel, pour Ferré, pour tous les insurgés de la Commune et pour ces trois malheureuses femmes, Marchais, Suétens et Papavoine : « L'une d'elles est mère et devant son arrêt de mort, elle a dit (c'est Hugo qui lui prête sa voix) : « C'est bien; mais qui est-ce qui nourrira mon enfant? » Et l'auteur des *Misérables*, qui n'est pas seulement un grand écrivain, mais aussi un homme bon et généreux (deux adjectifs aujourd'hui ridicules et passés de mode), enchaîne : « Toute la plaie sociale est dans ce mot... Ainsi, voilà une mère qui va mourir et voilà un petit enfant qui va mourir aussi par contre coup. Notre justice a de ces réussites. La mère est-elle coupable? Répondez oui ou non. L'enfant l'est-il? Essayez de répondre oui [1]. »

L'intervention de Hugo fut-elle décisive? ou bien les juges de la Commission des grâces hésitèrent-ils devant le manque de preuves, toujours est-il que ces peines de mort furent commuées en travaux forcés à perpétuité avec transportation à la Guyane [2].

Une seconde affaire de « pétroleuses » attira l'attention du public, le 16 avril 1872, lorsqu'il commençait à se lasser. Il s'agissait, cette fois, de trois femmes accusées d'avoir participé aux incendies de la rue Royale, de la place de la Concorde et des Tuileries.

Maxime Du Camp, une fois de plus, nous a laissé de Florence Wandeval, d'Anne-Marie Menand et d'Aurore Machu, des descriptions délirantes : « Trois sinistres femelles animaient, enfiévraient les hommes, embrassaient les pointeurs et faisaient preuve d'une impudeur qui ne redoutait pas le grand jour [3]. » Il les accuse d'avoir versé le pétrole et de s'être livrées à d'obscènes bacchanales au milieu des maisons en flammes. « La Machu, la Menan, la Vandeval, en sueur, les vêtements débraillés, la poitrine presque nue, passaient d'homme en homme et parfois criaient : A boire!... etc. » Tel est le ton. A quoi le commandant fédéré Brunel répond tranquillement : « L'apparition

---

1. *Ibidem*, p. 16.
2. *Gazette des Tribunaux*, 15 décembre. A.N. BB 24, 730, 3975, S. 71.
3. Du Camp (Maxime), *Convulsions de Paris*, III, pp. 113-114.

dans nos rangs de scélérats sans vergogne, de femmes quasi nues, de pétroleuses-Messalines, qui, comme les furies de la fable, réchauffaient les courages et soufflaient l'incendie, est une invention qui, aussi bien, s'explique. Avec de tels moyens, le tableau s'enlaidit et le lecteur, hors de lui, conserve dans son esprit des figures fantastiques qui le préparent à souhait pour une restauration monarchique [1]. »

Essayons cependant d'y voir un peu plus clair. Les dossiers des Conseils de guerre et de la Commission des grâces nous le permettront peut-être, dans leur sécheresse.

Le lundi 22 mai 1871, vers 4 heures du matin, le bataillon fédéré, conduit par le commandant Brunel, tenta de rallier le général Eudes, au Corps Législatif. Ils fortifièrent avec des canons les barricades de la rue Royale et du faubourg Saint-Honoré. Le combat dura jusqu'au mardi, à midi. Craignant alors d'être encerclés, les Fédérés élevèrent une barrière de flammes entre eux et les Versaillais. Parmi les combattants se trouvaient des femmes. Les unes étaient vêtues d'uniforme de marin ou de garde national et armées de fusils; les autres portaient le brassard de la Convention de Genève. Elles se battaient ou ramassaient les blessés. « Les femmes qui suivaient les Fédérés ont dû les aider dans tous les crimes qui ont été commis, car elles étaient plus exaltées que les hommes », dit un témoin [2]. On en arrêta trois, Aurore Machu, Florence Wandeval, Anne-Marie Menand. Tient-on enfin des « pétroleuses »?

Écartons tout de suite Aurore Machu, « pour qui il n'y a pas eu de crime avéré d'incendie » [3]. Vêtue en marin, cette femme pointait et tirait le canon, place de la Concorde. Lorsqu'elle n'était pas à sa pièce, on la voyait tranquillement assise sous la voûte du ministère de la Marine. Ses camarades la portèrent, dit-on, en triomphe à l'Hôtel de Ville, où elle fut félicitée pour son adresse et son courage [4].

Avec Florence Wandeval, avec Anne-Marie Menand, nous trouvons des femmes qui furent peut-être mêlées de plus près aux incendies.

1. *Ibidem*, p. 122 et 481.
2. A.G. IV, 439, Témoignage d'Ignace Langlet.
3-4. A.G. IV, 439. A. N. BB 24, 762, 6976, S. 72.

Florence Wandeval était née à Berchem (Belgique) en
1848. Elle vint très jeune en France, et habita d'abord
Angers, qu'elle quitta, à dix-sept ans, pour s'installer à
Paris. Elle épousa un certain Baruteau, s'en sépara et
vécut avec un amant, Bled, rue Boulard, sous le nom
d'Amélie Maison. Journalière, elle fournit de bons certificats et n'a jamais été l'objet d'aucune condamnation.
Viennent la guerre et le siège. Florence Wandeval s'engage
comme ambulancière, au 107ᵉ bataillon de marche, où
son amant est sergent. Elle y reste pendant la Commune.
Devant le Conseil de guerre, elle déclare qu'elle soignait
les blessés et n'a jamais participé aux incendies : « Blessée
légèrement à la jambe, le mardi 23 mai, je fus réveillée
pendant la nuit, au moment où les débris du bataillon
Brunel allaient battre en retraite. Nous nous retirâmes
sur les quais. Le feu était alors aux Tuileries et les colonnes
de flammes s'élevaient du Palais. Par qui le feu avait-il
été mis, c'est ce que je ne saurais dire. Je pensais, comme
aujourd'hui, que l'incendie avait été allumé par les obus
qui tombaient de tous côtés. » Elle cherche non seulement à se disculper, mais à disculper ses camarades :
« J'affirme dans tous les cas que rien ne peut me faire
soupçonner les Fédérés d'être les auteurs de ce sinistre. »
Elle raconte encore comment leur petite troupe gagna les
Halles, puis se dispersa. Elle-même accompagna un
blessé, et alla chez un médecin pour l'aider. En route,
elle reçut une balle au sein droit [1]. Mais les témoins la
contredisent et leurs témoignages sont concordants. On
l'aurait entendue dire : « Je viens de f... le feu aux Tuileries.
Il peut venir un roi maintenant, il trouvera son château
en cendres. » Et encore : « Nous venons de mettre le feu
aux Tuileries et d'ici ce soir, il en brûlera bien d'autres...
Ce n'est que le peuple qui va régner. » C'est en sortant des
Tuileries qu'elle se serait blessée en traversant les grilles.
« Toi, tu es une brave », lui auraient dit ses camarades.
« Ah, répondit-elle, nous en verrons bien d'autres [2]! » Il faut
convenir que ces paroles ont un son d'authenticité, qui
ne trompe pas. Il semble bien que Florence Wandeval se

1. A.G. IV, 439.
2. *Ibidem.*

trouva parmi les Fédérés qui incendièrent les Tuileries.

Quant à Anne-Marie Menand, dite Jeanne-Marie (est-ce celle de Rimbaud?), on la connaissait dans le quartier de la Madeleine, sous le nom de « la femme au chien jaune ». C'est une pauvre créature sur laquelle Maxime Du Camp a pu s'acharner facilement : « Je n'ai jamais vu une laideur pareille à la sienne. Brune, l'œil écarquillé, les cheveux ternes et sales, le visage tout piolé de taches de rousseur, la lèvre mince et le rire bête, elle avait je ne sais quoi de sauvage, qui rappelait l'effarement des oiseaux nocturnes subitement placés au soleil... [1]. » On connaît le procédé : les défauts physiques (taches de rousseur incluses) indiquent une laideur morale correspondante, et deviennent la marque de la prédestination au mal. De même, mais inversement, les Vuillaume, les Vallès ne virent jamais, parmi les combattantes de la Commune, que de belles filles, jeunes, joyeuses et saines, ce qui est aussi absurde.

Mais tout ce que nous savons d'Anne-Marie Menand ne lui confère guère, en tout cas, le visage idéal de la militante révolutionnaire. C'était une Bretonne, née en 1837, à Saint-Séglin (Ille-et-Vilaine). Elle se disait cuisinière, mais quitta sa dernière place, en 1867, pour vendre des journaux dans les kiosques de la rue Royale et de la place de la Madeleine. En octobre 1870, elle s'en va à Vincennes vendre de l'eau-de-vie aux soldats. Mais elle est d'abord sa première cliente et on la voit ivre, souvent. Elle est aussi condamnée à six jours de prison pour avoir acheté des vêtements militaires. Après l'armistice, elle continue à vendre de l'eau-de-vie aux Prussiens, cette fois, comme elle le faisait aux soldats français, et à se prostituer à l'occasion. Quelques jours après la Commune, elle revient habiter Paris, rue Saint-Honoré, et travaille chez sa belle-sœur, qui tient une cantine, avenue de Wagram. Anne-Marie Menand n'a donc rien d'une militante. On ne la voit ni dans les clubs, ni à *l'Union des Femmes*. Et quand elle se trouve mêlée à la lutte, c'est parce que l'on se bat dans son quartier. Elle aide à panser les blessés que l'on transporte dans des ambulances improvisées, au 15 et au 25 de la rue Royale. Accompagnée d'un Fédéré, elle va réquisitionner du

---

1. Du Camp (Maxime), *Convulsions de Paris*, III, pp. 113-114.

linge, quêter de la nourriture et essaye de procurer aux
Fédérés des vêtements « bourgeois » pour qu'ils puissent
s'échapper. Mais elle a aussi un autre rôle. Elle va dans les
maisons que l'on doit incendier :

— On me fait dire de vous en aller.
— Pourquoi donc?
— Parce qu'on va mettre le feu.

Rue Boissy-d'Anglas :

— Je viens pour vous sauver, car on va mettre le feu
ici. Suivez-moi.

Et à un autre témoin réfugié rue Saint-Florentin :
— Ne craignez rien puisque je suis avec vous [1].

Tout cela prouve au Conseil de guerre qu'Anne-Marie
Menand connaissait les intentions des Fédérés. De là à
admettre qu'elle avait elle-même mis le feu, il n'y avait
qu'un pas, vite franchi. D'autant plus qu'on l'avait aussi
entendue dire : « C'est bien fait qu'on pille cette église (la
Madeleine). Ils l'ont bien mérité. » Et encore : « Nous serons
victorieux et nous brûlerons toutes les baraques des
riches. »

Elle fut donc condamnée à mort, mais sa peine commuée
en travaux forcés à la Guyane. Florence Wandeval et Aurore
Machu furent condamnées aux travaux forcés à perpétuité [2].

Une autre femme, Marie-Jeanne Bouquet, femme Lucas,
qui présidait le club Saint-Nicolas-des-Champs, aurait
montré à des Fédérés comment on fabriquait les cocktails
Molotov de l'époque : une bouteille de pétrole munie d'une
mèche : vingt ans de travaux forcés [3].

De sa prison, Anne-Marie Menand écrit au curé de la
paroisse Saint-Malo, à Dinan, pour se disculper de toutes
les accusations qui pèsent sur elle : « J'ai été arrêtée comme
tout le monde, puisque l'on arrêtait tout le monde, dans
les maisons, et partout... » Quant au directeur de la prison
d'Auberive, il ne reconnaît pas en Aurore Machu la Messa-
line décrite par Maxime Du Camp. C'est « une ouvrière
infatigable », une bonne élève à l'école, un caractère pusil-
lanime : « Machu se laisse facilement entraîner. Aussi cette

---

1. A.G. IV, 439, et A.N. BB 24, 744; 3312, S. 72.
2. *Gazette des Tribunaux*, 17 avril 1872.
3. A.N. BB 24, 746, 4082, S. 72.

malheureuse femme déplore amèrement sa faiblesse qui est la cause de sa condamnation. » Le directeur d'Auberive intercède donc pour elle : elle est veuve et mère de deux enfants sans soutien, il demande à plusieurs reprises la réduction de sa peine. Mais en vain [1].

Que reste-t-il donc des « pétroleuses »? Des femmes, qui, coude à coude avec les Fédérés, ont lutté pour la défense des barricades, ont relevé les blessés. Parmi celles dont les procès nous ont gardé les noms, seules Florence Wandeval et Anne-Marie Menand ont, peut-être, participé aux incendies. Mais certainement pas Élizabeth Rétiffe, Léonie Suétens, Joséphine Marchais, Eulalie Papavoine, Aurore Machu, qui furent cependant condamnées comme « pétroleuses », parce qu'il fallait bien des coupables et que l'on n'en trouvait pas. Mais ni Florence Wandeval, ni Anne-Marie Menand n'apparaissent comme des militantes de la Commune. On ne les rencontre ni dans les clubs, ni à *l'Union des Femmes*. Ce sont des isolées, mêlées par hasard aux combats.

Que fut donc la participation de *l'Union des Femmes* aux incendies de Paris? Y joua-t-elle effectivement un rôle? Seule la petite phrase des statuts qui met armes et pétrole sur le même plan pourrait en être l'indice. Mais nous n'avons aucune preuve que le projet se soit inscrit dans les faits. Les femmes de l'Union, qui moururent sur les barricades des Batignolles ou de la place Blanche, ont emporté avec elles leur secret.

1. A. N. BB 24, 762, 6976, S. 72.

XIII

L'exécution des otages

Pour répondre aux assassinats de Duval et de Flourens par l'armée de Versailles et essayer d'arrêter les exécutions de prisonniers, la Commune avait pris, le 5 avril, un décret sur les otages, qui décidait l'arrestation de toute prsonne prévenue de complicité avec le gouvernement versaillais et la création d'un jury d'accusation qui statuerait dans les quarante-huit heures. Tout accusé jugé coupable serait considéré comme otage. A toute exécution d'un prisonnier de guerre ou d'un partisan de la Commune, on répondrait par l'exécution d'un nombre triple d'otages [1]. Ce décret ne fut pas appliqué. Même pas lorsque la Commune apprit, le 17 mai, que les Versaillais avaient fusillé sur place une ambulancière dans des circonstances particulièrement révoltantes. Cependant, poussé inconsciemment par l'agent de Versailles, Barral de Montaud, et sa maîtresse, Marie Leroy, un membre de la Commune, Urbain, avait insisté pour l'application immédiate du décret d'avril. Mais aucun effet ne s'ensuivit : les membres de la Commune n'étaient nullement sanguinaires et redoutaient l'ombre d'une illégalité; ils comprenaient d'ailleurs qu'il était de l'intérêt du gouvernement de Versailles qu'ils se couvrissent les mains de sang [2].

Quand les soldats de l'armée régulière entrèrent dans Paris, le massacre des Fédérés commença immédiatement. Dès le 23 mai, pour venger la mémoire des généraux Lecomte et Clément Thomas, les soldats fusillèrent, rue

1. *Journal Officiel*, 6 avril.
2. *Procès-Verbaux de la Commune de 1871*, II, p. 388.

des Rosiers, 42 hommes, 3 femmes, 2 enfants pris au hasard. Quarante-sept victimes en hommage aux mânes de deux généraux : tel est le poids. Une femme refusa de s'agenouiller : « Montrez à ces misérables que vous savez mourir debout », dit-elle [1].

Aux Batignolles, place Clichy, sur les boulevards extérieurs, sur la place de l'Hôtel-de-Ville, partout les massacres continuèrent. Un promeneur très hostile à la Commune fait le compte des fusillés qu'il a rencontrés le 24 mai : quai d'Orsay, en face La Bourdonnais : 47 fusillés (9 femmes, 38 hommes); à la descente de l'Alma, 16 fusillés (5 femmes, 11 hommes); pont des Invalides, devant la manufacture de tabac : 8 fusillés (2 femmes, 6 hommes); devant l'esplanade des Invalides, 12 fusillés (1 femme, 11 hommes); pont de la Concorde, 2 fusillés; cour du Télégraphe, 10 tapissières de 40 fusillés par voiture : 400 cadavres; place de la Concorde, 2 femmes pour avoir tué un officier; en face du Conseil d'Etat et de la Légion d'Honneur, 60 fusillés (10 femmes, 50 hommes). Il ne s'agit là que d'un infime secteur de Paris et pour un seul jour [2].

C'est au cours de cette lutte inexpiable que les Fédérés exécutèrent à leur tour 84 otages [3]. Mais les exécutions de l'archevêque de Paris, de Jésuites, de Dominicains et du comte de Beaufort, considéré comme traître, pèsent plus lourd dans l'histoire que les milliers de meurtres anonymes perpétrés par les soldats de l'ordre : cordonniers, tailleurs de pierre, menuisiers, maçons, journalières ou couturières, mince gibier que l'histoire néglige. La tête de Mme de Lamballe au bout d'une pique compte bien plus dans la balance traditionnelle de l'histoire que le sacrifice de milliers d'inconnus. Les gens de bien s'indignent des premiers, mais tiennent les seconds pour négligeables. Les masses forment le vil matériel de l'histoire. Cent mille fantassins ne valent pas la mort d'un général.

Des femmes se mêlèrent à ces exécutions. Maxime Du Camp, une fois de plus, les accuse d'avoir poussé, excité

1. Lissagaray, *Histoire de la Commune*, p. 325.
2. A.N. AB XIX, 3353, dos. 10.
3. Lévêque (Pierre), *Le nombre des victimes de la Commune*, dans *L'Information Historique*, novembre-décembre 1960.

les hommes, d'avoir porté parfois les premiers coups.
L'un des acteurs de la Commune, Da Costa, exprime
le même avis [1]. Ainsi par une sorte d'antiféminisme latent,
adversaires et partisans de la Commune rejettent sur les
femmes la responsabilité des exécutions sommaires. En fait,
là aussi, il semble qu'elles ne furent que des comparses,
ni meilleures ni pires que les hommes qui les entouraient,
ni plus pitoyables, ni plus féroces qu'eux.

Le 29 juin 1872, le 6e Conseil de guerre condamna à
mort une femme, Marceline Expilly, femme Adolphe.
C'était une enfant abandonnée, déposée au tour de l'hos-
pice d'Auxerre, en novembre 1848. Elle fut élevée chez
les uns et chez les autres et épousa un enfant naturel,
abandonné comme elle aux hospices de Paris. Elle le quitta
d'ailleurs au bout de six mois. C'est sous le nom d'une de
ses amies, Amélie Célestine Clairiot, dont elle avait
emprunté l'identité pour trouver, disait-elle, une place
de domestique, qu'elle fut arrêtée et condamnée. Le 26 mai,
un homme vêtu d'une blouse blanche (le bruit courait
que les policiers étaient ainsi habillés) fut arrêté place de
la Bastille et conduit à la Petite Roquette. Un jugement
sommaire le condamna à mort et on l'emmena devant le
mur de la Grande Roquette pour le fusiller. Marceline
Expilly se trouvait dans la cour, un fusil en bandoulière,
et jouait, auprès de la fontaine, à jeter de l'eau au visage
des Fédérés. Demanda-t-elle réellement à commander le
peloton d'exécution? C'est ce que l'on ne sait et que
n'éclaircirent pas les débats. Elle-même prétendit qu'elle
n'était entrée à la Roquette que pour y retrouver son
amant. Quoi qu'il en soit, elle fut condamnée à mort
sous le nom de son amie, Amélie Clairiot, puis transférée
à la Guyane pour y accomplir une peine de travaux
forcés [2].

La cantinière Marguerite Lachaise, dont ses camarades
du 66e bataillon admiraient, comme nous l'avons vu, le
courage, fut jugée aussi, en janvier 1872. On l'accusait

---

1. Du Camp (Maxime), *Convulsions de Paris*, IV, p. 209. Da Costa
(Gaston), *La Commune vécue*, p. 474.
2. A.N. BB 24, 761, 6771, S. 72. A.G. VI, 549. *Gazette des Tribunaux*,
3 juillet 1872.

d'avoir participé au meurtre du comte de Beaufort. Curieux
personnage que ce comte authentique devenu capitaine
des Fédérés. Des soupçons planaient sur son loyalisme à
la Commune [1]. Le 66e bataillon le rendait responsable
des pertes qu'il avait subies, au cours de diverses sorties.
A la suite d'actes d'indiscipline, si fréquents dans l'armée
fédérée, on l'avait entendu dire : « Il faudra que je purge
ce bataillon. » Le 24 mai, Beaufort est arrêté, à l'instigation
de Marguerite Lachaise, par les gardes du 66e bataillon.
On conduit Beaufort au bureau du commandant Genton.
En entendant ses explications, Genton se déclare incom-
pétent pour poursuivre l'interrogatoire (les officiers de
Versailles, à ce moment même, ne prenaient pas tant
d'égard envers leurs prisonniers). Quelqu'un dit : « On ne
fusille pas un homme pour un propos. » Le vieux Delescluze, soutenu par deux ou trois membres de la Commune,
intervient également en faveur du prisonnier. A trois
reprises, il monte sur un banc pour tenter d'apaiser la
foule. Mais les cris continuent. « A mort, à mort! C'est
un traître. Il est noble et comte. Il ne peut être des nôtres
que pour nous trahir. Il faut le fusiller. » Marguerite
Lachaise aurait dit à Delescluze : « Si vous ne le faites pas
fusiller, je le fusillerai moi-même. »

Finalement la foule entraîna Beaufort dans un terrain
vague, au coin de l'avenue Parmentier et de la rue de la
Roquette. Un témoin prétend qu'il a entendu Marguerite
Lachaise dire : « C'est bien fait... Il n'y en a pas assez comme
cela... J'en pisse de joie. » Mais un autre affirme qu'elle a
joint ses prières à celles de Delescluze, qu'elle a demandé
un sursis de deux heures pour examiner les charges qui
pesaient sur Beaufort, et qu'elle s'est mise à pleurer quand
elle a vu que la foule l'emmenait pour le fusiller.

Devant ces témoignages contradictoires, on hésite à
dessiner le visage de Marguerite Lachaise. Qu'elle fût
brave, c'est certain. Elle l'a montré à Issy, à Meudon. Ses
camarades du 66e bataillon l'admiraient et demandèrent
pour elle une citation. Mais le courage peut se rencontrer
chez une mégère. Cependant des indices montrent que Marguerite Lachaise n'était pas la virago sans vergogne qu'un

1. Lissagaray, *Histoire*, pp. 338 et 532.

témoin a cru reconnaître en elle. L'après-midi du 24 mai, à la Roquette, le commandant Genton demanda des hommes du 66ᵉ bataillon pour exécuter l'archevêque de Paris et d'autres otages. Marguerite Lachaise entra à la Roquette, malgré l'opposition d'un capitaine du 207ᵉ bataillon :

— Vous savez bien que les femmes n'entrent pas ici.

— Je ne suis pas une femme, mais un homme, puisque je suis cantinière.

Et elle s'oppose à ce que « son » bataillon participe à l'exécution des otages :

— Ils ont déjà fusillé ce matin un officier fédéré, explique-t-elle. C'est trop. Je ne veux pas que « mon » bataillon passe pour un assassin.

Et elle sort de la Roquette, en emmenant les gardes du 66ᵉ. Cependant Marguerite Lachaise fut condamnée à mort pour avoir participé à l'exécution du comte de Beaufort, ce qui n'est guère prouvé. Elle fut, elle aussi, déportée à la Guyane [1].

Une jeune fille participa, dit-on, au massacre des Dominicains d'Arcueil (25 mai), que l'on accusait d'avoir livré le Moulin-Saquet aux Versaillais [2]. Une seule femme, Pauline Octavie Lecomte, femme Buffo, figure au procès parmi les quatorze accusés. C'est une couturière, femme d'un tailleur de pierre, garde au 101ᵉ bataillon fédéré. On ne retint contre elle d'autre charge que d'avoir trouvé dans son logement des petites cuillères portant le chiffre du Pavillon de l'Horloge. Elle répondit qu'elles lui avaient été données par sa fille, un an auparavant, et qu'elle ne croyait pas qu'elles eussent de la valeur. Pauline Buffo fut acquittée [3].

Le 26 mai, la foule acculée au désespoir par les massacres impitoyables des Versaillais, fait exécuter, rue Haxo, quarante-sept otages, malgré l'intervention de membres de la Commune. Là encore, les femmes s'en mêlèrent et les témoins accusèrent l'une d'elles d'avoir tiré la pre-

1. A.N. BB 24, 759, 6263, S. 72. *Gazette des Tribunaux*, 10-11 janvier 1872. Da Costa, *op. cit.*, II, p. 2.

2. Du Camp (Maxime), *op. cit.*, I, 299.

3. *Gazette des Tribunaux*, 14-18 février 1872.

mière [1]. Vallès nous rapporte la conversation qu'il eut
avec l'une de ces femmes qui criaient « A mort », dans la
foule. Elle avait une sœur qui fut subornée et abandonnée
enceinte par un vicaire. La cantinière qui donna le signal
de l'exécution était la fille d'un homme arrêté sous
l'Empire, sur la dénonciation d'un agent provocateur,
et qui était mort en prison. Ces femmes n'avaient, dit
Vallès, aucune idée sur « la Sociale », mais elles étaient là,
parce qu'elles avaient souffert de l'ordre établi [2].

Une femme fut condamnée aux travaux forcés à perpétuité, pour complicité dans le massacre de la rue Haxo,
Pauline Lise Séret, femme d'un sculpteur, Bourette, née à
Paris en 1825. On lui reprochait d'avoir fait de la propagande en faveur de la Commune, recherché les réfractaires, menacé un homme qui cachait deux agents de
police et poussé la foule au massacre des otages. Le commissaire du Gouvernement ajouta même qu'elle « avait
outragé les cadavres des victimes ». Bien qu'elle n'eût
« aucun antécédent judiciaire », et que les renseignements
recueillis sur elle par le commissaire de police lui fussent
favorables, on la considérait comme une « femme dangereuse ». Plus tard, à Auberive, elle se montra laborieuse,
soumise et « digne d'intérêt », selon le directeur de la
prison. Son mari, qui n'avait pas participé à la Commune,
fut cependant arrêté et devint fou sur les pontons [3].

Le 27 mai, tout est perdu. A la faveur du désordre, les
prisonniers de la Roquette prennent la fuite. Quatre
d'entre eux, Mgr Surrat, vicaire général de l'archevêché,
l'abbé Bécourt, le Père Houillon et un policier du nom de
Chaulieu sont arrêtés à une barricade du boulevard Voltaire, où des Fédérés se battent encore désespérément.
On les ramène à la Roquette. Une ambulancière, Marie
Wolff, femme Guyard, participe à l'exécution. C'est un
personnage des Mystères de Paris. Née à Bar-le-Duc,
en 1849, la chiffonnière Marie Wolff avait été condamnée
pour vol et vagabondage. Quelles misères, quelle rancœur,
quel désespoir vengeait-elle, quand elle s'écriait : « Si

1. Gazette des Tribunaux, 13 mars 1872.
2. Vallès (Jules), L'Insurgé, pp. 285-287.
3. A.N. BB 24, 782, 11788, S. 72.

vous ne les fusillez pas, je me charge de leur affaire [1]... »
Une blanchisseuse de son quartier, citée comme témoin,
la reconnaît formellement : « Elle portait un drapeau
rouge et une ceinture dans laquelle étaient passées des
armes. Elle était vêtue d'un caraco gris, d'une jupe grise
et d'un tablier bleu tout déteint. Elle était coiffée de ses
cheveux nattés et d'un filet, chaussée de souliers Godillot,
qu'elle a jetés plus tard, à Saint-Lazare, lorsqu'elle a vu
que je la reconnaissais pour avoir blanchi son linge trois
ou quatre fois, durant le siège. Je lui ai dit que ce qu'elle
faisait n'était pas beau et que cela ne lui porterait pas
bonheur. Elle m'a répondu en me menaçant de me faire
mon affaire en redescendant [2]... »

Elle fut condamnée à mort, le 24 avril 1872, et sa peine
fut commuée en travaux forcés à perpétuité [3].

Une servante d'auberge, Marie Cailleux, fut impliquée
dans la même affaire. Mais on ne retint contre elle que
d'avoir travaillé à la construction de la barricade du
Père-Lachaise et d'avoir fait le coup de feu. Elle fut
condamnée à la déportation en Nouvelle-Calédonie, où
elle se maria avec un déporté de la Commune [4].

---

1. A.N. BB 24, 759, 6314, S. 72, et 747, 4186, S. 72.
2. *Gazette des Tribunaux*, 24 avril 1872.
3. *Ibidem.*
4. A.N. BB 24, 759, 6314, S. 72 et 747, 4186, S. 72.

XIV

Les premiers rôles

On attendait avec curiosité le procès de Louise Michel, que les journaux appelaient « la nouvelle Théroigne », « l'inspiratrice », « le souffle révolutionnaire de la Commune ».

Elle comparut devant le 6ᵉ Conseil de guerre, le 16 décembre 1871. La curiosité des spectateurs ne fut pas déçue. Plus courageuse que la plupart des membres de la Commune, Louise Michel assume, devant les tribunaux et devant l'histoire, la responsabilité totale de ses actes. Vêtue de noir, elle relève son voile et regarde fixement ses juges, de ses grands yeux sombres que surmonte un front magnifique. Elle apparaît comme l'incarnation même de l'insurrection vaincue, de la révolution éternelle. L'avocat Haussmann l'assiste, mais elle entend se défendre elle-même, de tous les faits dont on l'accuse : complicité dans l'arrestation et l'exécution des généraux Lecomte et Clément Thomas, projet d'assassiner Thiers, organisatrice de *l'Union des Femmes* (ce qui est faux) et des Comités de Vigilance (ce qui est vrai), rédactrice du fameux appel : « Au nom de la Révolution sociale que nous acclamons... », présidente du club de la Révolution, professant devant ses élèves les doctrines de « la libre pensée », combattante « au premier rang » à Issy, à Clamart, à Montmartre et ralliant les fuyards, membre de l'*Internationale*, etc. A tout cela, l'accusation ne voit qu'un motif : l'orgueil. On évoque sa dureté de cœur (ceux qui la connaissaient l'appelaient « la bonne Louise »). « Sa mère manque peut-être de pain, mais qu'importe » (on sait quel amour attachait Louise Michel à sa mère et qu'elle se livra pour la délivrer). « Aussi coupable que

Ferré qu'elle défend d'une façon si étrange et dont la
tête, pour nous servir de ses expressions, est un défi jeté
aux consciences et la réponse, une révolution », elle a
excité les passions de la foule, prêché la guerre sans merci
et « louve avide de sang », provoqué la mort des otages
« par ses machinations infernales [1] ».

Cette fois, ce ne sont plus de pauvres femmes trem-
blantes, inconscientes, abruties par la misère, que les
officiers du Conseil de guerre ont devant eux, mais une
femme intelligente, ardente, d'accord avec elle-même.
Entre ses actes et ses pensées, nulle fissure. Tout ce qu'elle
a fait, elle l'a voulu entièrement.

— Je ne veux pas me défendre, je ne veux pas être
défendue. J'appartiens tout entière à la Révolution
sociale et je déclare accepter la responsabilité entière de
tous mes actes. Je l'accepte tout entière, et sans restric-
tion. Vous me reprochez d'avoir participé à l'assassinat
des généraux? A cela, je répondrais oui, si je m'étais
trouvée à Montmartre, quand ils ont voulu faire tirer sur
le peuple; je n'aurais pas hésité à faire tirer moi-même
sur ceux qui donnaient des ordres semblables. Mais lorsqu'ils ont été prisonniers, je ne comprends pas qu'on les
ait fusillés et je regarde cet acte comme une insigne lâcheté.

Quant à l'incendie de Paris, oui, j'y ai participé. Je
voulais opposer une barrière de flammes aux envahisseurs
de Versailles. Je n'ai pas de complices pour ce fait. (En
réalité, il ne semble pas que Louise Michel ait participé
à l'incendie de Paris, mais elle veut assumer toutes les
charges qui pèsent sur la Commune.)

On me dit que je suis complice de la Commune. Assuré-
ment oui, puisque la Commune voulait avant tout la
Révolution sociale et que la Révolution sociale est le plus
cher de mes vœux. Bien plus, je me fais honneur d'être
l'un des promoteurs de la Commune.

Mais la Commune n'est pour rien dans les assassinats
et les incendies, affirme Louise Michel.

— Pourquoi me défendrais-je? reprend-elle. Je vous l'ai
déjà déclaré, je me refuse à le faire. Vous êtes des hommes

---

1. *Gazette des Tribunaux*, 17 décembre. A.G., VI, 135. A.N. BB 24,
882, 4922, S. 76.

qui allez me juger; vous êtes devant moi à visage découvert; vous êtes des hommes, et moi, je ne suis qu'une femme, et pourtant je vous regarde en face. Je sais bien que tout ce que je pourrai vous dire ne changera en rien votre sentence.

Et elle jette fièrement au visage des juges militaires :

— Nous n'avons jamais voulu que le triomphe des grands principes de la Révolution. Je le jure par nos martyrs tombés sur le champ de Satory, par nos martyrs que j'acclame ici hautement et qui, un jour, trouveront bien un vengeur. Encore une fois, je vous appartiens. Faites de moi ce qu'il vous plaira. Prenez ma vie, si vous la voulez. Je ne suis pas femme à vous la disputer un instant.

Alors commence l'interrogatoire. Lorsqu'elle a appris l'exécution des généraux Lecomte et Thomas, elle a dit : « On les a fusillés. C'est bien fait. » Elle approuve donc ces assassinats?

— Ce n'est pas une preuve, répond-elle. Les paroles, que j'ai prononcées, avaient pour but de ne pas arrêter l'élan révolutionnaire.

Elle collaborait à des journaux qui réclamaient la confiscation des biens du clergé et autres mesures subversives.

— En effet. Mais nous n'avons jamais voulu prendre ces biens pour nous. Nous ne songions qu'à les donner au peuple pour augmenter son bien-être.

Elle a demandé la suppression de la magistrature.

— C'est que j'avais toujours devant les yeux les exemples de ses erreurs.

Elle reconnaît avoir voulu assassiner Thiers.

Ses réponses soulèvent l'indignation d'un auditoire composé de partisans de Versailles. (Ceux de la Commune sont arrêtés, cachés ou terrifiés.) Mais Louise Michel ne semble pas s'en apercevoir. Une ou deux fois cependant, elle se retourne et sourit avec mépris.

Les témoins n'apportent pas de renseignements qu'on ne connaisse, puisque Louise Michel avoue tout ce qu'on lui reproche, et davantage encore. Chargé du réquisitoire, le capitaine Dailly demande que l'on retranche de la société une accusée qui représente pour elle un danger permanent. L'avocat renonce à plaider, puisque Louise Michel ne veut pas être défendue, et s'en rapporte « à la sagesse du Conseil ». Alors Louise Michel reprend une dernière fois la parole :

— Ce que je réclame de vous, qui vous affirmez Conseil de guerre, qui vous donnez comme mes juges, qui ne vous cachez pas comme la Commission des Grâces, de vous qui êtes des militaires et qui jugez à la face de tous, c'est le champ de Satory, où sont déjà tombés mes frères. Il faut me retrancher de la Société. On vous dit de le faire. Eh bien, le commissaire de la République a raison. Puisqu'il semble que tout cœur qui bat pour la liberté n'a droit qu'à un peu de plomb, j'en réclame ma part, moi. Si vous me laissez vivre, je ne cesserai de crier vengeance et je dénoncerai à la vengeance de mes frères les assassins de la Commission des Grâces...

Le président l'interrompt :

— Je ne puis vous laisser la parole, si vous continuez sur ce ton.

Louise Michel :

— J'ai fini. Si vous n'êtes pas des lâches, tuez-moi.

La salle, si hostile au début, est gagnée par l'émotion. Louise Michel est condamnée à la déportation dans une enceinte fortifiée. Quand le greffier lui indique qu'elle dispose de vingt-quatre heures pour interjeter son pourvoi en révision, elle répond seulement :

— Non. Il n'y a point d'appel. Mais je préférerais la mort [1].

Condamnée aussi à la déportation dans une enceinte fortifiée, la présidente du Comité de Vigilance du 18e arrondissement et du club de la Boule Noire, Sophie Poirier. Aux yeux de la société, son passé est irréprochable. Elle ne semble pas avoir voté la mort de l'archevêque de Paris, au cas où le gouvernement de Versailles ne restituerait pas Blanqui. Mais elle a enrôlé des ambulancières. « Et l'on sait, précise l'acte d'accusation, que ces ambulancières se transformaient volontiers en barricadières et en pétroleuses. La citoyenne Poirier ne fit donc, en cette

---

1. *Gazette des Tribunaux*, 18 décembre.

circonstance, que réaliser le programme de *l'Union des Femmes pour la défense de Paris.* » Pour installer le club de la Boule Noire, elle a fait réquisitionner, rue des Acacias, un appartement habité. Elle a transmis au commissaire de Police de la Commune des renseignements qui lui permirent de procéder à des réquisitions et à des arrestations. Elle a organisé une association de plus de vingt personnes, et excité à la guerre civile.

Sophie Poirier se défend prudemment : ce n'est pas elle qui a signé les pièces qu'on lui attribue. C'est pour le gouvernement de la Défense nationale, et avec l'autorisation du maire de Montmartre, Clemenceau, qu'elle a organisé un atelier de couture de soixante-quinze ou quatre-vingts ouvrières. Et c'est parce que ces femmes n'avaient plus de travail sous la Commune, qu'elle a cherché à les transformer en ambulancières. Le Comité de Vigilance, dit-elle, n'avait d'autre but que de répartir le travail, de distribuer des secours, de visiter les malades et les indigents. Quant au club de la Boule Noire, ce n'est pas elle qui l'a organisé. C'était seulement l'endroit où elle retrouvait ses ouvrières. Bref, elle ne s'occupait que du travail des femmes. Mais le Conseil de guerre ne retient aucune de ces explications. Il estime qu'elle a exercé « une déplorable influence sur cette partie de la population féminine de Paris, qui s'est trouvée plus tard disposée à prêter son concours incendiaire [1]. »

La vice-présidente du club de la Boule Noire, Béatrix Excoffon, comparaît, elle aussi, devant le Conseil de guerre. C'est elle qui a réquisitionné l'appartement de la rue des Acacias, et elle a joué un rôle important au Comité de Vigilance et au club de la Boule Noire. Béatrix Excoffon emploie le même système de défense que Sophie Poirier. Le Comité de Vigilance n'avait d'autre but que de fournir du travail aux femmes en chômage. Certes, elle a assisté à presque toutes les réunions du club, mais elle n'y a pris la parole que trois ou quatre fois, et toujours pour y exercer une influence modératrice. Mais Béatrix Excoffon, par sa famille et par celle de son « compagnon », appartient à un milieu révolutionnaire. On l'appelait dans le

1. A.N. BB 24, 781, 11688, S. 72.

quartier « la Républicaine », charge grave aux yeux de ces juges « républicains ». Elle est donc condamnée, le 13 octobre 1871, à la déportation dans une enceinte fortifiée [1].

Incarcérée à la prison d'Auberive, on la considère d'abord comme « une femme dangereuse, disposée à la révolte et y poussant les autres [2] ».

Mais elle semble peu à peu revenir à des idées « plus saines ». Et le commissaire du Gouvernement est bientôt d'avis qu'on peut réduire sa peine. Elle est ramenée, le 28 mars 1872, à dix ans de détention. En effet, Béatrix Excoffon écrit, de la prison de Rouen, des lettres d'une remarquable platitude. Elle exprime son sincère repentir « de tout ce que j'ai pu faire étant trop jeune pour avoir pu discerner le bien et le mal et pour n'avoir pas voulu tenir aucun compt *(sic)* des conseils de mes parents ainsi que de M. Excoffon ». Elle évoque la situation de sa mère devenue veuve, la mort de son unique enfant et d'un petit beau-frère qu'elle avait élevé. Son amant, qu'elle allait épouser, a subi de tels chocs psychologiques qu'il a été atteint pendant huit mois d'aliénation mentale [3]. Le 28 septembre 1874, dans une autre lettre au président de la République, elle récidive : « Je n'avais que vingt et un ans, lorsque je fus arrêtée; ne connaissant rien et ne croyant pas mal faire, je me lançais dans le tourbillon qui entraînait Paris à sa perte, n'ayant pas voulu écouter les conseils du père de mes enfants, qui n'avait jamais voulu s'en occuper et qui voulait que je fasse comme lui; mais moi, enfant que j'étais, sans rien comprendre, je ne fis pas attention et je continuais. » Mais elle est revenue maintenant à une plus saine vision du monde. Autre lettre à Mme de Rémusat, qui est déjà intervenue en sa faveur. La « républicaine » athée écrit : « J'aurais dû au jour d'épreuve, penser au grand devoir de mère que Dieu m'avait donné. Hélas, je ne l'ai pas fait. J'en demande pardon à Dieu chaque jour et je le remercie dans sa bonté d'avoir placé sur mon chemin des cœurs généreux, etc. [4] » Le directeur de la prison de Rouen émet quelques doutes sur la sincérité de cette conversion [5]. Mais le vice-président

---

1. A.G. IV, 57. A.N. BB 24, 736, 1046, S. 72.
2-5. *Ibidem.*

de la Chambre des Députés, le député d'Eure-et-Loir, Clemenceau, interviennent en sa faveur. Est-ce le résultat de toutes ces interventions? Le directeur de la prison change d'avis. Béatrix Excoffon donne aux autres détenues l'exemple de la soumission. Elle paraît revenue « à la voie du bien ». Contre maîtresse de l'atelier, elle donne de « bons conseils » à ses compagnes. Sa correspondance avec sa famille montre qu'elle comprend maintenant « le devoir de la femme dans la société ». Elle témoigne du plus grand respect envers les religieuses, dont les exhortations semblent avoir eu sur elle « la meilleure influence ». Bref, la communarde s'est transformée apparemment en rosière. Ce qui lui vaut la remise du reste de sa peine, le 26 novembre 1878, comme un encouragement aux autres détenues [1].

Un autre membre du Comité de Vigilance de Montmartre, la femme de Jaclard, Anna Korvina Krukovskaïa fut condamnée par contumace, le 29 décembre 1871, aux travaux forcés à perpétuité. Loin de mettre l'accent sur son activité politique, on accusait curieusement cette fille de général « de complicité de soustraction frauduleuse de divers effets au préjudice de M. de Polignac [2] ». Il fallait toujours assimiler les partisans de la Commune à des criminels de droit commun.

Après l'insurrection, Victor Jaclard s'était caché quelque temps, puis avait été arrêté. La sœur et le beau-frère d'Anna, les professeurs Sophie et Vladimir Kovalewski, qui avaient réussi à la rejoindre pendant la Commune [3], firent venir à Paris le général Krukovski. Ils s'étaient souvenus, en effet, que le général avait rencontré jadis M. Thiers dans quelque ville d'eaux. On était entre gens bien. Le général obtint une audience de l'homme d'État au sujet de cette famille plutôt compromettante. Mais le professeur Kovalewski prit une décision plus radicale. Il fit évader son beau-frère et le fit passer en Suisse avec son propre passeport. Accompagnée de son père, Anna vint retrouver son mari dans le Jura bernois. En 1874,

1. *Ibidem.*
2. A.N. BB 24, 862, 5156, S. 79.
3. *La Sociale*, 12 mai.

les Jaclard gagnent la Russie, où Anna reprend sa plume.
Elle écrit encore quelques nouvelles. Mais, minée par les
privations du siège et de la Commune, elle meurt à Paris,
en 1887, à quarante-quatre ans. Louise Michel assistait
à ses obsèques. A sa demande, on ne fit aucun discours
sur sa tombe. Un ami rappela sobrement « ses qualités
de courage et de dévouement » et le concours intelligent
qu'elle n'avait cessé de prêter à son mari et à ses amis dans
« leurs travaux et leurs luttes politiques [1] ».

C'est en Suisse aussi que se réfugient Paule Minck et
André Léo, qui reprennent leur propagande en faveur de
la Commune vaincue. Elles essaient d'en faire comprendre
le sens et la grandeur à des auditoires intoxiqués par la
presse versaillaise. André Léo est invitée au Congrès de
la Paix qui se tient à Lausanne, en septembre 1871.
Elle essaie d'ouvrir les yeux et les oreilles de ces Helvètes
paisibles, et si éloignés des luttes révolutionnaires : « Quel
sourd n'a entendu les canons de Paris et de Versailles?
Et ces fusillades dans les parcs, dans les cimetières, dans
les terrains vagues et dans les villages autour de Paris?
Quel aveugle n'a vu ces charretées de cadavres qu'on
transportait, le jour d'abord, puis la nuit? Ces prisonniers,
hommes, femmes, enfants, que l'on conduisait à la mort
par centaines, sous les feux de peloton ou les mitrailleuses. »
Certes, André Léo ne prend pas à son compte « l'aveugle-
ment » et « l'incapacité » de la majorité des hommes de la
Commune, qu'elle n'a cessé de dénoncer. Mais « une
telle débauche d'infamies a succédé à ces fautes qu'elles
sont devenues honorables en comparaison ». Elle explique,
remet les choses au point. La loi des otages n'a été appliquée par la foule qu'à partir du 23 mai, quand la Commune
n'existait plus, et que les Versaillais avaient commencé
les grands massacres. Les incendies ont été causés par les
obus de Versailles autant que par la nécessité de la défense.
La Commune a fait soixante-quatre victimes. Le nombre
des Communards assassinés s'élève à quinze ou vingt mille
(et ici André Léo, toujours scrupuleuse, est bien au-dessous
de la réalité). Ce sont donc « les égorgeurs qui accusent ».

---

1. Soukholmine (V.), *Deux femmes russes combattantes de la Commune*,
dans *Cahiers Internationaux*, 16, p. 62. A.P. BA 1008.

D'un côté, se retrouvent tous les défenseurs des privilèges. De l'autre les démocrates, mais qui restent divisés. C'est que, explique André Léo, les uns préfèrent la liberté, et les autres l'égalité. Or, « il ne peut y avoir d'égalité sans liberté, ni de liberté sans égalité ». Et c'est cela qui sépare les socialistes de la bourgeoisie libérale. Mais André Léo remarque — ce qui est encore plus exact aujourd'hui — que la bourgeoisie moyenne et pauvre souffre autant que le peuple du régime capitaliste. « La loi du capital est de nature aristocratique, continue-t-elle. Elle tend de plus en plus à concentrer le pouvoir en un petit nombre de mains; elle crée fatalement une oligarchie, maîtresse des forces nationales... Elle sert l'intérêt de quelques-uns contre l'intérêt de tous... Elle est en opposition avec la conception nouvelle de la justice... Elle tient en servage, tout comme le pauvre, cette grande majorité de la bourgeoisie qui vit de son travail, de sa capacité », et qui dépend, peut-être encore plus que le manœuvre, du bon plaisir des capitalistes. C'est donc l'intérêt de la classe ouvrière, comme d'une grande partie de la bourgeoisie, d'abolir cette loi du capital et il faut en rechercher les moyens. La révolution du 18 mars n'a pas été guidée par les socialistes, mais par « le jacobinisme bourgeois ». André Léo souhaite l'union de toutes les fractions de la démocratie pour l'établissement d'un programme commun qui comprendrait toutes les libertés (presse, réunion, etc.), les libertés communales, l'impôt unique et progressif, l'organisation d'une armée de citoyens, une instruction démocratique, gratuite et intégrale. « Tant qu'un enfant sera misérable... tant qu'il grandira sans autre idéal que le cabaret, sans autre avenir que le travail au jour le jour de la bête de somme, l'humanité sera frustrée de ses droits dans la majorité de ses membres..., l'égalité ne sera qu'un leurre et la guerre la plus horrible, la plus acharnée de toutes les guerres, soit déchaînée, soit latente, désolera le monde en déshonorant l'humanité. »

Cette explication et cette perspective de la guerre civile provoquèrent de violentes interruptions; le président du Congrès pour la Paix interdit à André Léo de poursuivre son discours. « J'étais venue à ce congrès avec une espérance, j'en suis sortie profondément triste », conclut

André Léo. La bourgeoisie, même libérale, ne peut admettre qu'on lui rappelle l'existence « de la lutte des classes [1] ».

Les animatrices de *l'Union des Femmes* suivent aussi des destins divers. Nathalie Lemel assume devant le Conseil de guerre l'entière responsabilité de ses actes. Après la défaite de la Commune, Nathalie Lemel avait tenté de se suicider par désespoir. Elle fut arrêtée le lendemain (21 juin 1871) et comparut devant le 4e Conseil de guerre, le 10 septembre 1872.

Comme Louise Michel, elle reconnaît tous les faits dont on l'accuse.

Oui, elle a fondé avec Varlin la société coopérative « la Marmite », « dans le but de nous soustraire aux exigences des gargotiers en nous réunissant pour vivre en famille ». Oui, elle a fait de la politique, mais jusqu'au siège de Paris, elle ne s'était préoccupée que de questions ouvrières. Oui, sous la Commune, elle a participé à l'insurrection :

— J'ai fait un manifeste avec quatre autres femmes. J'ai fait un appel aux ouvrières. J'ai coopéré à la construction des barricades. J'ai parlé dans les clubs...

Elle reconnaît avoir dirigé *l'Union des Femmes* avec Élizabeth Dmitrieff. Elle reconnaît le texte : « Au nom de la Révolution sociale que nous acclamons. » Elle reconnaît être allée sur l'ordre de la Commune, avec une cinquantaine de femmes, défendre les barricades des Batignolles et de la place Pigalle. Mais elle n'était pas armée :

— Je me contentais de passer des munitions aux combattantes et de donner des soins aux blessés.

Une relieuse, Mme Clémenceau, témoin à charge, rapporte qu'elle a entendu l'accusée parler dans les clubs et appeler les femmes à défendre les barricades et à soigner les blessés. Elle l'a rencontrée dans la rue, au moment des incendies :

— Ce n'est rien, lui aurait répondu Nathalie. Ce ne sont que les Tuileries et le Palais Royal. Comme nous ne voulons plus de roi, nous n'avons pas besoin de châteaux.

---

1. Léo (A.), *La guerre civile*, Neuchâtel, 1871. A.P. BA 1008.

Une autre relieuse, Mme Hubert, vient témoigner en sa faveur :

— Pendant six mois, je ne l'ai vue manger que du pain et du fromage pour nourrir ses enfants.

Mais le commissaire de police a remarqué que Nathalie Lemel ne lisait que « de mauvais journaux », qu'elle commentait à l'atelier, devant ses camarades. Malgré son attitude « franche et sans affectation », que souligne son défenseur, Me Joly, Nathalie Lemel, comme Louise Michel, est condamnée à la déportation dans une enceinte fortifiée.

Elle se refuse à tout pourvoi. Apprenant que le directeur de la maison d'arrêt de La Rochelle, où elle est enfermée, avait décidé de surseoir à sa déportation, car il n'avait pas reçu de nouvelles de son recours en grâce, elle écrit fièrement au préfet : « Je déclare formellement que non seulement je n'en ai pas fait, mais que je désavoue celui qui serait fait à mon insu, ainsi que tous ceux qui pourraient être faits dans l'avenir. Ma condamnation est irrévocable [1]... »

Élizabeth Dmitrieff eut plus de chance. Elle réussit à s'échapper, et la police la rechercha en vain. On avait retrouvé, à *l'Union des Femmes*, des pièces signées de son nom : un certificat de civisme pour le citoyen Henri Colleville, une demande adressée à la municipalité du 11e arrondissement pour obtenir des chaises, des candélabres et des bougies de l'église Saint-Ambroise, destinés à une réunion, l'ordre de rassembler les femmes du comité pour aller aux barricades. Mais que faisait-elle avant le 18 mars? La police l'ignore. Et l'on n'a pu mettre la main sur elle, après la semaine de mai. C'est donc un fantôme que le 6e Conseil de guerre condamne, par contumace, le 26 octobre 1872, à la déportation dans une enceinte fortifiée « pour excitation à la guerre civile ». Ce fantôme, qui ne semble pas avoir « d'antécédents judiciaires », est d'ailleurs gracié par la suite sous condition d'arrêté d'expulsion [2].

Élizabeth s'en moque. Elle s'est réfugiée en Suisse. Lissagaray, dans *Les Huit journées de Mai*, parle de la

1. *Gazette des Tribunaux*, 11 septembre 1872. A.G. IV 688 et A.N., BB 24, 792, 4380, S. 73.
2. A.N. BB 24, 856, 2832. A.G. VI, 683.

révolutionnaire russe avec admiration : « Grande, les
cheveux d'or, admirablement belle, souriante, elle soute-
nait le blessé (Frankel), dont le sang coulait sur sa robe
élégante. Plusieurs jours, elle se prodigua sur les barricades,
soignant les blessés, trouvant des forces incroyables dans
son cœur généreux [1]... » Mais, bien plus tard, en 1897,
dans une interview donnée à *la Revue Blanche*, le vieux
Communard, amer, déçu, et qui ne comprend plus sa
jeunesse, affecte une ironie qui n'aurait pas déplu à Maxime
Du Camp : « Une autre, qu'on appelait Dmitrieff, eut de la
fantaisie sur fond tragique. Elle venait de Russie, où
elle avait laissé en plan son mari... On la vit, pendant la
Commune, vêtue d'une magnifique robe rouge, la ceinture
crénelée de pistolets. Elle avait vingt ans et était fort
belle. Elle eut des admirateurs. Soit que « le peuple aux
bras nus » lui plût peu à huis clos, soit que l'amour fût
pour elle un sport exclusivement féminin, nul ne put
fondre ce glaçon. Et c'est chastement qu'à la barricade,
elle reçut dans ses bras Frankel blessé. Car elle était aux
barricades, où sa bravoure fut charmante. Notons la
toilette toute de velours noir... » Il continue sur le même
ton persifleur pour décrire le séjour en Suisse de la belle
« Princesse russe ». « Fort riche, elle avait un hôtel sur
les bords du lac et fut hospitalière aux réfugiés : il y avait
dans ses salons brillante société de « travaux forcés » et
autres exotismes, avec quelques condamnés à mort.
Puis, elle retourna en Russie rejoindre son mari, lequel
mourut quelque temps après. Il y eut un procès, où elle
parut comme témoin. On avait, paraît-il, empoisonné le
seigneur. L'intendant fut envoyé en Sibérie, où elle
s'empressa de le rejoindre. On n'a plus eu de ses nouvelles [2]. » Tous ces renseignements sont aussi douteux que
malveillants. Élizabeth Dmitrieff rentra, en effet, en Russie
et fut mêlée à un procès. Marx intervint auprès du professeur Kovalewski pour qu'il l'aidât à trouver un avocat :
« J'ai appris qu'une dame russe qui a rendu de grands
services au Parti, ne peut trouver d'avocat à Moscou,

1. P. 115.
2. Lissagaray : *Histoire de la Commune de 1871...*, p. 534. Appendice.

faute d'argent [1]... » Élizabeth épousa un déporté en Sibérie, où elle mourut, mais rien n'indique que ce déporté eût été l'assassin de son mari, comme l'affirme Lissagaray assez bassement. Le temps a passé, et la jeunesse est morte, et la solidarité politique ne joue pas en faveur des femmes.

Que devinrent les autres femmes de l'*Union*? Beaucoup, sans doute moururent, telle Blanche Lefebvre, sur les barricades. Mais les autres? Les Archives de la Guerre, à Vincennes, pas plus que les Archives nationales, n'ont gardé tous les dossiers des condamnés de la Commune. Comment le choix a-t-il été fait? Quels critères ont été appliqués pour ces destructions? Les historiens ne travaillent jamais que sur une partie des documents que le hasard ou des choix arbitraires leur ont laissée.

Louise Michel n'avait pas été condamnée en tant qu'institutrice, mais comme combattante. Marguerite Tinayre, elle, fut condamnée comme institutrice, pour avoir exercé une fonction sous la Commune. Nommée inspectrice des écoles du 12e arrondissement, elle avait pris part, comme nous l'avons vu, à la laïcisation des écoles du quartier. C'est tout ce qu'on put retenir contre elle. Sa conduite antérieure n'avait donné lieu à aucune remarque défavorable, mais elle avait toujours fait preuve d'opinions révolutionnaires et était même, disait-on, affiliée à l'*Internationale*. Arrêtée, le 26 mai, puis relâchée, elle fut condamnée par contumace à la déportation dans une enceinte fortifiée « pour avoir eu des intelligences avec les directeurs de bandes insurrectionnelles et s'être immiscée sans titre dans des fonctions publiques ». C'est également comme fonctionnaire de la Commune, que son frère Antoine Ambroise Guerrier, directeur de la manufacture de tabac de Reuilly, fut condamné à la même peine [2]. Il put se réfugier à Londres, où il mourut. Quant à son mari, le paisible clerc de notaire qui ne s'était jamais occupé de politique, il eut le tort de partir à la recherche

1. Tchérednitchenko (P.), *La vie généreuse et mouvementée d'Élise Tomanovskaïa*, dans *Études Soviétiques*, juin 1955.
2. A.N. BB 24, 862, 5738, S. 79.

de sa femme en pleine tourmente. Aussi fut-il fusillé au
Châtelet, sans autre forme de procès.

Accompagnée de ses cinq enfants, Marguerite Tinayre
gagna d'abord Genève, où elle continua à mener son
combat : on l'y vit présider « un baptême civil [1] ». Mais
elle doit faire vivre ses cinq enfants. Elle trouve d'abord,
en Saxe, un poste de gouvernante dans une grande famille,
puis, d'exil en exil, gagne Budapest où elle réussit à s'imposer par sa conscience et son travail. L'ambassadeur de
France écrit à son sujet que l'exilée a « les dehors de la
plus parfaite honorabilité ». Sa tenue, sa conduite irréprochable, lui ont valu le respect de tous. En 1879, elle apprend
que les femmes frappées par les tribunaux exceptionnels
pourront rentrer en France. Mais elle est exclue de cette
mesure pour s'être mêlée, à Genève, « de menées socialistes et internationalistes ». C'est pour elle une catastro-
phe : on va croire, à Budapest, qu'elle est une criminelle
de droit commun. Elle va perdre ses élèves, son gagne-pain
et celui de ses enfants. Elle écrit à *la Marseillaise* (15 octobre 1879) une lettre où elle attire l'attention du public
sur le châtiment que la justice de son pays lui impose une
seconde fois : « Je suis institutrice, c'est-à-dire dans cette
situation particulière où la considération est la chose
indispensable. Ne voulant surprendre la bonne foi de
personne, j'avais hautement déclaré que j'étais proscrite
(dans ce pays, cela n'avait choqué personne). La société
magyare m'avait donc acceptée comme une femme four-
voyée peut-être dans les partis extrêmes, mais en définitive
comme une honnête femme. Les familles, les écoles
m'avaient ouvert leurs portes, mes cours étaient suivis
par des jeunes filles appartenant à ce qu'on est convenu
d'appeler « le meilleur monde ». Bref, je gagnais de quoi
subvenir à l'éducation de mes quatre fils et celle de ma
fille... Aujourd'hui, les déclarations du Gouvernement
me classent parmi les grands criminels... » C'est la ruine
de six années d'effort. « Vous pouvez imaginer l'effroi
rétrospectif qu'ont éprouvé les mères de mes élèves, en
songeant qu'elles avaient pu confier leurs filles à une
« habituée de police correctionnelle », ou même à une

1. A. N. BB 24, 852, 732, S. 79, et A.G. III, 1416.

femme couverte « de crimes ignobles ». Que peut-elle faire?
Elle a encore deux enfants à élever, deux à aider jusqu'à
la fin de leurs études. Son fils aîné commence à travailler,
mais la conscription peut le lui prendre. Elle est veuve
en fait, mais non en droit. Car « le Conseil de guerre qui a
fait exécuter mon mari a sans doute oublié (on ne saurait
penser à tout) de lui demander son nom. Ni moi ni sa
famille, n'avons jamais pu obtenir aucune constatation
de son décès. » Doit-elle demander sa grâce? Mais ce serait
avouer qu'elle est coupable. « Et coupable, je ne le suis,
ni ne peux volontairement le paraître devant des enfants
à qui je dois l'exemple de la fermeté et de la constance
dans le malheur. » Et puis, lui rendrait-on ses droits
civils, sans lesquels elle ne pourrait enseigner dans son
pays?

Mais il semble que Marguerite Tinayre se soit inquiétée
à tort (les administrations sont longues à transmettre
les lettres). Le 3 septembre 1879, le directeur de la Sûreté
générale avait autorisé Marguerite Tinayre à rentrer en
France pour trois mois. Le 29 novembre, on lui remit le
reste de sa peine [1].

Comme Marguerite Tinayre, d'autres femmes sont
frappées pour avoir accepté des postes d'institutrices
sous la Commune. C'est ainsi « qu'une jeune et gentille
personne de dix-neuf ans aux yeux doux » comparaît, le
16 décembre 1871, devant les tribunaux. Anne Denis
tenait une librairie avec sa mère, rue Monge. Un de leurs
clients, Stanislas Blanchet, membre de la Commune, lui
avait proposé une place d'institutrice dans l'école des
sœurs de la rue Gracieuse, que Mme Da Costa avait prise
en charge. Anne Denis lui objecta qu'elle n'avait pas de
diplôme. Mais Blanchet lui répondit qu'il n'en était pas
besoin pour enseigner les enfants de six à huit ans.

— Et votre système d'éducation consistait à apprendre
aux petites filles des chants patriotiques? lui demande le
président.

— Elles chantaient *la Marseillaise*, répond doucement
la jeune fille. Mais elles la savaient et je n'avais pas besoin
de la leur apprendre.

1. A.N. BB 24, 852, 732, S. 79.

On l'accuse aussi d'avoir quêté en faveur de l'Union pour la propagande républicaine. Elle a acclamé la Commune et son « exaltation » lui a valu une place d'institutrice : six jours de prison [1].

Anne Denis s'en tire à bon compte.

D'autres femmes, contre qui l'on ne peut guère retenir que d'avoir proclamé hautement leur sympathie envers la Commune, sont, au contraire, sévèrement punies. La déportation à Marie Ségaud. C'est une simple couturière (née à Cronat-sur-Loire, Saône-et-Loire, en 1828). Elle avait épousé un Polonais Jean-Édouard Orlowski, mécanicien aux Chemins de Fer de l'Ouest depuis 1849. C'était un bon ouvrier, qui gagnait 5 francs par jour. Membre de la Garde nationale pendant le siège, il resta sous la Commune, au 91e bataillon, mais il fut l'objet d'un non-lieu. Sa femme, par contre, qu'on appelait dans le quartier « la mère Duchêne », était une ardente Communarde. On retrouva chez elle des journaux de la Commune, une ceinture rouge, un brouillon de dénonciation d'agents versaillais. Marie Ségaud avoue hautement ses convictions :

— Désirant avant tout la République, je pensais que le gouvernement de la Commune pouvait, seul, nous la donner.

On lui reproche d'avoir lu à haute voix les journaux de la Commune.

— Non, je lis trop mal.

On lui reproche encore d'avoir dénoncé deux voisins, d'avoir poussé les hommes à se battre, les femmes à faire les barricades, d'avoir fréquenté le club Saint-Michel. Bref, « l'inculpée nous paraît appartenir à cette catégorie de femmes dangereuses qui, sans prendre une part active à la lutte, ont certainement contribué à lui donner le caractère odieux qu'elle a pris surtout dans les derniers jours » (mais qui a commencé? Le Conseil de guerre préfère n'en rien dire). Marie Ségaud n'est donc condamnée à la déportation que pour avoir fait de la propagande pour la Commune [2]. De même, Anne Collot, femme Gobert,

1. *Gazette des Tribunaux*, 16 décembre.
2. A. G. XV, 419. BB 24, 760, 6427, S. 72, et 4826, S. 76.

qui injuriait les soldats de l'armée de Versailles et « excitait les insurgés, « y compris son mari, sergent sous la Commune et aujourd'hui disparu [1] ». Euphémisme pour dire qu'il fut probablement fusillé sans procès.

Cinq ans de prison à Jeanne Petit, veuve Gauthier (née à Heines-les-Places, Nièvre, en 1831), parce que son débit de vin était devenu une sorte de club révolutionnaire [2]. Autant à Agathe André, femme Joliveau, qui appartenait à une famille d'insurgés — son mari avait été fait prisonnier par les Versaillais, sur le plateau de Châtillon, son père fusillé à la barricade de la Butte-aux-Cailles. Désespérée de l'arrestation de son mari, elle avait rédigé une pétition tendant à faire marcher les femmes des sergents de ville devant les gardes nationaux, quand ils allaient au feu. Cinq ans de prison, donc, bien que la pétition n'eût eu aucun effet [3]. Deux ans de prison à la blanchisseuse Marie Mortier (née en 1818 à Monterne-Silly, Vienne), femme d'un capitaine fédéré au 260e bataillon, Régent Cretin, condamné à la déportation. Elle avait injurié les partisans de Versailles et essayé de ramener au combat deux Fédérés qui, le 22 mai, s'enfuyaient de la rue Royale [4]. Et deux ans de prison encore, assortis de 200 francs d'amende, à la tailleuse Rosalie Kosakowska, femme Niemic, qui avait transformé son logement en lieu de réunion pour les réfugiés polonais [5].

---

1. A.N. BB 27, 107-109.
2. A.N. BB 24, 745, 3885.
3. A.G. XXVI, 155.
4. A.N. BB 24, 749, 5742, S. 72.
5. A.G. XV, 478, et BB 24, 745, 3837, S. 72.

XV

Autres condamnations

Parmi les dossiers qui nous sont parvenus, nous trouvons un certain nombre de cantinières de la Commune. Elles furent condamnées à des peines diverses allant des travaux forcés à un an de prison.

A une cantinière, Élisa Rousseau, femme Cabot (née à Louviers, en 1832) quinze ans de travaux forcés : elle avait suivi le 84e bataillon, fait arrêter un garde, qui fut exécuté pour trahison. Enfin, elle aurait déclaré avoir tiré quatorze coups de canon [1]. Adèle Desfossés, femme Boulant (née à Péronne en 1832), est condamnée à la déportation dans une enceinte fortifiée. Cantinière au 238e bataillon, elle avait participé aux combats d'Issy. Mais on l'accusa aussi de pillage, car on avait retrouvé chez elle une loutre et des oiseaux empaillés, des couvertures de fauteuil en broderie, un nécessaire de toilette et un seau hygiénique, provenant du Couvent des Oiseaux, où son bataillon avait séjourné [2].

Marie Schmitt (née à Obreck, Moselle, en 1837), est la femme d'un fabricant d'équipements militaires. Elle suivit son mari, le garde national Gaspard, au 101e bataillon. On la vit revêtue d'un uniforme et portant un fusil, faire le coup de feu dans la défense de la Butte-aux-Cailles. C'est une ancienne prostituée et son attitude hardie à l'audience indispose le Conseil de guerre :

— Je regrette, dit-elle, de ne pas avoir fait tout ce qu'on me reproche.

1. A.N. BB 27, 107-109.
2. A.N. BB 24, 773, 9289, S. 72.

Elle est envoyée, elle aussi, en Nouvelle-Calédonie [1].

Condamnée à la déportation simple, Marie-Delphine Dervillé, femme Dupré, est déportée également en Nouvelle-Calédonie. Cantinière au 73e bataillon avec son mari, elle suivit les Fédérés dans toutes leurs sorties. Mais on l'accuse aussi d'avoir séquestré deux religieuses aliénées du couvent Picpus. « Elle était exaltée et dévouée à la Commune [2]. »

La lingère Célestine Gallois, femme d'un manœuvre, Jean-Baptiste Vayeur (née à Naives, Meuse, en 1830) est condamnée à la déportation simple et de plus à la dégradation civique. (Son casier judiciaire est assez chargé.) Elle s'était vantée à Courbevoie « d'avoir forcé son peureux de commandant à ramener les Fédérés sous le feu du Mont Valérien ». Elle a fait arrêter son voisin, un ancien gendarme, qu'on a relâché d'ailleurs, au bout de trois heures. « C'est une femme dangereuse qu'il importe de tenir éloignée de la Société. » Mais à la prison d'Auberive, comme à celle de Rouen, elle fait preuve de « bonne conduite » et de « bons sentiments ». Sa peine de déportation est commuée en dix ans de détention, en novembre 1875, puis diminuée d'un an en 1877, de six mois, en 1879. Elle écrit au ministre, le 29 janvier 1879, pour lui demander sa grâce entière : « Je viens, Monsieur le Ministre, vous présenter mes regrets, et déposer à vos pieds les torts que j'ai eus, en m'occupant de la Commune, vous suppliant de faire grâce à une pauvre femme âgée de quarante-neuf ans, qui est devenue veuve depuis qu'elle est en prison (mon mari est mort à Belle-Isle en mer également prisonnier, laissant sans appui un fils de seize ans) et qui a une mère très âgée qu'elle désirerait bien revoir, vu qu'elle est toujours malade », etc [3]...

La blanchisseuse Marie-Virginie Vrecq (née à Bougival, en 1846) femme Bediet, était connue sous le nom de son amant, le capitaine Vinot, du 170e bataillon, qui devint bientôt colonel des Vengeurs de Paris. La « colonelle Vinot » suit son amant sur la barricade de l'église Saint-Ambroise et, blessé, l'aide à échapper aux soldats de Versailles. On

1. A.N. BB 24, 747, 4183, S. 72.
2. A.N. BB 24, 836, 2440, S. 77.
3. A.N. BB 24, 775, 10. 287, S. 72.

l'accusa sans preuve de s'être trouvée mêlée aux exécutions de la rue Haxo, mais on ne retint finalement contre elle que d'avoir participé à l'insurrection : elle fut condamnée à la déportation simple [1]. Si la « colonelle Vinot » passait pour énergique, violente, redoutée, rien ne faisait prévoir que Jeanne Bertranine, femme Taillefer (née le 4 juillet 1831, à Lasseubetat, Basses-Pyrénées), s'engagerait dans les rangs de la Commune. « Douce, tranquille, elle n'avait été jusque-là l'objet d'aucune remarque défavorable », lit-on dans son dossier. La Commune la transforma. Pendant deux mois, elle suit son mari au 118e bataillon, en tenue de cantinière, le pistolet à la ceinture. Elle est de toutes les sorties et, le 23 mai, elle vient, avec des gardes nationaux en armes, appeler les locataires de sa maison à la barricade de la place Maubert. Elle fut arrêtée à Ménilmontant et envoyée en Nouvelle-Calédonie. La douce et tranquille Jeanne Bertranine, marchande de friture, était trop digne pour faire un recours en grâce [2].

C'est aussi pour suivre son mari, un régleur, que Lucie-Euphrasie Boisselin, femme Leblanc, armée d'une petite carabine, accompagne le 84e bataillon. Elle a travaillé à la barricade de la rue de Bussy. Mais elle tente de se justifier : ce n'est pas par conviction politique qu'elle a servi la Commune. « Sous le gouvernement de la Défense nationale, écrit-elle dans son recours en grâce, elle avait accepté l'emploi de cantinière au 84e bataillon de la Garde nationale et a dû garder cet emploi après le 18 mars, par suite du manque absolu de travail et étant sans autres ressources... Il ne lui est jamais venu à la pensée de nuire au Gouvernement, mais ne voyant alors aucun moyen de subsister et inconsciente des événements qui s'accomplissaient et de leurs conséquences, elle croyait ne pas être coupable, en conservant l'infime position qu'elle occupait sous la Défense nationale. » A l'Ile-des-Pins (Nouvelle-Calédonie), elle travaille durement pour élever ses deux enfants et ne donne prise à aucun reproche de la part de l'administration pénitentiaire [3].

1. A.N. BB 24, 822, 4512, S. 76, et BB 27, 107-109, supplément.
2. A.N. BB 24, 838, 2812, S. 77.
3. A.N. BB 24, 786, 70, S. 73.

D'autres cantinières furent condamnées à des peines
d'un an à cinq ans de prison.

Quant aux femmes que nous avons vues construire les
barricades, elles subirent aussi des condamnations diverses.
Marie-Augustine Gaboriaux, femme Chiffon, « qui avait
toujours manifesté les plus vives sympathies pour la
Commune », est condamnée à vingt ans de travaux forcés [1].
Élodie Duvert, femme Richoux, à la déportation dans
une enceinte fortifiée [2].

La journalière Marguerite Fayon comparaît devant le
Conseil de guerre, le 16 octobre 1871. C'est une petite
femme fragile, un peu difforme, qui n'a que trente-cinq
ans, mais qui en paraît cinquante. Elle semble « douée
d'une grande énergie ». « Et la manière dont elle regarde
les témoins qui viennent déposer contre elle, montre assez
ce qu'elle a dû faire, alors qu'elle trouvait un appui assuré
chez les gardes nationaux de la Commune, sur lesquels
elle paraît avoir exercé une certaine autorité », écrit le
chroniqueur de la *Gazette des Tribunaux*. On l'accuse
d'avoir dénoncé la femme d'un sergent de ville et d'avoir
détenu des bombes Orsini. Mais on ne retient finalement
contre elle que d'avoir distribué des cartouches aux
Fédérés, pendant les combats de la semaine de mai : elle
est condamnée à la déportation simple [3]. Même peine à
la coiffeuse Eugénie Bruteau, née Rousseau, qui entraînait les hommes, les femmes, les enfants aux barricades [4].
Vingt ans de détention à Joséphine Courtois, veuve Delettra, qu'on appelait déjà, à Lyon, en 1848, « la reine des
Barricades [5] ». Aux autres, des peines allant d'un an de
prison à cinq ans de réclusion.

La Commune eut à créer son armée, ses tribunaux, sa
police. Les dénonciations d'agents versaillais parurent au
gouvernement de Versailles des crimes qui relevaient du

1. A.N. BB 24, 775, 10096, S. 72, et BB 24, 732, 5705, S. 71. A.G, IV,
142.
2. A.N. BB 24, 753, 5271, S. 72.
3. A.N. BB 24, 738, 1493, S. 72. A. G. IV, 62. *Gazette des Tribunaux*,
16-17 octobre.
4. A.N. BB 24, 737, 1149, S. 72.
5. A.N. BB 24, 778, 11072, S. 72.

droit commun. Il est certain que les dénonciations sont
toujours fort déplaisantes, même si les circonstances semblent les justifier. Les besognes de police répugnent à
notre morale.

Un décret de la Commune avait obligé les hommes de
dix-neuf à quarante ans à entrer dans la Garde nationale.
Les femmes furent chargées de rechercher les réfractaires
et les agents versaillais restés à Paris, et dont on pouvait
craindre, à juste titre d'ailleurs, les agissements. Le bataillon de femmes organisé dans le 12e arrondissement était
spécialement chargé de cette besogne. Et c'est pour s'être
rendue complice d'arrestation illégale — illégale aux yeux
de Versailles, légale aux yeux de la Commune — que fut
condamnée la couturière Marie-Catherine Rogissart. Nous
l'avons vue prendre la parole au club Saint-Éloi et, munie
d'un brassard, participer au bataillon des femmes, dont
elle était le porte-drapeau. On retrouva dans sa chambre
une affiche rouge concernant la formation de ce bataillon,
une lampe à pétrole et du pétrole en si petite quantité
qu'il ne s'agissait évidemment que de la remplir. Mais elle
avait fait arrêter l'un de ses voisins.

— Il est vrai que j'ai fait arrêter Lutz, mais non comme
réfractaire. Un jour, il fit du bruit dans la maison que
j'habite. Il était ivre. Il avait un fusil à la main. Le coup
partit. Je l'ai fait arrêter parce qu'il troublait l'ordre et
la tranquillité de la maison.

Et Lutz confirme, aux éclats de rire de l'assistance :

— Un jour, je rentrai chez moi un peu ému de boisson...

Mais un autre témoin déclare que Marie-Catherine
Rogissart l'a dénoncé au Comité central, comme espion
de Versailles. Il fut d'ailleurs relâché après perquisition
à son domicile.

Marie-Catherine Rogissart a toujours fait preuve de
sentiments favorables à la Commune : « Quoique sans
instruction, elle avait la parole facile et en abusait pour
causer politique », déclare une voisine, et elle poussait
les hommes à se battre :

— Je vous ferai partir tous, vous n'êtes que des fainéants, disait-elle. Moi, femme, j'ai plus de courage que
vous tous. Bon gré, mal gré, vous vous battrez contre les
assassins de Versailles...

Bien qu'elle n'eût pas d'antécédents judiciaires et qu'on ne pût guère lui reprocher que de vivre en « concubinage », bien que l'arrestation de Lutz eût été justifiée par son état d'ivresse, bien qu'on ne pût lui reprocher aucune participation active aux « crimes de la Commune », on la condamna à sept ans de travaux forcés [1].

Membre du club de l'église de la Villette, qu'elle appelait « la grange aux corbeaux », Sidonie Marie Herbelin, femme Letteron, est accusée d'avoir envahi la maison d'un gendarme à la tête d'un bataillon de femmes et de l'avoir pillée. On l'a vue suivre l'enterrement d'une cantinière, en portant un drapeau rouge. « Ayant fait tout ce qu'elle a pu pour assurer le triomphe de l'insurrection », Sidonie Marie Herbelin est condamnée à la déportation dans une enceinte fortifiée [2].

Louise Elisa Keinerknecht, née Neckbecker, fit également partie du bataillon de femmes, où elle avait le grade de capitaine. On la voyait aussi aux clubs des églises Saint-Éloi et Saint-Bernard où elle fit une quête : cinq ans d'emprisonnement et dix ans de surveillance de haute police [3].

D'autres femmes qui ne semblent pas avoir participé au bataillon du 12e arrondissement, ni à *l'Union des Femmes*, où l'on ne retrouve pas leur nom, sont poursuivies pour dénonciation de sergents de ville, de gendarmes ou de leurs familles. Pour ces simples femmes du peuple, couturières, blanchisseuses, journalières, prostituées aussi, l'autorité du régime honni, c'est l'agent de police, tout dévoué au gouvernement de Versailles, par la fonction qu'il assume.

Voici une ancienne prostituée, Joséphine Poinbœuf, dite Allix (née à Theillay, Loir-et-Cher, en 1841) que son amant avait retirée d'une maison de prostitution. Ses sentiments envers la Commune étaient bien connus et elle avait fait arrêter un sergent de ville, que l'on conduisit à la mairie du 17e arrondissement. On le relâcha,

1. A.N. BB 24, 781, 11568, S. 72. A.G. XX, 528. *Gazette des Tribunaux*, 7 août 1872.
2. A.N. BB 24, 761, 6809, S. 72, et A.C. XXVI, 212.
3. A.N. BB 24, 756, 5805, S. 72. A.G. XXVI, 94.

d'ailleurs, aussitôt. Quinze ans de travaux forcés à Allix [1].

Dix ans de travaux forcés à la cuisinière Mélanie Jacques, femme Gauthier (née à Briare en 1820) qui a dénoncé la femme d'un gardien de la paix. « Prenant le gouvernement de la Commune pour un gouvernement légal, elle croyait, en dénonçant la femme Zehr, faire acte de patriotisme [2]. »

Même peine à la culottière Claudine Lemaître, femme Garde (née en 1836, à Onlay, Nièvre), qui fit arrêter une dame Meyer, femme d'un ancien commissaire de police, d'un « mouchard », comme elle dit, et la dame Luchaire, veuve d'un gardien de la paix. On jeta par les fenêtres les uniformes de Luchaire, ses papiers et ses décorations, à la grande joie des spectateurs massés dans la rue. Claudine Lemaître reconnaît avoir pris part aux arrestations, mais non au pillage [3].

Cinq ans de travaux forcés à Rosalie Joséphine Delavot, femme Gaillardot, qui signala la femme d'un gardien de la paix et un lieutenant, comme agents de Versailles [4]. La déportation dans une enceinte fortifiée à une concierge, Marie-Anne Dumoulin, femme Ajame, qui courait après les femmes des sergents de ville en les menaçant. Elle était d'ailleurs considérée comme une brave et honnête femme, mais elle était toute dévouée à la Commune et pensait ainsi la servir [5].

Marie Audrain, femme Vincent (née en 1821 à Donges, Loire-Inférieure), était une femme de ménage à qui ses patrons décernèrent de « bons certificats », et dont ses voisins attestèrent « la vie et les mœurs irréprochables ». Mais elle se lia avec le colonel fédéré Laporte, qui commandait le 6e secteur. Toute dévouée à la Commune, elle chercha à enrôler les hommes et aussi les femmes du quartier « pour aller venger leurs maris et leurs frères qu'on assommait ». Elle dénonça des femmes et des fils de gardiens de la paix. On l'arrêta d'abord pour propos séditieux, puis on la relâcha. Mais après une nouvelle instruction, on l'arrêta de nouveau et on la condamna aux travaux forcés à perpétuité.

1. A.N. BB 24, 762, 6961, S. 72.
2. A.N. BB 24, 744, 3375, S. 72.
3. A.N. BB 24, 748, 4425, S. 72.
4. A.N. BB 24, 773, 9209, S. 72.
5. A.N. BB 24, 755, 5676, S. 72.

Cassé pour vice de forme, son procès fut repris et Marie Audrain ne fut plus condamnée qu'à dix ans de réclusion, ce qui montre assez l'arbitraire des peines infligées aux partisans de la Commune. A Auberive, Marie Audrain garde ses convictions et ne témoigne d'aucun « repentir ». Elle est même condamnée à deux mois de cellule pour insolence envers l'Inspecteur général, le baron de Watteville[1].

Les dénonciations ne concernent pas seulement les gardiens de l'ordre traditionnel et leurs familles, mais aussi les agents de Versailles et les réfractaires.

La journalière Thérèse Lecomte (née à Bazeilles, Ardennes en 1836) est condamnée à cinq ans de travaux forcés et vingt ans de surveillance de haute police pour avoir accusé une voisine d'entretenir des relations avec Versailles. Mais un officier fédéré n'a pas voulu assumer la responsabilité de cette arrestation. La femme dénoncée fut relâchée au bout de deux jours. Thérèse Lecomte dénonce également sa concierge et l'on peut bien croire qu'il ne s'agit là que d'une vengeance privée. Mais le jour où l'on se bat autour de la barricade du boulevard Mazas, elle signale aux Fédérés les hommes qui prennent la fuite [2].

Condamnée à la déportation simple, la blanchisseuse Suzanne-Augustine Preu, femme Dutour, qui avait fait arrêter un sieur Costes. Celui-ci avait déclaré que le gouvernement de Versailles devrait bien envoyer tous les communards à Cayenne. Son arrestation ne fut d'ailleurs pas maintenue. On trouva, en outre, chez les Dutour, des fusils et des vêtements militaires [3].

La déportation simple encore pour la blanchisseuse Victorine Gorget (née en 1843, à Paris) qui prenait la parole au club Saint-Michel des Batignolles pour réclamer une organisation forte et la mobilisation de toutes les forces vives de la nation, et qui avait dit à l'une de ses voisines « que les dames devraient prendre les armes pour garder les remparts, pendant que les hommes feraient des sorties contre les troupes de Versailles ». Le 23 mai, elle avait déclaré qu'elle allait revenir avec des gardes nationaux

1. A.N. BB 24, 773, 9263, S. 72.
2. A.N. BB 24, 780, 11297, S. 72.
3. A.N. BB 24, 781, 11470, S. 72.

« pour arrêter les fainéants qui se cachaient ». Mais elle
n'avait pu parvenir jusqu'au poste [1].

La même peine pour Anne Collot, femme Gobert, journalière, contre qui l'on ne peut retenir que des injures envers
«les honnêtes gens » qui tenaient pour Versailles, et d'avoir
encouragé son mari à prendre les armes. Mais quand on vint
l'arrêter, elle osa déclarer qu'on n'avait pas le droit de
faire des arrestations la nuit et traita les agents « de
canailles, d'assassins, agissant au nom d'un gouvernement
d'assassins, qui faisaient mourir de faim les honnêtes gens
et les fusillaient [2] ».

On ne peut guère reprocher à Anne Collot que des propos.
Par contre, cinq ans de détention seulement à Joséphine
Semblat, née Taveau qui, le 26 mai, à la tête d'un groupe
de marins de la Commune, était venue arrêter des réfractaires cachés dans sa maison [3]. Cinq ans de détention ou de
réclusion à beaucoup d'autres pour des faits analogues.

Enfin, un dernier groupe comprend un certain nombre
de condamnations pour « vol et pillage ». Certains vols relèvent, sans doute, du « droit commun », encore que les armées‘
quelles qu'elles soient, aient toujours tendance à considérer
les maisons abandonnées ou en ruine comme des biens
qui n'appartiennent plus à personne.

Henriette-Marie Dellière et Octavie Cornet sont condamnées par le 13e Conseil de guerre à deux ans de prison et
cinq ans de haute police, l'une pour avoir accepté des
bijoux de son amant, l'autre pour avoir pris une machine
à coudre [4]. Mais les peines s'élèvent quand il s'agit du Palais
des Tuileries ou de la maison de M. Thiers en personne.
Dix ans de travaux forcés à Alexandrine Théodore Simon,
veuve Godin, couturière, qui avait reçu un manteau de
fourrure appartenant à la générale Trochu [5]. Vingt ans de
travaux forcés et 5.000 francs d'amende à Ernestine Garçon, femme Colleau, chez qui on a retrouvé un Nouveau
Testament, une loupe et un coupe-papier appartenant à

1. A.N. BB 24, 768, 8345, S. 72.
2. A.N. BB 24, 776, 10384, S. 72.
3. A.N. BB 24, 771, 9112, S. 72.
4. *Gazette des Tribunaux*, 16-19 mai 1872.
5. A.N. BB 24, 783, 12217, S. 72.

M. Thiers. C'est cher, sans doute. Mais Ernestine Garçon s'est réfugiée en Belgique. Pour le même « crime », d'ailleurs, son amant n'est condamné qu'à deux ans de prison [1].

Ces cas n'ont guère de caractère politique. Mais une autre affaire semble beaucoup plus significative. Il s'agit, non pas d'un vol individuel, mais d'une réquisition « légale », dans la perspective d'une redistribution des biens.

Marie-Joséphine Miguet, femme Parfond, ouvrière en boutons (née en 1848 à Saint-Maurice-sur-Fessard, Loiret) fut condamnée à cinq ans de réclusion, le 19 février 1872, pour complicité de pillage d'un magasin « en bande et à force ouverte ». Des épiciers de la rue des Amandiers avaient quitté Paris, le 18 mars, et abandonné, sans gardien, leur magasin. Vers les derniers jours de la Commune, des gardes nationaux, conduits par le commissaire de police du quartier du Père-Lachaise, requirent un serrurier pour ouvrir la porte. Les Fédérés disaient que l'épicier était un traître à la Commune et qu'ils allaient enlever les marchandises « pour les donner aux pauvres gens qui n'ont rien ».

L'ambulancière Marie Parfond les accompagnait et les approuvait : « Oui, c'est très juste, disait-elle. Quand je pense que j'ai un mari qui est au feu, et que, pendant ce temps-là, il y a des gens qui se sauvent pour ne pas servir. »

Toutes les denrées furent transportées à l'église de Ménilmontant pour y être distribuées. L'épicier y retrouva d'ailleurs des bouteilles que les Fédérés n'avaient pas vidées, malgré la réputation d'ivrognerie qu'on leur avait faite. On retrouva aussi chez Marie Parfond un paquet contenant des objets de toilette appartenant à l'épicière. Pour se défendre, Marie Parfond affirme qu'elle n'était pas entrée dans le magasin et qu'elle avait ramassé le paquet dans la rue : elle avait l'intention de le rendre à sa propriétaire. Marie Parfond n'a aucun antécédent judiciaire. Mais malgré ses dénégations devant le Conseil de guerre, on peut parfaitement admettre qu'elle avait bien participé à une opération qui n'avait d'autre but que de distribuer

1. A.N. BB 24, 856 B, 2793, S. 79.

des denrées abandonnées par des Versaillais [1]. Cette action s'inscrit dans une politique sociale, que la Commune a menée d'ailleurs avec la plus extrême prudence (on sait qu'elle ne s'attaqua pas à la Banque de France et que les biens particuliers furent en général ménagés ; la démolition de la maison de M. Thiers ressortit du domaine des symboles).

Mais comme tout gouvernement, en temps de guerre, la Commune opéra des « réquisitions » de denrées, de chevaux, de magasins. *L'Union des Femmes* était chargée de de rechercher les ateliers abandonnés par leur propriétaire, dans le cadre de la réorganisation du travail. Elle le fit avec un grand souci de légalité [2]. Mais cette légalité révolutionnaire ne pouvait évidemment être admise par le gouvernement de Versailles. C'est pourquoi les Conseils de guerre ont toujours assimilé à des « crimes de droit commun » des actes qui relevaient le plus souvent de l'action révolutionnaire, donc politique.

Victor Hugo, qui a tout compris, l'a bien vu, et a osé le dire. Intervenant pour les condamnés à mort, il écrit : « Ces êtres misérables... n'ont rien à voir avec la politique. Là-dessus, tout le monde est d'accord. Ce sont des délinquants vulgaires, coupables de méfaits ordinaires, prévus par la loi pénale de tous les temps. Entendons-nous. Que tout le monde soit d'accord sur l'excellence de ces condamnations, peu m'importe. Quand il s'agit de juger un ennemi, mettons-nous en garde contre les consentements furieux de la foule et contre les acclamations de notre propre parti... Défions-nous de certains mots, tels que *délits ordinaires, crimes communs*, mots souples et faciles à ajuster à des sentences excessives ; ces mots-là ont l'inconvénient d'être commodes. En politique, ce qui est commode, est dangereux. Confondre Marat avec Lacenaire est aisé et mène loin. Certes, la Chambre introuvable, je parle de celle de 1815, si elle fût arrivée vingt ans plus tôt, et si le hasard l'eût faite victorieuse de la Convention, aurait trouvé d'excellentes raisons pour déclarer la république scélérate ; 1815 eût déclaré 93 justiciable de la pénalité ordinaire ;

1. A.N. BB 24, 756, 5756, S. 72.
2. *Gazette des Tribunaux*, 18 janvier 1872. A.G. Ly 23.

les massacres de septembre, les meurtres d'évêques et de prêtres, la destruction des monuments publics, l'atteinte aux propriétés privées, n'eussent point fait défaut à son réquisitoire; la Terreur blanche eût instrumenté judiciairement contre la Terreur rouge; la Chambre royaliste eût proclamé les conventionnels atteints et convaincus de délits communs, prévus et punis par le code criminel... Elle aurait vu en Danton un égorgeur, en Camille Desmoulins un provocateur au meurtre, en Saint-Just un assassin, en Robespierre un malfaiteur pur et simple; elle leur eût crié à tous : Vous n'êtes pas des hommes politiques. Et l'opinion publique aurait dit : C'est vrai. Jusqu'au jour où la conscience humaine aurait dit : C'est faux [1]. »

Or, les combattants de la Commune sont aussi « des combattants révolutionnaires »; à eux aussi on ne peut reprocher que des « faits politiques ».

Il faut convenir que ces pages, écrites en 1871, ne manquent ni de perspicacité, ni de grandeur. Elles sont rares à l'époque.

1. Victor Hugo, *Depuis l'Exil*, t. II, p. 17.

XVI

D'Auberive
à la Nouvelle-Calédonie

« Je revois Auberive, avec les étroites allées serpentant
sous les sapins, les grands dortoirs où soufflait le vent comme
dans les navires, les files silencieuses de prisonnières, avec
la coiffe blanche et le fichu plissé sur le cou, pareilles à des
paysannes d'il y a cent ans [1]. »

Ainsi Louise Michel nous décrit la prison où, peu à peu,
d'autres condamnées viennent la rejoindre : Nathalie
Lemel, Sophie Poirier, Béatrix Excoffon, Mme Richoux,
Mme Bruteau, « qui ressemblait à une marquise avec ses
cheveux blancs relevés sur son jeune visage », Marie Chiffon, qui cria : « Vive la Commune », en mettant son numéro
de bagnarde à son bras, et la vieille Mme Delettra « qui avait
déjà combattu à Lyon, au temps où les Canuts écrivaient :
Vivre en travaillant, mourir en combattant [2] ».

Louise Michel réagit en poète à la condition de prisonnière qui lui est imposée. Elle écrit des poèmes sur Ferré,
qu'elle a aimé, peut-être, et qui a été fusillé, sur ses camarades morts, sur la Révolution vaincue :

> *Soufflez, ô vents d'hiver, tombe toujours ô neige,*
> *On est plus près des morts sous tes voiles glacés,*
> *Que la nuit soit sans fin et que le jour s'abrège,*
> *On compte par hiver chez les froids trépassés...*

En août 1873, Louise Michel et dix-neuf autres femmes
quittent Auberive pour la Nouvelle-Calédonie. On les
embarque sur une vieille frégate à voile, *la Virginie*. Les

---

1. Michel (Louise), *La Commune*, p. 344, et *Mémoires*, p. 205.
2. *Mémoires*, p. 343.

prisonniers sont enfermés dans des cages de fer, mais ils ont droit à quelques promenades sur le pont. La mer enchante cette terrienne qu'est Louise Michel, la captive, et la fait échapper aux geôles de fer. Elle qui ne connaissait que Chaumont, Paris et la campagne de son enfance, découvre avec passion la farouche grandeur de l'Océan. On passait alors par le cap Horn : « Nous vîmes la mer polaire du Sud, où dans une nuit profonde, la neige tombait sur le pont [1]. » Ici Louise Michel rejoint Melville.

Rochefort est du voyage, et échange des poèmes avec Louise Michel : curieux marivaudage que celui de ces condamnés :

De Rochefort :

> *Ce phoque entrevu ce matin*
> *M'a rappelé dans le lointain*
> *Le chauve Rouher aux mains grasses.*
> *Et les requins qu'on a pêchés*
> *Semblaient des membres détachés*
> *De la Commission des Grâces [2]...*

A quoi, Louise Michel répond un ton au-dessus :

> *L'aspect de ces gouffres enivre.*
> *Plus haut, ô Flots, plus fort, ô Vents*
> *Il devient trop cher de vivre*
> *Tant ici les songes sont grands [3].*

Au fond même du dénuement, Louise Michel donne le peu qu'elle possède. Le capitaine, la voyant nu-pieds, lui fait remettre par Rochefort une paire de pantoufles. De Rochefort, il suppose qu'elle les acceptera. Mais trois jours après, Louise Michel avait encore donné ses chaussons et courait de nouveau pieds nus, sur le pont. Oubliant qu'elle est prisonnière, elle s'indigne de voir les marins attraper les albatros à l'hameçon et fait cesser cette chasse si cruelle.

Enfin, on arrive à la Nouvelle-Calédonie. Le directeur du bagne veut envoyer les femmes dans une colonie pénitentiaire dirigée par des religieuses. Mais Louise Michel

---

1. *La Commune*, p. 353.
2. Rochefort (Henri) : *Les Aventures de ma vie*, t. III, pp. 254 et suiv.
3. *La Commune*, p. 354 et 355. *Mémoires*, pp. 283-287.

proteste : puisqu'on les a condamnées comme les hommes, il est juste qu'elles subissent la même peine qu'eux.

Louise Michel, Nathalie Lemel, sont donc envoyées, ainsi que Rochefort, à la presqu'île Ducos. Les déportés ont pour abri des huttes de paille. La nourriture est mauvaise, l'eau saumâtre. Les aliments sont cuits à la mode canaque : un trou creusé dans la terre et des pierres rougies au feu. Pas de savon. Des vêtements qui tombent en loques. Les punitions sont les fers et le fouet. Beaucoup de prisonniers moururent de privations.

Puisqu'elles ont réclamé pour elles l'application du droit commun, les femmes sont soumises au même régime. Mais elles ont à subir de plus les injures des gendarmes, les insultes du commandant. Plusieurs de ces femmes sont jeunes et jolies, mais jamais, dit l'un de leurs compagnons, ces femmes captives avec huit cents hommes « ne furent cause de scandale, ni de rixe, ni de dispute [1] ».

Louise Michel, Nathalie Lemel, Marie Schmitt, Marie Cailleux, et deux autres femmes reçoivent l'ordre de quitter le camp de Numbo pour la baie de l'Ouest. Nathalie Lemel proteste. Elle ne refuse pas d'habiter le baraquement que lui assigne l'administration, mais elle fait observer qu'elle est malade et dans l'impossibilité d'effectuer elle-même son déménagement, de se procurer et de couper son bois, qu'elle a construit deux poulaillers et cultivé une portion de terrain et qu'enfin « en vertu de la loi sur la déportation qui dit : les déportés pourront vivre par groupe ou par famille, et leur laisse le choix des personnes avec lesquelles il leur plaît d'établir des rapports, la déportée Duval, femme Lemel, se refuse à la vie commune, si ce n'est dans ces conditions [2] ». Louise Michel proteste de son côté et demande si l'on veut leur infliger une nouvelle insulte. Le transfert des prisonnières a lieu cependant, mais elles obtiennent l'autorisation de couper le grand baraquement que l'on avait prévu pour elles, en petites cases pour qu'elles puissent vivre avec les camarades de leur choix [3].

Louise Michel surmonte mieux que d'autres sa condition

1. *La Commune*, p. 440.
2. *Mémoires*, p. 306.
3. *La Commune*, p. 373.

de déportée, par la richesse de sa personnalité, par la force
de son caractère. D'abord, il y a la beauté du paysage en
accord avec son âme romantique. Les cyclones la transpor-
tent d'admiration : « Parfois un éclair immense et rouge
déchire l'ombre, ou fait voir une seule lueur de pourpre
sur laquelle flotte comme un crêpe, le noir des flots. Le
tonnerre, les rauquements de la mer, le canon d'alarme dans
la rade, le bruit de l'eau versée par torrents, les énormes
souffles du vent, tout cela n'est plus qu'un seul bruit
immense, superbe, l'orchestre de la nature sauvage. »

Puis l'étudiante en sciences naturelles, qui s'était mise
jadis à la discipline de Claude Bernard, étudie la flore et
la faune calédoniennes, le mimétisme des insectes. Elle
tente d'appliquer le principe de la vaccination aux papayers
malades. Un gouverneur intelligent, M. de la Richerie,
l'autorise à faire des expériences sur les arbres du domaine.

Enfin, et surtout, il y a les hommes. Alors que de nombreux communards déportés partagent le mépris des
autres Blancs envers les indigènes, Louise Michel se lie
avec un employé canaque de l'administration pénitentiaire,
« qui veut apprendre ce que savent les Blancs ». Elle lui
donne des leçons. En échange, il lui apprend les éléments des
dialectes canaques. Puis elle s'enfonce dans la jungle, à la
recherche de ces tribus encore anthropophages. Elle réussit
à se faire accepter par l'une d'elles, recueille ses légendes
et ses chants. Elle ne partage pas l'admiration théorique de
Rousseau pour « les bons sauvages », mais pas davantage
le mépris des « civilisés ». Elle les étudie en ethnographe et
les aime comme une partie de l'humanité. Lorsque, en 1878,
éclate une révolte indigène, certains communards s'enrô-
lent dans l'armée de la répression. Mais Louise Michel
embrasse le parti des Canaques et les aide secrètement.
L'insurrection fut noyée dans le sang. Quant aux déportés
arabes d'Algérie, « ils étaient simples et bons et d'une grande
justice », note Louise Michel.

Mais en même temps, elle lutte pour le bien-être des
déportés, écrit à une revue australienne pour faire connaître les châtiments dont ils sont l'objet, exige d'être traitée
avec dignité, ainsi que ses compagnes [1].

1. *Mémoires*, p. 307.

En 1879, les déportés qui exercent un métier obtiennent l'autorisation de s'installer à Nouméa. Louise Michel y reprend sa profession d'institutrice. Elle n'a d'abord comme élèves que des enfants de déportés, mais le maire lui confie bientôt l'enseignement du dessin et de la musique dans les écoles de filles [1].

Des mariages ont eu lieu entre les femmes et les hommes condamnés. Henri Place épouse Marie Cailleux, Langlois, Élizabeth Deguy [2]. La plupart de ces femmes se conduisent « bien », selon les règles de la morale bourgeoise et pénitentiaire. Lucie Boisselin (Mme Leblanc), à l'île du Pin, travaille beaucoup, prend grand soin de ses enfants, a « une bonne conduite », témoigne « de bons sentiments [3] ». De même, Marie Braun (Mme Testot), qui vit avec son mari, travaille comme blanchisseuse [4]. Anne Collot, femme Gobert, trouve le moyen d'économiser sur son travail une somme de six cents francs [5]. Marie Gaboriaud vit avec son mari Jules Chiffon, qui cultive courageusement sa concession. Elle blanchit le linge du personnel et « se conduit bien [6] ». Victorine Gorget, malgré son caractère « exalté », se montre soumise et animée « d'un bon esprit [7] ». Jeanne Petit, domestique à Nouméa, ne fréquente pas les détenus et a « une très bonne conduite », mais son « exaltation », c'est-à-dire son attachement aux idées de la Commune, ne laisse pas d'inquiéter l'administration pénitentiaire [8]. Suzanne Preu, femme Dutour, vit avec son fils « en très bon accord » et témoigne « d'une bonne moralité [9] ».

Marie Cailleux, qui a épousé Henri Place, n'a, par contre, qu'une « conduite passable » et « de mauvais sentiments [10] ». Marie Schmitt, femme Gaspard, est animée « d'un mauvais esprit ». Elle a une conduite et des mœurs douteuses et passe son temps chez un déporté, avec qui elle a d'ailleurs vécu

1. *La Commune*, p. 387.
2. *La Commune*, p. 376.
3. A.N. BB 24, 786, 70, S. 73.
4. A.N. BB 24, 838, 2814, S. 77.
5. A.N. BB 24, 776, 10384, S. 72, et F 7, 12695-12696.
6. A.N. BB 24, 775, 10096, S. 72, et BB 24, 732, 5705, S. 71.
7. A.N. BB 24, 768, 8345, S. 72.
8. A.N. BB 24, 760, 6407, S. 72.
9. A.N. BB 24, 781, 11470, S. 72.
10. A.N. BB 24, 747, 4186, S. 72.

depuis son arrivée [1]. Quant à Louise Desfossés, femme
Boulant, elle s'enivre et a « des mœurs dégoûtantes [2] ».
La très suspecte Marie Leroy en est à son troisième mari,
et est mal vue des déportés eux-mêmes [3].

Là encore, les personnages de ce récit gardent leur indi-
vidualité. Il y a de tout parmi les femmes de la Commune.

A la Guyane, dont le climat est réputé pour son insa-
lubrité, on a envoyé les femmes condamnées à mort et dont
la peine a été commuée. C'est là que se retrouvent la cantinière Lachaise, Marceline Expilly, et les « pétroleuses »,
Joséphine Marchais, Élizabeth Rétiffe, Léonie Suétens,
ainsi qu'Anne-Marie Menand et Marie-Jeanne Moussu.
En 1877, le gouverneur de la Guyane se plaint que ces
femmes provoquent de la part du personnel pénitencier
« d'incessantes réclamations » et créent « de perpétuels
embarras ». Mais puisqu'elles doivent subir leur peine à la
Guyane, il n'est pas possible de les renvoyer en France, dans
des maisons centrales. Le gouverneur de la Guyane demande
donc au ministre de la Marine l'autorisation de les placer
en liberté provisoire, comme on le fait pour les femmes
de race noire [4].

Les embarras du gouverneur de la Guyane ne devaient
plus être de longue durée. Une amnistie partielle fut votée
en 1879. L'amnistie totale de tous les condamnés de la
Commune — du moins pour ceux qui étaient encore en vie
— en 1880.

Un rapport du capitaine Briot, substitut du 4e Conseil
de guerre, a tenté de faire, à sa manière, une synthèse de
la participation des femmes à la Commune [5]. 1.051 femmes
furent déférées, dit-il, aux Conseils de guerre. Il y eut
850 non-lieux. Les autres, comme nous l'avons vu, subirent
des peines allant de la peine de mort (qui fut toujours
commuée) à la prison. Recherchant les causes qui menè-
rent les femmes à participer à la Commune, le capitaine
Briot énumère pêle-mêle l'état de concubinage, de démo-

1. A.N. BB 24, 747, 4183, S. 72.
2. A.N. BB 24, 773, 9289, S. 72.
3. Da Costa, *La Commune vécue*, I, pp. 402-403.
4. A.N. BB, 24, 759, 6263, S. 72.
5. *Enquête Parlementaire sur l'Insurrection du 18 mars*, t. III, p. 309.

ralisation et de débauche, la réglementation défectueuse
de la prostitution, le manque de surveillance des agents
spéciaux de la police, l'admission à Saint-Lazare et le main-
tien ensuite dans la capitale de créatures dont les antécédents et la corruption sont un danger permanent pour les
mœurs et la tranquillité publique, les théories dissolvantes
du socialisme, les réunions et les clubs, les publications
immorales et obscènes, les manœuvres de *l'Internationale*,
l'organisation du Comité central de *l'Union des Femmes*.

Qu'un grand nombre de femmes qui participèrent à la
Commune eussent des amants, « vécussent en concubinage », comme dit élégamment la police, n'a rien en soi
qui prédispose à participer à un mouvement révolutionnaire. Nous avons vu que l'union libre était la forme la
plus courante du mariage dans la classe ouvrière, par indif-
férence aux lois religieuses et civiles, mais n'excluait nullement une longue fidélité. Beaucoup de femmes, dont nous
avons eu les procès sous les yeux, portaient le nom de leur
amant comme elles eussent porté celui de leur mari et les
suivaient au combat de la même manière. Il est curieux
d'ailleurs de constater que les situations irrégulières, si à
la mode cependant dans la bourgeoisie du Second Empire,
et envers lesquelles la littérature d'alors témoigne toujours
d'une complaisance amusée, deviennent une charge de plus
aux yeux des chastes militaires. Il s'agit pour eux de démontrer « l'immoralité » de la classe ouvrière.

Le nombre des prostituées, ou anciennes prostituées,
toujours d'après le capitaine Briot, aurait été de 246 sur
1.051 femmes arrêtées. Cette proportion, qui paraît fort
élevée, ne se retrouve pas dans les dossiers qui nous sont parvenus. Quoi qu'il en soit, nous avons vu que les bas salaires
sont, au xixe siècle, la cause principale de la prostitution.
Pour beaucoup de femmes, c'est là le seul moyen que la
société leur offre de « gagner leur vie », ou de suppléer à des
salaires souvent aléatoires et toujours insuffisants. Mais il
est compréhensible que des femmes, qui sont les premières
victimes de l'ordre social, participent à un mouvement
révolutionnaire qui a pour objet de le changer. Une prostituée, qui participe à un mouvement révolutionnaire,
accomplit un acte de dignité humaine. Il faut convenir
d'ailleurs que la plupart d'entre elles, avilies définitive-

ment par leur « profession », sont bien plus souvent des auxiliaires de la police et des « respectueuses » de l'ordre établi. Il faut reconnaître aussi que la vertueuse indignation des Conseils de guerre à l'égard de la prostitution est une hypocrisie sociale de plus. Codifiée par la loi, la prostitution n'existerait pas sans les hommes qui en sont les instigateurs, les bénéficiaires ou les usagers.

Le capitaine Briot met sur le même plan les propagandes socialistes et révolutionnaires et « les publications immorales et obscènes ». C'est là une assimilation qui ne mérite pas d'être discutée. La morale socialiste est, en général, empreinte de puritanisme, ainsi que l'ont montré, à plusieurs reprises, les motions des clubs.

Beaucoup de femmes qui s'engagèrent dans les rangs de la Commune ne semblent pas y avoir été poussées par des motifs idéologiques. Certaines se contentèrent d'accompagner leur mari ou leur amant dans les rangs des Fédérés. Mais d'autres, au contraire, accomplirent, pour la première fois, un acte politique, participèrent, pour la première fois, à la vie politique, dont elles avaient toujours été exclues. A ce point de vue, *l'Union des Femmes*, qui défend implicitement l'égalité des hommes et des femmes dans la société et réclame un salaire égal pour le même travail, est évidemment un scandale, comme s'efforça de le démontrer, d'une manière tout à fait ridicule, le commissaire du Gouvernement dans le procès des « pétroleuses ».

Ces femmes de la Commune se recrutèrent surtout, comme les Fédérés eux-mêmes, dans la classe ouvrière. 756 appartiennent au peuple ouvrier et artisan de Paris : couturières, passementières, journalières, blanchisseuses, lingères, modistes, relieuses, etc. On trouve seulement une propriétaire, 4 institutrices, 33 patronnes d'hôtel ou de café, 11 marchandes et fabricantes. 246 sont « sans profession ».

Mais, à part quelques exceptions, les femmes qui jouèrent réellement un rôle pendant la Commune, viennent, comme Louise Michel, Marguerite Tinayre, André Léo ou les Russes Élizabeth Dmitrieff et Anna Jaclard, des classes aisées et embrassèrent la cause du socialisme pour des motifs intellectuels. Elles apportent ainsi une fois de plus la

preuve que, si les opinions et les attitudes sont condition-
nées le plus souvent par l'appartenance sociale, une marge
de liberté existe, qui permet à chaque homme ou à chaque
femme *de choisir sa cause.* Or, quelles que soient les erreurs
et les fautes de la Commune et de ses partisans, cette cause
demeure celle d'une société en devenir, où l'égalité, la
liberté, la justice, ne seraient plus des mots vides de sens.
Si médiocres qu'ils fussent souvent, les Communards n'en
incarnent pas moins une espérance qui les dépasse et dont
ils furent les acteurs, les témoins et les martyrs.

Quant à transformer les femmes de la Commune en
pures héroïnes, nous laisserons ce soin aux hagiographes
des Révolutions. Mais il serait aussi faux d'en faire les
abjectes mégères que décrivaient Maxime Du Camp, et
autres historiens réactionnaires. L'histoire, au niveau
des masses, comme au sommet, est faite d'individus qu'il
est difficile d'atteindre jusqu'au fond d'eux-mêmes. Bons
ou méchants, comme aurait dit Diderot, lâches ou coura-
geux, qui le sait? C'est à travers leurs actes qu'on peut
essayer de les saisir et sans cesse ils nous échappent, car
leurs actes sont ambigus et prêtent à des interprétations
diverses, contradictoires. Cependant les « mouvements
de masses » sont exécutés par des hommes et des femmes,
chacun unique, et chacun différent. Anges et démons,
rosières et mégères se côtoient dans les foules de la Commune, ni plus ni moins que dans les cours des rois. Certes,
les historiens qui inclinent vers la sociologie, ne s'intéressent
qu'à l'ensemble. Pour moi, c'est quelque chose d'autre que
j'ai tenté de faire : décomposer les masses en leurs éléments,
atteindre les cellules individuelles qui les composent,
(et sans doute y suis-je mal parvenue). Les documents
sont partiaux, schématiques, insuffisants. J'ai retrouvé des
noms et des actes, mais qui étaient Élizabeth Rétiffe,
Léonie Suétens, Eulalie Papavoine, humbles femmes jetées
dans une grande cause? Nul finalement ne le saura jamais.

Et peut-être ici, le mythe est-il plus proche de la vérité
que l'histoire, le mythe poétique que Victor Hugo, Rimbaud
et Verlaine ont contribué à forger.

Le Temps des Cerises de Jean-Baptiste Clément, qui
chanta si longtemps sur les lèvres de tous les garçons et

de toutes les filles de Paris et qui devint la mélancolique rengaine des derniers orgues de Barbarie, était dédié à une ambulancière de la Commune.

Les femmes de la Commune apparaissent aussi chez d'autres chansonniers populaires.

Emmanuel Delorme, dans *Pimprelette* :

> *Un jour, on fit des barricades,*
> *Ils descendirent tous les deux* [1]...

Eugène Pottier, l'auteur du chant le plus célèbre et le plus répandu : *L'Internationale* :

> *Les petits sont pétroleurs*
> *Dans le ventre de leur mère*
> *Pour supprimer les voleurs*
> *Nul moyen n'est trop sommaire.*
> *... Bien qu'elle fût pleine, on prit la commère*
> *A faire coup double elle nous força*
> > *Fusillez-moi ça.*
> > *Fusillez-moi ça.*
> *Pour l'amour de Dieu, fusillez-moi ça* [2].

Le blanquiste Trohel, l'ouvrier typographe Achille Le Roy exaltent Louise Michel :

> *Tu ne l'oublieras pas, cette Jeanne nouvelle* [3]...

Ou :

> *Devant Versailles, elle resta debout* [4]...

Mais c'est à Hugo, à Verlaine, à Rimbaud, que l'on doit d'avoir écrit les plus grands hommages.

Victor Hugo, qui ne sépara jamais son activité de poète de celle de citoyen, ne se contenta pas d'intervenir en faveur des condamnés de la Commune. Il mit sa pitié et son génie au service des vaincus, comme il l'avait fait déjà dans *Les Châtiments.* Pour lui, l'usage des mots n'est pas un jeu

---

1. *Les Poètes de la Commune,* p. 68.
2. *Ibidem,* p. 154.
3. *Ibidem,* pp. 41-43.
4. *Ibidem,* pp. 64-65.

vain. La poésie est au service de la « vérité pratique ». Il versifie donc (et hélas, ce n'est pas toujours bon) les nouvelles qui lui arrivent à Bruxelles. Il attire l'opinion du monde sur l'effroyable répression qui suit la Commune.

> *La prisonnière passe, elle est blessée, elle a*
> *On ne sait quel aveu sur le front. La voilà*
> *On l'insulte...*

Quoi donc l'a poussée à se joindre aux insurgés? La faim, sans doute, ou l'amour d'un homme. Et il oppose à la misère de la femme blessée la joie immonde des Versaillais et de leurs femmes élégantes qui, « du manche sculpté d'une ombrelle de soie », fouillent la plaie de la prisonnière [1].

Avec son poème sur Louise Michel, ce ne sont plus les pauvres femmes misérables, irresponsables qu'il décrit, mais la Révolutionnaire lucide, courageuse, qui assume totalement le destin qu'elle a choisi :

> *Ayant vu le massacre immense, le combat,*
> *Le peuple sur sa croix, Paris sur son grabat,*
> *La pitié formidable était dans tes paroles.*
> *Tu faisais ce que font les grandes âmes folles.*
> *Et, lasse de lutter, de rêver, de souffrir,*
> *Tu disais : « J'ai tué », car tu voulais mourir...*

C'est tout le procès de Louise Michel qu'il évoque, la charge de l'incendie de Paris, qu'elle revendique :

> *Tu mentais contre toi, terrible et surhumaine...*
> *Tu disais aux greniers : « J'ai brûlé les palais. »*
> *Tu glorifiais ceux qu'on accuse et qu'on foule.*
> *Tu criais : « J'ai tué, qu'on me tue... »*

Et les juges hésitaient, regardant « la sévère coupable».

Alors le poète lui apporte son témoignage personnel. Il la connaissait depuis sa jeunesse, au temps lointain où, à Vroncourt, elle s'appelait encore Mlle Demahis. Il rappelle donc :

> *Tes jours, tes nuits, tes soins, tes pleurs donnés à tous,*
> *Ton oubli de toi-même à secourir les autres*
> *Ta parole semblable aux flammes des apôtres,*

1. *L'Année Terrible*, pp. 222-223.

et aussi sa pauvreté, sa bonté, sa fierté « de femme populaire ».

> *Tu fus haute, et semblas étrange en ces débats*
> *Car chétifs comme sont les vivants d'ici-bas,*
> *Rien ne les trouble plus que deux âmes mêlées,*
> *Que le divin chaos des choses étoilées*
> *Aperçu tout au fond d'un grand cœur étoilé*
> *Et qu'un rayonnement vu dans un flamboiement* [1]...

Beaucoup plus tard, en 1886, Verlaine rend, lui aussi, hommage à Louise Michel dans une ballade qui évoque celle de Villon :

> *Madame et Pauline Roland,*
> *Charlotte, Théroigne, Lucile,*
> *Presque Jeanne d'Arc, étoilant*
> *Le front de la foule imbécile,*
> *Nom des cieux, cœur divin qu'exile*
> *Cette espèce de moins que rien*
> *France bourgeoise au dos facile*
> *Louise Michel est très bien* [2]...

Quant à Rimbaud, c'est la lutte de la classe ouvrière tout entière qu'il exalte dans *Les Mains de Jeanne-Marie* :

> *Jeanne-Marie a des mains fortes,*
> *Mains sombres que l'été tanna,*
> *Mains pâles comme des mains mortes.*
> *— Sont-ce des mains de Juana?*

> *... Sur les pieds ardents des Madones*
> *Ont-elles fané des fleurs d'or?*
> *C'est le sang noir des belladones*
> *Qui dans leur paume éclate et dort.*

> *... Elles ont pâli, merveilleuses,*
> *Au grand soleil d'amour chargé,*
> *Sur le bronze des mitrailleuses*
> *A travers Paris insurgé* [3].

---

1. *Toute la Lyre*, I, 39, *Victor Hugo à Louise Michel. Viro major.*
2. Verlaine (Paul), *Œuvres poétiques complètes* (Bibliothèque de la Pléiade), *Ballade en l'honneur de Louise Michel*, p. 299.
3. Rimbaud (Arthur), *Œuvres complètes* (Bibliothèque de la Pléiade), p. 83.

Hugo, Verlaine, Rimbaud, ont tressé des couronnes aux couturières, aux blanchisseuses, aux journalières, aux institutrices de la Commune. Quelles reines peuvent s'enorgueillir d'avoir réuni autour d'elles de tels poètes de cour?

Sources et bibliographie

SOURCES MANUSCRITES

Archives Nationales (A.N.) : Fichier des Grâces de la Commune : BB 27, 107-109. Dossiers des Grâces : BB 24. Documents concernant les déportés et transportés : F 7, 12695-12698. Dessins accompagnés de légendes représentant des femmes de la Commune : AB XIX 3353, dos. 10.

Archives de la Seine (A.S.) : Mairies de Paris : V *bis* 388.

Archives du Ministère de la Guerre (A.G.) : Dossiers des Conseils de guerre de 1871. Documents concernant les clubs et les comités de femmes : Ly 22 et Ly 23.

Archives de la Préfecture de police (A.P.) : BA 1008, 1123, 1183.

JOURNAUX

L'Action.
L'Affranchi.
L'Avant-Garde.
La Commune.
Le Cri du Peuple.
La Discussion.
L'Étoile.
Le Figaro.
Gazette des Tribunaux.
Journal Officiel de la République Française (la **Commune**).
La Justice.
Le Moniteur des Citoyennes, 1870.
La Montagne.
La Patrie.
Le Père Duchêne.
Le Réveil du Peuple.
La Révolution politique et sociale.
Le Rouge, journal des Jeunes.
La Sociale.
The Times.
Le Vengeur.
La Vérité.

BIBLIOGRAPHIE

Adam (Mme Edmond) : *Idées anti-proudhoniennes sur l'amour, la femme et le mariage*, par Mme Juliette La Messine. Paris, A. Taride, 1858, in-8º.

Allemane (Jean) : *Mémoires d'un Communard. Des Barricades au Bagne.* Paris, Librairie socialiste, 1910, 527 p., in-12.

Alméras (Henri) : *La vie parisienne pendant le Siège et sous la Commune.* Paris, Albin Michel, 1925, 544 p., in-8º.

Amodru (Abbé Laurent) : *Annales de Notre-Dame des Victoires... publiées en 1871 et 1872 par... avec un supplément renfermant des documents inédits sur le Siège et la Commune.* Paris, Le Coffre, 1891, in-8º.

Arnould (Arthur) : *Histoire populaire et parlementaire de la Commune de Paris.* Bruxelles, Librairie Socialiste H. Kistemaeckers, 1878, 3 vol. in-12.

Audebrand (Philibert) : *Histoire intime de la Révolution du 18 mars.* Paris, Dentu, 1871, in-8º.

Audouard (Olympe) : *Guerre aux hommes.* Paris, Dentu, 1866, in-8º.
— *Le luxe effréné des hommes.* Paris, Dentu, 1865, in-8º.

B... (Victorine Brochon) : *Souvenirs d'une morte vivante. 1848-1851, 1870-1871. Préface de Lucien Descaves.* Lausanne, Librairie A. Lapie, 1909, IX-310 p., in-8º.

Barron (Louis) : *Sous le drapeau rouge.* Paris, A Savine, 1889, 338 p., in-12.

Bellessort (André) : *La société française sous Napoléon III.* Paris, 1960, 317 p., in-8º.

Blanchecotte (Augustine-Malvine) : *Tablettes d'une femme pendant la Commune.* Paris, Didier, 1872, XIV-377 p., in-18.

Bourgin (Georges) : *Histoire de la Commune.* Paris, Publications de la Société Nouvelle, E. Cornely et Cie, 1907, 191 p., in-16.
— *La Commune.* Paris, P.U.F., 1953, 128 p., in-16.

Boyer (Irma) : *Louise Michel, la vierge rouge. Préface d'Henri Barbusse.* Paris, Delpuech, 1927, IX-249 p., in-8º.

Bruhat (Jean), Dautry (Jean) et Tersen (Emile) : *La Commune de 1871 sous la direction de... avec la collaboration de Pierre Angrand, Jean Bouvier, Henri Dubief, Jeanne Gaillard et Claude Perrot.* Paris, Éditions sociales, 1960, 435 p., in-4º.

Chevalier (Louis) : *Classes laborieuses, classes dangereuses à Paris pendant la première moitié du XIXe siècle.* Paris, Plon, 1958, 562 p., in-8º.

Clère (Jules) : *Les hommes de la Commune. Biographie complète de tous ses membres par...* Paris, Dentu, 1871, 215 p., in-8º.

Cluseret (Général) : *Mémoires.* Paris, L. Lévy, 1887-1888, 3 vol. in-18.

Cobb (Robert) : *Mentalité révolutionnaire*, dans *la Revue d'histoire moderne et contemporaine*, avril-juin 1959.

Coullié (abbé) : *Saint-Eustache pendant la Commune, mars, avril, mai*

1871. Paris, Imprimerie et Librairie administratives, 1871, 80 p., in-8º.

Da Costa (Gaston) : *La Commune vécue, 18 mars-28 mai 1871.* Paris, Ancienne Maison Quantin, Librairie-Imprimerie réunies, 1903-1905, 3 vol. in-12.

Dalsème (Achille) : *Histoire des Conspirations sous la Commune.* Paris. Dentu, 1872, iv-328 p., in-12.

Dauban (Charles-Aimé) : *Le fond de la société sous la Commune décrit d'après les documents qui constituent les Archives de la justice militaire avec des considérations critiques sur les mœurs du temps et sur les événements qui ont précédé la Commune.* Paris, Plon et Cie, 1873, 481 p., in-8º.

Daubié (Julie) : *La femme pauvre au XIXe siècle.* Paris, Guillaumin, 1866, vii-450 p., in-8º.

Dautry (Jean) et Scheler (Lucien) : *Le Comité central républicain des vingt arrondissements de Paris (septembre 1870-mai 1871) d'après les papiers inédits de Constant Martin et les sources imprimées.* Paris, Éditions sociales, 1960, 269 p., in-8º.

Dayot (Armand) : *L'Invasion, le Siège, la Commune 1870-1871, d'après des peintures, gravures, photographies, sculptures, médailles, autographes, objets du temps.* Paris, E. Flammarion, s. d., 364 p., in-4º.

Delmas (Abbé) : *La Terreur dans l'Église en 1871.* Paris, Dentu, 1871, 177 p., in-8º.

Deraismes (Maria) : *Œuvres complètes.* Paris, F. Alcan, 1895-1898, 4 vol., in-8º.

Dommanget (Maurice) : *Blanqui et l'opposition révolutionnaire à la fin du Second Empire.* Paris, A. Colin, 1960, viii-234 p., in-8º.

— *Hommes et Choses de la Commune.* Marseille, Éditions de la Coopérative des Amis de l'École émancipée, 1937, vi-258 p., in-8º.

Du Camp (Maxime) : *Les Convulsions de Paris.* Paris, Hachette, 1878-1880, 4 vol. in-8º. Édition annotée par l'auteur (Bibliothèque des Archives Nationales).

Duveau (Georges) : *La vie ouvrière en France sous le Second Empire,* Préface d'Édouard Dolléans. Paris, Gallimard, 1946, xxix-607 p., in-8º.

Enquête Parlementaire sur l'insurrection du 18 mars 1871. Versailles, Cerf, Imp. de l'Assemblée Nationale, 1872, 3 vol. in-4º.

Esquiros (Adèle) : *L'amour.* Paris, 1860, 107 p., in-18.

— *Les amours étranges.* Paris A. Courcier (1853), iv-349 p., in-18.

— *Histoire d'une sous-maîtresse.* Paris, E. Pick, 1861, 138 p., in-18.

— *Un vieux bas-bleu. L'amour au couvent,* dans *Les Veillées littéraires illustrées.* Paris, J. Bry aîné, 1849.

Excoffon (Béatrix) : *Récit* dans *La Commune* de Louise Michel. *Femmes (Les) célèbres.* Paris, Éd. Mazenod, 1960-1961, 2 vol. in-4º.

Fontoulieu (Paul) : *Les églises de Paris sous la Commune. Préface par*

A. de *Pontmartin*. Paris, Dentu, 1873, xxv-400 p., in-8º.

Grousset (Paschal) et Jourde (Francis) : *Les condamnés politiques en Nouvelle-Calédonie. Récit de deux évadés*. Genève, Ziegler, 1876, 79 p., in-8º.

Hardouin (Mme C.), Institutrice : *La détenue de Versailles en 1871*. Paris, l'auteur, 1879, 140 p., in-8º.

Hemday : *Bibliographie de Louise Michel, 1830-1905*. Bruxelles-Paris, Pensée et Action, 1959, in-8º.

Héricourt (Jenny d') : *La femme affranchie, réponse à MM. Michelet. Proudhon, E. de Girardin, A. Comte et aux autres novateurs modernes*. Bruxelles, A. Lacroix, Van Meenen et Cie, 1860, 2 vol. in-8º.

Houssaye (Arsène) : *Les Comédiens sans le savoir*. Paris, Librairie illustrée, 1886, xiv-374 p., in-18.

Hugo (Victor) : *L'Année Terrible*.
— *Toute la Lyre*.
— *Depuis l'Exil*, t. II. Paris, Hetzel et Quantin.
— *Carnets intimes. 1870-1871*. Paris, Gallimard, 1953, 299 p., in-8º.

Jeloubovskaïa (E.) : *La chute du Second Empire et la naissance de la Troisième République en France*, Moscou, Éditions en langues étrangères, 1959, 687 p., in-8º.

Labarthe (Gustave) : *Le théâtre pendant les jours du Siège et de la Commune*, Paris, Lib. Fischbacher, 1910, 143 p., in-8º.

Lanjalley (Paul) et Corriez (Paul) : *Histoire de la Révolution du 18 mars*, Paris-Bruxelles... A. Lacroix, Verboeckhoven et Cie, 1871, 570 p., in-8º.

Lecour (Charles-Jérôme) : *La prostitution à Paris et à Londres, 1789-1871, augmenté des chapitres sur la prostitution à Paris pendant le Siège et la Commune...* Paris, Asselin, 1872, vi-416 p., in-18.

Lefrançais (Gustave) : *Souvenirs d'un révolutionnaire. Préface de Lucien Descaves*. Bruxelles, Les Temps Nouveaux, 1902, xii-604 p., in-16.

Lénine (Vladimir) : *La Commune de Paris*. Moscou, Éditions en langues étrangères, s. d., 110 p., in-8º.

Léo (André), *Un divorce*, Paris, Librairie Internationale, 1866, 490 p., in-8º.
— *La femme et les mœurs. Liberté ou Monarchie*. Paris, Le Droit des Femmes, 1869, 174 p., in-8º.
— *La Guerre sociale. Discours prononcé au Congrès de la Paix à Lausanne, 1871*. Neuchâtel, Imp. G. Guillaume fils, 1871, 39 p., in-8º.
— *Un mariage scandaleux*. Paris, Hachette, 1862, 500 p., in-8º.
— *La vieille fille. Articles de divers journaux sur un mariage scandaleux*. Paris, Achille Faure, 1864, 211 p., in-8º.

Lepelletier (Edmond) : *Histoire de la Commune de 1871*. Paris, Mercure de France, 1911-1913, 3 vol. in-8º.

Levêque (Pierre) : *Le nombre des victimes de la Commune*, dans *L'Information historique*, novembre-décembre 1960.

L'Huillier (Fernand) : *La lutte ouvrière à la fin du Second Empire*. Paris, A. Colin, 1957, 83 p., in-8°.

Lipinska (Dr Melina) : *Les femmes et le progrès des Sciences médicales*. Paris, Masson, 1930, viii-255 p., in-8°.

Lissagaray (Hippolyte-Prosper-Olivier) : *Histoire de la Commune de Paris. Nouvelle édition précédée d'une notice sur Lissagaray par Amédée Dunois*. Paris, Librairie du Travail, 1929, xxxvii-579 p., in-8°.

— *Les huit journées de mai derrière les barricades*. Bruxelles, Bureau du Petit Journal, 1871, viii-324 p., in-16.

Malon (Benoît) : *La Troisième Défaite du Prolétariat français*. Neuchâtel, G. Guillaume fils, 1871, 538 p., in-12.

Marx (Karl) : *La Guerre Civile en France, 1871*. Paris, Bureau d'Édition, 1933, 139 p., in-8°.

— *Deux Interviews de Karl Marx sur la Commune p.p. M. Rubel*, dans *Le Mouvement social*, janvier-mars 1962, n° 38.

Michel (Louise) : *La Commune. Bibliothèque sociologique n° 22*. Paris, P. V. Stock, 1898, 427 p., in-8°.

— *Mémoires. T. I*. Paris, F. Roy, 1886, viii-490 p., in-8°.

— *A travers la vie, avec illustrations de l'auteur*. Paris, Librairie des Publications à cinq centimes, s. d., 155 p., in-16.

Milliet (Les). Une famille de républicains fouriéristes. Paris, Cahiers de la Quinzaine, t. X.

Molinari (G. de) : *Les clubs rouges pendant le siège de Paris*. Paris, Garnier frères, 1871, vii-362 p., in-12.

Parent-Duchâtelet (Dr Alexandre Jean-Baptiste) : *De la Prostitution dans la ville de Paris*. Paris, J.-B. Baillière et fils, 1857, 2 vol. in-16.

Paty (Jules) : *Un rêve de femme*. Paris, l'éditeur, rue Sainte-Anne, 53, 1865, 2 vol. in-18.

Pelletan (Camille) : *Question d'histoire. Le Comité central de la Commune*. Paris, M. Dreyfous, 1879, 189 p., in-18.

— *La semaine de Mai*. Paris, M. Dreyfous, 1880, viii-412 p., in-18.

Perrier (A.) : *Grégoire Champseix et André Léo*, dans *L'Actualité de l'Histoire*, janvier-mars 1960.

Planche (Fernand) : *La vie ardente et intrépide de Louise Michel, avec des documents inédits et de nombreux portraits*. Paris, l'auteur, Imp. La Slim, 1946, 245 p., in-8°.

Poètes de la Commune (Les), avec une préface de Jean Varloot pour le quatre-vingtième anniversaire de la Commune de Paris. Paris, Éditeurs Français Réunis, 1951, 174 p., in-8°.

Procès-Verbaux de la Commune de 1871. Édition critique par Georges Bourgin et Gabriel Henriot. Paris, A. Leroux et E. Lahure, 1924-1945, 2 vol. in-4°.

Proudhon (Pierre-Joseph) : *Amour et Mariage*. Paris, A. Lacroix, 1876, 251 p., in-18.

— *La Pornocratie ou les femmes dans les temps modernes*. Paris, A. Lacroix, 1875, viii-269 p., in-18.

Ravailhe (Chanoine Romain Pierre) : *Une semaine de la Commune de Paris.* Paris, V. Palmé, 1883, xvi-251 p., in-18.

Reclus (Élie) : *La Commune au jour le jour. 1871, 19 mars-28 mai.* Paris, Reinwald-Schleicher, 1908, 391 p., in-12.

Rimbaud (Arthur) : *Œuvres complètes.* La Pléiade, Paris, Gallimard, 1946, xxviii-825 p., in-8°.

Rochefort (Henri) : *Les aventures de ma vie.* Paris, Dupont, 1896-1898, 5 vol. in-12.

Rossel (Louis-Nathaniel) : *Mémoires, Procès et correspondance,* présentés par Roger Stéphane. Paris, J.-J. Pauvert, 1960, 531 p., in-8°.

Sarcey (Francisque) : *Le siège de Paris. Impressions et souvenirs.* Paris, E. Lachaud, 1871, ii-349 p., in-18.

Schulkind (Eugène W.) : *Le rôle des femmes dans la Commune de 1871,* dans *1848, revue des révolutions contemporaines,* février 1950. T. XLII.

Simon (Jules) : *L'ouvrière.* Paris, L. Hachette, 1861, viii-388 p., in-8°.

Soukholmine (Vassili) : *Deux femmes russes combattantes de la Commune,* dans *Cahiers Internationaux,* mai 1950, n° 16.

Tchérednitchenko (P.) : *La vie généreuse et mouvementée d'Elisa Tomanovskaïa...* dans *Études Soviétiques,* juin 1955, n° 87.

Tchernoff (Iouda) : *Le parti républicain au Coup d'État et sous le Second Empire, d'après des documents et des souvenirs inédits.* Paris, A. Pédone, 1906, xii-676 p., in-8°.

Vallès (Jules) : *L'Insurgé.* Paris, Nouvelle Librairie de France, 1950, 302 p., in-8°.

Vanier (Henriette) : *La mode et ses métiers. Frivolités et Lutte des classes, 1830-1870.* Les Faits, la Presse, l'Opinion. Paris, A. Colin, 1960, 286 p., in-16.

Verlaine (Paul) : *Œuvres poétiques complètes.* La Pléiade, Paris, Gallimard, 1954, xiii-1319 p., in-8°.

Vermersch (Eugène) : *Les Incendiaires.* Londres, 29 Frith-Street (Soho), 1872, 16 p., in-16.

Vésinier (Pierre) : *Histoire de la Commune de Paris.* Londres, Chapmann et Hall, 1871, 420 p., in-12.

Villiers (Baron Marc de) : *Histoire des clubs de femmes et des légions d'Amazones. 1793-1848-1871,* Paris, Plon-Nourrit, 1910, 422 p., in-8°.

Guillaume (Maxime) : *Mes cahiers rouges.* Paris, Cahiers de la Quinzaine, 10 vol. in-8°.

Weill (Georges) : *Histoire du parti républicain en France de 1814 à 1870.* Paris, 1900, 552 p. in-8°.

Wyczanska (Krystyna) : *Polacy w Komune Paryskiej 1871 R.* Warszawa, 260 p., in-8°.

Index

Jacques d'Avout : *La Querelle des Armagnacs et des Bourguignons.*

Frédéric Braesch : *1789, l'année cruciale.*

Jérôme Carcopino : *Le Maroc antique.*

Émile Coornaert : *Les corporations.*

Pierre Dumoulin de Laplante : *Histoire générale synchronique,* 2 tomes.

Georges Duveau : *La vie ouvrière en France sous le Second Empire.*

Daniel Guérin : *La lutte des classes sous la Ire République.*

Henri Guillemin : *Le Coup du 2 décembre.*

Henri Guillemin : *Les origines de la Commune :*
    I. *Cette curieuse guerre de 70.*
   II. *L'héroïque défense de Paris.*
  III. *La capitulation, 1871.*

Karl Hampe : *Le haut Moyen Age.*

Angus Heriot : *Les Français en Italie (1796-1799).*

P. I. R. James : *Les Jacobins noirs.*

Jacques Kayser : *L'affaire Dreyfus.*

Basile Klutchevsky : *Histoire de Russie,* tome I.

Léon Lemonnier : *La Guerre de Sécession.*

Léon Lemonnier : *La Ruée vers l'or en Californie.*

Léon Lemonnier : *Les Mormons.*

Léon Lemonnier : *La Formation des États-Unis (1493-1765).*

Léon Lemonnier : *La Guerre indienne et la Fondation des premiers États de l'Ouest.*

Ferdinand Lot : *La France, des origines à la guerre de Cent Ans.*

Jacques Madaule : *Histoire de France,* 2 tomes.

Marion Melville : *La vie des Templiers.*

R. B. Nye et J. E. Morpurgo : *Histoire des États-Unis.*

Édouard Perroy : *La guerre de Cent Ans.*

Charles Pomaret : *Monsieur Thiers et son siècle.*

E. Tarlé : *La campagne de Russie.*

Ullrich : *La guerre à travers les âges.*

ACHEVÉ D'IMPRIMER
LE 8 NOVEMBRE 1963
PAR FIRMIN-DIDOT ET Cie
LE MESNIL-SUR-L'ESTRÉE
(EURE)

Imprimé en France
N° d'édition : 9920
Dépôt légal : 4e trimestre 1963. — 1406